Донцова

Дарья Донцова
ВОЛШЕБНЫЙ
ЭЛИКСИР

Сказки
Прекрасной
Долины

Читайте романы примадонны иронического детектива Дарьи Донцовой

✱

Сериал «Любительница частного сыска Даша Васильева»:

Крутые наследнички	Досье на Крошку Че
За всеми зайцами	Ромео с большой дороги
Дама с коготками	Лягушка Баскервилей
Дантисты тоже плачут	Личное дело Женщины-кошки
Эта горькая сладкая месть	Метро до Африки
Жена моего мужа	Фейсконтроль на главную роль
Несекретные материалы	Третий глаз-алмаз
Контрольный поцелуй	Легенда о трех мартышках
Бассейн с крокодилами	Темное прошлое Конька-Горбунка
Спят усталые игрушки	Клетчатая зебра
Вынос дела	Белый конь на принце
Хобби гадкого утенка	Любовница египетской мумии
Домик тетушки лжи	Лебединое озеро Ихтиандра
Привидение в кроссовках	Тормоза для блудного мужа
Улыбка 45-го калибра	Мыльная сказка Шахерезады
Бенефис мартовской кошки	Гений страшной красоты
Полет над гнездом Индюшки	Шесть соток для Робинзона
Уха из золотой рыбки	Пальцы китайским веером
Жаба с кошельком	Медовое путешествие втроем
Гарпия с пропеллером	Приват-танец мисс Марпл
Доллары царя Гороха	Самовар с шампанским
Камин для Снегурочки	Аполлон на миллион
Экстрим на сером волке	Сон дядюшки Фрейда
Стилист для снежного человека	Штамп на сердце женщины-вамп
Компот из запретного плода	Свидание под мантией
Небо в рублях	Другая жизнь оборотня
	Ночной клуб на Лысой горе

Сериал «Евлампия Романова. Следствие ведет дилетант»:

Маникюр для покойника	Нежный супруг олигарха
Покер с акулой	Фанера Милосская
Сволочь ненаглядная	Фэн-шуй без тормозов
Гадюка в сиропе	Шопинг в воздушном замке
Обед у людоеда	Брачный контракт кентавра
Созвездие жадных псов	Император деревни Гадюкино
Канкан на поминках	Бабочка в гипсе
Прогноз гадостей на завтра	Ночная жизнь моей свекрови
Хождение под мухой	Королева без башни
Фиговый листочек от кутюр	В постели с Кинг-Конгом
Камасутра для Микки-Мауса	Черный список деда Мазая
Квазимодо на шпильках	Костюм Адама для Евы
Но-шпа на троих	Добрый доктор Айболит
Синий мопс счастья	Огнетушитель Прометея
Принцесса на Кириешках	Белочка во сне и наяву
Лампа разыскивает Алладина	Матрешка в перьях
Любовь-морковь и третий лишний	Маскарад любовных утех
Безумная кепка Мономаха	Шуры-муры с призраком
Фигура легкого эпатажа	Корпоратив королевской династии
Бутик ежовых рукавиц	Имидж напрокат
Золушка в шоколаде	Гороскоп птицы Феникс

Сериал «Виола Тараканова. В мире преступных страстей»:

Черт из табакерки
Три мешка хитростей
Чудовище без красавицы
Урожай ядовитых ягодок
Чудеса в кастрюльке
Скелет из пробирки
Микстура от косоглазия
Филе из Золотого Петушка
Главбух и полцарства в придачу
Концерт для Колобка с оркестром
Фокус-покус от Василисы Ужасной
Любимые забавы папы Карло
Муха в самолете
Кекс в большом городе
Билет на ковер-вертолет
Монстры из хорошей семьи
Каникулы в Простофилино
Зимнее лето весны
Хеппи-энд для Дездемоны
Стриптиз Жар-птицы

Муму с аквалангом
Горячая любовь снеговика
Человек-невидимка в стразах
Летучий самозванец
Фея с золотыми зубами
Приданое лохматой обезьяны
Страстная ночь в зоопарке
Замок храпящей красавицы
Дьявол носит лапти
Путеводитель по Лукоморью
Фанатка голого короля
Ночной кошмар Железного Любовника
Кнопка управления мужем
Завещание рождественской утки
Ужас на крыльях ночи
Магия госпожи Метелицы
Три желания женщины-мечты
Вставная челюсть Щелкунчика
В когтях у сказки
Инкогнито с Бродвея

Сериал «Джентльмен сыска Иван Подушкин»:

Букет прекрасных дам
Бриллиант мутной воды
Инстинкт Бабы-Яги
13 несчастий Геракла
Али-Баба и сорок разбойниц
Надувная женщина для Казановы
Тушканчик в бигудях
Рыбка по имени Зайка
Две невесты на одно место
Сафари на черепашку
Яблоко Монте-Кристо

Пикник на острове сокровищ
Мачо чужой мечты
Верхом на «Титанике»
Ангел на метле
Продюсер козьей морды
Смех и грех Ивана-царевича
Тайная связь его величества
Судьба найдет на сеновале
Авоська с Алмазным фондом
Коронный номер мистера Х
Астральное тело холостяка

Сериал «Татьяна Сергеева. Детектив на диете»:

Старуха Кристи – отдыхает!
Диета для трех поросят
Инь, янь и всякая дрянь
Микроб без комплексов
Идеальное тело Пятачка
Дед Снегур и Морозочка
Золотое правило Трехпудовочки
Агент 013
Рваные валенки мадам Помпадур
Дедушка на выданье
Шекспир курит в сторонке

Версаль под хохлому
Всем сестрам по мозгам
Фуа-гра из топора
Толстушка под прикрытием
Сбылась мечта бегемота
Бабки царя Соломона
Любовное зелье колдуна-болтуна
Бермудский треугольник черной вдовы
Вулкан страстей наивной незабудки
Страсти-мордасти рогоносца
Львиная доля серой мышки

Сериал «Любимица фортуны Степанида Козлова»:

Развесистая клюква Голливуда
Живая вода мертвой царевны
Женихи воскресают по пятницам
Клеопатра с парашютом
Дворец со съехавшей крышей
Княжна с тараканами

Укротитель Медузы горгоны
Хищный аленький цветочек
Лунатик исчезает в полночь
Мачеха в хрустальных галошах
Бизнес-план трех богатырей
Голое платье звезды

Дарья Донцова

Голое
платье
звезды

Москва
2017

УДК 821.161.1-312.4
ББК 84(2Рос=Рус)6-44
Д67

Оформление серии *С. Груздева*

Под редакцией *О. Рубис*

Донцова, Дарья Аркадьевна.

Д67   Голое платье звезды / Дарья Донцова. — Москва :
Издательство «Э», 2017. — 320 с. — (Иронический
детектив).

ISBN 978-5-699-97229-6

Истинное призвание Степаниды Козловой — помогать людям! Но разве могла она предположить, что, пообещав девочке-
гимназистке найти ее маму, столкнется с чудовищным обманом
и предательством... Успешная владелица риелторского агентства
Вера Чернова попала в СИЗО по обвинению в убийстве. Якобы
она отравила двух своих клиенток и украла деньги, отложенные
теми на покупку квартир. А в изоляторе временного заключения
к ней явился призрак Салтычихи и приказал молчать. История
Веры оказалась не только запутанной, но еще и жуткой... Однако
во всем этом Козлова разберется, а вот известие о неожиданной
смерти Романа Звягина — большого друга, владельца фирмы
«Бак» и, по слухам, жениха Степаниды — просто-таки выбило
почву из-под ног...

УДК 821.161.1-312.4
ББК 84(2Рос=Рус)6-44

ISBN 978-5-699-97229-6

Глава 1

Если будешь белой и пушистой, то из тебя сошьют шубу...

Я поставила коробку с тенями на стол.

— Лерочка, на мой взгляд, лучше хорошо относиться к людям, а не плохо.

— Папа тоже так говорит, — кивнула девочка. — Но потом, правда, тихонько добавляет: «Но если будешь белой и пушистой, из тебя сошьют шубу. Иногда кое-кому надо и в глаз дать!» А вы как думаете?

Я не успела ответить — дверь гримерки распахнулась, появилась полная дама лет пятидесяти, в дорогом платье. Она строго произнесла:

— Валерия, тебя все ждут! Это неприлично! Даже английская королева везде появляется вовремя, а ученица Чернова никак к нам не выйдет.

— Мадонна на два часа начало своего концерта задержала, и ничего, все молчали, — буркнула себе под нос Чернова.

Я быстро стряхнула с кисточки лишнюю пудру.

— Простите, Зинаида Федоровна, это моя вина. Забыла в машине парик Валерии, пришлось бежать на стоянку. Пока туда-сюда смоталась, почти полчаса прошло. Парковка-то у ворот, по саду гимназии ездить нельзя.

— Абсолютно верно, — кивнула Зинаида, — если разрешить кому ни попадя по территории разъезжать, мы лишимся газонов и цветов. Ускорьтесь, Степанида. И впредь не забывайте прихватить все необходимое, отправляясь на работу, за которую вы получаете очень приличные деньги. А тебе, Валерия, от всей души желаю никогда не походить на женщину-чудовище, которая в непотребном виде скачет по сцене, показывая неприличные жесты. Козлова, сколько вам надо времени, чтобы приготовить Чернову к репетиции? Сутки?

— Четверти часа хватит, — смиренно ответила я.

— Безобразие! — покраснела недовольная учительница. — Нужно было начать прогон в шестнадцать ноль-ноль, сейчас четыре часа ноль две минуты, а слониха все еще не готова. Учтите, я засекла время: если Валерия в положенный час не появится на сцене, вам срежут оплату за сегодняшний день. Ясно?

— Вы абсолютно правы, — сказала я.

В глазах Зинаиды промелькнуло удивление. Она повторила:

— Все устали ждать Чернову. Если хоть на десять секунд задержитесь, ополовинят ваш гонорар.

— Вы абсолютно правы, — сказала я. — Нельзя опаздывать, наказание мое совершенно заслуженно.

Зинаида Федоровна открыла рот, мгновение постояла молча, потом развернулась и ушла.

— Злобина противная, — прошипела Лера, когда училка скрылась из виду.

— Лучше этого вслух не произносить, — заметила я, не удержавшись от улыбки. — Услышит кто-нибудь, как ты преподавательницу обзываешь, и тебе влетит.

Девочка рассмеялась.

— А вот и нет!

— Хочешь сказать, что в вашей гимназии нет ябед? — уточнила я. — В моей школе одноклассницы частенько бегали «стучать» классной руководительнице друг на друга.

Валерия развеселилась еще сильней.

— Знаете фамилию Зинаиды?

— Нет. Только имя с отчеством, — ответила я.

— Она Злобина! — сообщила Валерия. — Это тот случай, когда данные паспорта с человеческой сущностью совпали. Училка нам недавно на уроке объясняла, как русские фамилии образовались. Некоторые произошли от профессии — например, Кузнецов, Поваров, и если кто-то такую носит, значит, его предки всякую всячину из железа ковали или еду готовили. А есть фамилии от прозвищ или физических недостатков. У Горбунова в роду точно горбун имелся, а у Доброва, похоже, все добрые в семействе были. Так я чуть не лопнула, пытаясь не расхохотаться. Зинка-то наша — Злобина! Значит, ее прапрадед какой-нибудь Кощей Бессмертный или палач кровожадный. Я не могу «злобиной» в лицо ее называть: госпожа Злобина, добрый день... Вот же ржачка! Но почему она сейчас так быстро заткнулась, не стала вас пилить? Обычно-то классуха мозг чайной ложкой через нос медленно вынимает.

— Если хочешь предотвратить скандал, скажи тому, кто предъявляет к тебе претензии: «Вы правы», — посоветовала я. — Согласишься с обвинениями, и фонтан злобы захлебнется. Ну раз, ну два, ну три к тебе пристанут, но, услышав очередное «вы правы», отвяжутся. Трудно конфликтовать с тем, кто с тобой согласен. Вот если возражать или что-то недовольное себе под нос бубнить, тогда выяснение отношений на неделю затянется. Еще совет: если педагог к тебе придирается, нужно сказать маме, а самой не огрызаться, это даст вредной тетке возможность упрекать ученицу в хамстве.

Лера вскинула голову.

— Не собираюсь поддакивать Зинке-дуре! Мадонна ей, видите ли, не нравится... Я от певицы тоже не в восторге, но она всего сама добилась, денег у нее вагоны. Злобина просто звезде завидует. Училка обо всех, кто в телике появляется, про наших и не наших звезд, всегда гадости говорит. А насчет того, чтобы матери пожаловаться... Нет у меня мамы, умерла.

— Прости, — тихо сказала я, — не знала. Я тоже росла сиротой, не помню своих родителей, меня воспитывала бабушка.

— Я в первом классе училась, когда мамочки не стало, — уточнила Лера, — но она до сих пор у меня перед глазами стоит. А у вас и папы нет?

— Нет, — ответила я, — только бабуля, Изабелла Константиновна, все зовут ее сокращенно — Белка.

— Она пенсионерка? — поинтересовалась девочка. — Поэтому вы в нашей гимназии ребят для спектакля гримируете? Бабушке надо дорогие лекарства покупать? Денег не хватает?

Я улыбнулась.

— Белка замужем, у них с супругом своя фирма. Проблем с финансами нет. Наоборот, бабуля вечно норовит мне на карточку денег подбросить, хотя я сама себя вполне обеспечиваю. Я главный визажист фирмы «Бак», постоянно работаю на показах во многих странах мира, под моим началом немалая команда стилистов. Раньше часто брала заказы — готовила невест к свадьбам, именинников к дню рождения. Но теперь более не нуждаюсь в приработке, так как заслужила хороший оклад. Представляешь, один раз мы со Стефано, моим учителем, вице-президентом «Бака», причесывали... кошек.

— Правда? — опешила Валерия.

— Нас пригласили сделать красивыми жениха, невесту, гостей, — кивнула я, — но не предупредили, что свадьба предстоит кошачья.

— И что вы сделали, когда животных увидели? — захихикала Валерия. — Ушли?

— Стефано в тот период жизни требовались деньги, мне тоже, поэтому мы, хоть и сильно удивились, все же остались и сделали хвостатых участников торжества очаровательными, — пояснила я. — Повеселились от души! Клиенты оказались покладистыми, не требовали переделывать укладку. А сейчас помогать в подготовке вашего детского спектакля я согласилась потому, что мой друг, Костя Столов, приятель Игоря Арина.

— Отца моей одноклассницы Насти? — протянула Валерия. — Они очень богатые.

— Ты тоже не бедная, — заметила я. — На первом этаже висит стенд, где в числе прочих есть сведения, сколько стоит семестр в этой гимназии. Такую сумму малооплачиваемым родителям не потянуть. Игорь попросил Костю пригласить меня, а я не могла отказать Столову. Посмотрись в зеркало. Если хочешь, я могу добавить румян, но есть риск в этом случае стать похожей на матрешку. Сейчас ты просто супермодель.

— Ну да, в костюме слона, — расхохоталась Валерия. И вдруг посерьезнела: — Как вы думаете, меня бы взяли на подиум?

Я внимательно посмотрела на Леру.

— У тебя хороший рост, фигура, лицо, на котором можно все нарисовать... Да, ты можешь попробовать себя в модельном бизнесе. Но не советую.

— Почему? — удивилась Валерия. — Ходить в красивой одежде с суперским макияжем, получать уйму денег, летать по всему миру...

— Это только вершина айсберга, — сказала я, прилаживая к голове девочки здоровенные уши из какого-то тонкого материала серого цвета, — основная же часть спрятана под холодной черной водой. Вечная диета, многочасовые съемки в неудобной обуви и одежде, испорченные от постоянных укладок волосы. Да и ежедневные перелеты из страны в страну не добавляют здоровья. Но главное не это. Модель зависит от многих людей: фотографа, главного редактора гламурного журнала, модельеров и их окружения, богатых клиентов модных домов... Карьера может рухнуть в одночасье. Многие фирмы устраивают частные показы новых коллекций для своих постоянных обеспеченных покупателей. Знаю одну девочку, которая демонстрировала платье для жены... не скажу тебе кого. Манекенщица улыбнулась, чтобы понравиться женщине, когда проходила мимо клиентки, которая пришла в сопровождении двадцатипятилетнего сына. А та вскочила и зашипела: «Эта шлюха пытается соблазнить моего мальчика! Губа не дура! Или ее немедленно увольняют, или я более к вам ни ногой!» Как ты думаешь, что сделал создатель коллекции, услышав сие заявление? Тетка эта скупает у него тотальный лук, то есть комплект: платье, туфли, шуба, пальто, сумка, серьги, ожерелье, кольцо, брюки, блузка, кардиган, куртка, ну и так далее, после ее отъезда в кассе модного дома всегда появляется полтора-два миллиона евро. Дамочка прибывает в Париж минимум четыре раза за год: сезон весна—лето, затем осень—зима, плюс пляжная коллекция и специальная новогодняя, а еще есть особые предложения, пошив на заказ... Ну и кого, как ты думаешь, модельер отправил лесом — клиентку или модель?

— Наверное, выгнал девушку, — сказала Валерия.

— Но и это еще не самое неприятное, можно пристроиться в другую фирму, — продолжала я, собирая палетки с тенями. — Век модели короткий, с четырнадцати до двадцати трех, максимум до двадцати пяти-шести лет. Дальше «вешалка» никому не нужна. Хорошо, если она успеет выскочить замуж — в противном случае жизнь ее не покажется веселой. Хорошего образования нет, ну и чем заниматься ей по жизни? Когда девочки говорят: «Хочу в модели», они представляют себя Водяновой. Но Наталья одна такая. И тех, кто на слуху, кто участвует в показах Шанель, Прада, Миу Миу, Луи Виттон, Дольче энд Габбана, не так много. Да, у них хорошие контракты, они много зарабатывают. Но ты уверена, что попадешь в их число? Что выдержишь конкуренцию? Не сломаешься, когда потребуется в течение суток для рекламы каких-нибудь духов на Эйфелеву башню с внешней стороны в люльке подниматься? Бо́льшая часть фотографов часами ищет нужный кадр, они ужасно капризны. Если что-то не получится, виноватой назовут модель, а не того, кто на нее объектив нацелил. Придираться будут так, что ты Зинаиду Федоровну Злобину с умилением вспоминать станешь, она тебе шоколадным пирожным покажется. Поэтому советую: лучше получи хорошую профессию. А сейчас беги скорей на сцену, иначе учительница шум поднимет.

Лера направилась к двери. На пороге она обернулась.

— Степанида, спасибо вам.

— Рада, что моя работа тебе понравилась, — улыбнулась я.

— Из меня получился прикольный слон, — хихикнула Валерия, — но я благодарю не за грим. Вы не ходили на парковку за париком, ничего не забывали в автомобиле, это я на полчаса опоздала. Но вы взяли вину на себя, меня выручили. И получили по полной за то, в чем не были виноваты.

— Ерунда, — отмахнулась я, — тебе бы сильнее нагорело.

— Вы меня пожалели? — уточнила Валерия.

Я кивнула.

— Почему? — удивилась девочка. — Мы с вами не подруги, виделись всего три раза.

— Представила себя на твоем месте и поняла, что нужно спешить на помощь, — засмеялась я.

Глава 2

В четверг я приехала на работу около одиннадцати утра. Вошла в флагманский магазин «Бак», двинулась по первому этажу, услышала, что меня кто-то окликает, обернулась и увидела свою новую помощницу Кристину Светкину: ее неделю назад взяли на испытательный срок.

— Степа, к вам девушка пришла, — сообщила она. — Симпатичненькая, высокая, худенькая. Я отвела ее в кабинет.

— В чей? — уточнила я.

— В ваш, — расцвела в улыбке девушка.

Чтобы не разозлиться, мне пришлось сделать глубокий вдох.

— Кристина, вы работаете у нас семь дней, и я вам много раз за смену говорила, что посетителей необходимо провожать только в приемную на первом этаже.

— Вы вчера по телефону сказали Роману Глебовичу, что ищете новое лицо для рекламы «Бака», а гостья идеально подходит. Прямо супер, — затараторила Светкина.

Я опять набрала полную грудь воздуха, подумав, что креативный секретарь — кошмар начальника.

— Кристина! Правила первого приема людей одинаковы для всех. Даже для тех, кто потом станет везде представлять фирму. Сделайте одолжение, проводите посетительницу в приемную, я сейчас туда подойду.

— У меня глаз-алмаз, — зачастила помощница, — прямо чую, что она в яблочко!

— Хорошо, — кивнула я. — И тем не менее в приемную.

— Мой глаз — алмаз, — повторила Кристина. — Реально алмаз, все сечет. Самый алмазистый алмаз!

Я молча направилась в коридор.

— Так что делать? — крикнула мне в спину Кристина.

Пришлось собрать все свое терпение в кулак.

— Препроводить гостью в приемную.

— Там нет окон, — возразила помощница. — И зеркал.

— И что? — удивилась я.

— Вы не сможете на ней макияж испытать, — заявила Кристина.

— В приемную, — процедила я и поспешила скрыться из поля зрения навязчивой девицы. Войдя в зал, где представлена губная помада, я оторопела. У входа стоял голый манекен, у которого губы были окрашены в темно-бордовый цвет.

— Настя! — позвала я завотделом. — Иди сюда!

— Что-то не так? — спросила Анастасия, подбегая.

Я показала на манекен.

— Зачем здесь это жуткое создание? И почему оно обнаженное?

— Ну... э... ну... — забормотала Настя.

— По какой причине на лице у него макияж в осенних тонах? — вопрошала я дальше. — Если ты забыла, то сейчас июль. «Бак» объявил текущий месяц алым, бордо у нас представлялось в ноябре.

— Э... э... э... — опять невразумительно пробормотала Анастасия.

— И последний вопрос! Кто велел поставить сюда сию гадость? — вскипела я. — «Бак» посещают родители с детьми, кредо нашей фирмы — не эпатировать публику. А что видят мамаши с малышами, входя в твой зал? Голую тетку со всеми анатомическими подробностями. Лицо у нее размалевано так, что Пикассо от зависти на том свете рыдает, а от живота... как бы это поприличнее сказать... к тому месту, где ноги соединяются с туловищем, идет надпись, сделанная все той же бордовой помадой. Ну-ка переведи мне ее.

— Не могу, — пропищала Настюша.

— Да? Почему же? — ехидно осведомилась я.

— Она из иероглифов, — ушла в минор Анастасия.

— Так, так... — протянула я. — Вчера иду по отделу праздничных наборов и слышу восхитительный диалог. Нефедова, старшая продавщица, обслуживает щедрого старичка, который своей внучке самый большой набор фирмы «Бак» берет. И уж так Роза старается-улыбается, подарки старичку за дорогую покупку набирает.

— Розка лучшая, — оживилась Настя, — она даже бегемоту шампунь для окрашенных волос втюхает.

Я пропустила мимо ушей чудесное словечко «втюхает».

— И вдруг дедуля спрашивает: «Красавица, как вы себя чувствуете?» Нефедова удивилась: «Нормально. А что? Я плохо выгляжу?» «Как сочный персик на заре, — успокоил ее галантный пенсионер. — Вижу, у вас на руке татуировка... Оно, конечно, модно».

«Верно, — кивнула Роза. — Вы против наколок?» Дедок закатил глаза. «В мою молодость их делали только зэки да еще моряки, которые якорь рисовали. Но времена меняются, а я совсем даже не ханжа. Просто забеспокоился, когда надпись на вашей руке увидел. Сейчас июль, а там написано «Продукт годен до апреля». Весенний месяц давно прошел, вот я и подумал, вдруг у вас со здоровьем нелады?» Нефедова стоит, моргает, а дедуля сообщает: «Я переводчиком с японского работаю, до сих пор на службе. Если вам какие-то лекарства из Токио нужны, скажите». Милый такой старичок, но ехидный. Я потом у Розы спросила, где она эту красотищу набила, а она промолчала. И вот, глядя сейчас на манекен, я подумала: что, интересно, ему на пузе вывели? Вдруг непотребное изречение? И вообще, кому на ум взбрело такое отчебучить?

— Вам, — выпалила Настя.

— Мне? — подпрыгнула я. — Да никогда в жизни! Я постоянно твержу, что мы в России живем, наш покупатель на русском разговаривает, никакого иностранного суржика в навигации по залу и в рекламе я не потерплю.

Анастасия резко выпрямилась.

— Пришла ваша новая помощница Кристина, велела фигуру у входа водрузить и так расписать. Я у нее спросила: «А Степанида в курсе?» Девушка ответила: «Конечно. Она сама эту акцию придумала для оживления интерьера зала». Я и подумала, что у каждого человека может приступ кретинизма случиться, и вы не исключение. Степа, вы ничего не знали?

— Убери эту жуть, — попросила я. — Разберусь с Кристиной.

— У вас телефон трещит, — подсказала Настя.

Я взяла трубку и услышала щебетание помощницы:

— Степанида, девушка вас давно в приемной ждет, нервничает. Вы придете? Развлекаю ее тут пока, чтобы не скучала, веселые истории из жизни фирмы «Бак» рассказываю. Ну, как Оля Волгина у вас в Париже с подиума головой прямо в главреда журнала «Евромода» упала, ногу сломала, зуб выбила, нос набок свернула...

Вот тут я поняла, что чувствовал Иван Грозный перед тем, как приказать рубить го́ловы боярам.

— Кристина, немедленно уходите оттуда!

— Но гостья затоскует, — возразила Светкина.

Оцените мое самообладание! Я ответила коротко:

— У нас не Диснейленд.

— Можно ей чайку принести? — продолжала помощница. — С печеньем.

— Посетительница вас слышит? — уточнила я.

— Конечно, мы рядышком, как попки-неразлучницы.

Я подумала, что ослышалась.

— Как кто?

— Веселые попки-неразлучницы, — повторила секретарша.

Тут я должна вам сообщить: на беду, я, Степанида Козлова, обладаю слишком ярким воображением. На пару секунд перед моим мысленным взором возникла картина: две большие задницы восседают за столом в переговорной. Вопрос: чем они улыбаются?

— Мы прямо как попугайчики подружились. Так разрешите ей чай притащить? — чирикала Кристина.

Я прогнала видение, хотела сказать: «Да», но тут меня покинуло самообладание. Вкупе с толерантностью.

— Да хоть кофе, кефир, какао, лимонад с мармеладом, вафлями, крекером и все в одной кружке! Главное — валите из переговорной немедленно!

— Вы думаете... — начала Кристина, но я нажала на экран и понеслась к лифту.

Видимо, выражение лица у главного визажиста «Бака» было сейчас как у голодного людоеда. Служебных подъемников у нас три, и около них вечно толпится народ, но когда я подлетела к кабине, все расступились. И никто не пошел вслед за мной внутрь. Наверх я ехала в гордом одиночестве, повторяя в уме фразу, которую непременно скажу Кристине: «К сожалению, мы с вами не сработаемся, пройдите в отдел персонала за расчетом».

Прежде чем войти в переговорную, где находилась девушка, которую я уж и не помню, когда приглашала, я заглянула в туалет. Глянула на себя в зеркало и строго сказала своему отражению:

— Спокойно! Посетительница не виновата, что Кристина глупее индийской курицы. Возможно, я случайно сказала какой-то модели: «Мы сейчас проводим кастинг, загляните в «Бак», если хотите». Вообще-то мне несвойственно делать подобные заявления, но иногда самоконтроль меня подводит. Возьми себя в руки, улыбнись девушке. Ну, вперед и с песней!

Я вымыла руки холодной водой и поспешила в переговорную.

Глава 3

Войдя в помещение, я хотела поздороваться, но, увидев посетительницу, так удивилась, что выпалила:

— Валерия? Почему ты не в гимназии?

— Потому что сижу здесь, — пожала плечами девочка. — Здравствуйте, Степа.

— Добрый день, Лера, — спохватилась я. — Да, я предложила тебе заглянуть в «Бак», но ты ведь еще несовершеннолетняя, поэтому я не имею права обсуждать с тобой участие в кастинге без взрослых: отца, бабушки или кого-то из родственников.

Валерия, как в классе, подняла руку.

— Нет, нет, я не на кастинг. У меня к вам просьба... странная. Вы покупателей регистрируете?

— Есть узкий круг клиентов, как правило, тех, кто ежемесячно оставляет в магазинах большие суммы, — пустилась я в объяснения. — Список таких людей находится в ВИП-отделе, они получают приглашения на наши мероприятия, подарки. А почему ты интересуешься? А-а-а-а... Ты увидела, как продавщица дает кому-то чемоданчик с набором косметики? С удовольствием сделаю тебе такой презент.

— Спасибо, не надо, бабушка увидит и пристанет с вопросом, где я его взяла, а я не хочу ей говорить, что к вам приезжала, — отказалась Валерия. — Значит, если покупатель обычный, его нет в вашем списке и узнать, где он живет, нельзя?

Я призадумалась.

— Ну, мы еще выдаем скидочные карты, для их получения человек должен заполнить анкету, написать свои данные: имя, фамилию, электронный адрес. Почтовый не нужен — его только у випов спрашивают, чтобы презенты на дом доставлять.

— Большинство людей расплачиваются кредитками? — не утихала Лера.

— Как правило, да, — согласилась я.

— А на чеке указан номер пластика и название банка, — воскликнула девочка. — Если женщина вчера купила набор «Принцесса», можно найти ее данные?

— На платежном документе? — уточнила я.

— Ага, — кивнула Лера. — Тогда я узнаю, где она держит деньги. В банке точно адрес клиента есть. Или телефон.

— Кстати, мы номер мобильного в анкете на получение скидки просим указать, — уточнила я. — Правда, многие отказываются почту и номер сотового писать. Не хотят, чтобы к ним реклама приходила. А теперь объясни, почему ты все эти вопросы задаешь. Ты кого-то ищешь?

— Да, — шепнула Валерия. — Одна женщина вчера в пять часов вечера зашла в «Бак», а когда вышла, у нее в руках был розовый чемоданчик с золотой надписью «Принцесса».

— Набор для девочек от трех до шести лет, — кивнула я. — В нем шампунь, кондиционер, духи, гигиеническая помада со вкусом ягод, крем для рук, гель для тела, полотенце, резиновая собачка для ванной, купальная шапочка, губка в виде кошки, альбом, куда надо помещать наклейки... Девочки это обожают.

— Значит, у нее есть дочь, — странным голосом произнесла Валерия.

— Не обязательно, — улыбнулась я. — Вероятно, эта покупательница собиралась в гости в дом, где живет малышка. Французы прекрасно чувствуют себя, явившись на ужин без презента, а в России считается неприличным ходить в гости с пустыми руками. Хозяйке полагается букет, хозяину несут бутылку, а их ребенку игрушку. Или набор из нашей линии для детей. Для мальчиков мы делаем сундучок, вместо изделий в виде кошек-собак там губка-телефон и резиновый ноутбук. Шагаем в ногу с прогрессом. Но объясни, кого и зачем ты пытаешься отыскать? Я попробую тебе помочь, если только ты не задумала что-то нехорошее.

Валерия сцепила пальцы рук в замок.

— Я хожу на занятия к логопеду. У меня проблемы со звуком «р», я немножко картавлю.

— Вот как? Хм, я не заметила, — улыбнулась я.

— Осталось пару раз доктора посетить, я уже исправила речь, — вздохнула Лера. Он живет в доме, где на первом этаже салон красоты, соседнее с вашей фирмой здание. Я вышла из метро...

У Валерии сорвался голос, и в этот момент в переговорную вошла Кристина с двумя литровыми кружками в руках и с улыбкой во все зубы.

— Вот вам вкусняшка! — пропела она, ставя кружки на стол.

— Однако как-то странно этот напиток выглядит... — пробурчала я себе под нос. — Спасибо, вы можете идти.

— Извините, я задержалась с напитком, — начала оправдываться Кристина, — кофе-то и чай в шкафу есть, а какао, мармелада...

— Спасибо, — повторила я.

Кристина села в кресло. Я посмотрела ей прямо в глаза.

— Благодарна вам за напитки, вы свободны.

— Так я работаю помощницей, — заявила Светкина, — обязана присутствовать при переговорах.

— У нас личная беседа, — отрезала я, — нам с гостьей надо остаться тет-а-тет.

— Мне уйти? — уточнила глупая особа.

— Да, — отрезала я.

— Вы уверены? Одной сложно справиться, — затараторила помощница, — я легко возьму на себя бумажную работу — составление договора. Я имею юридическое образование...

— Кристина, идите вон! — велела я. — Быстро!

— Так бы сразу и сказали, — не обиделась девица. — Если понадоблюсь, буду в холле. Мне точно уйти?

Желание схватить более чем непонятливую красотку за шиворот и выпихнуть ее из кабинета достигло такой остроты, что я, дабы не совершить непозволительного поступка, схватила кружку и сделала большой глоток в надежде, что чай или кофе слегка утихомирят волну злости. Но питье оказалось столь отвратительным на вкус, что я выхватила из коробки на столе сразу несколько салфеток, выплюнула в них пойло и простонала:

— Ну и дрянь! Даже на бензоколонке у железнодорожной станции такую не подают. Из чего вы сварганили это пойло?

Кристина оттопырила губу.

— Сами попросили, а теперь не нравится? Я приготовила по вашему личному рецепту: чай, кофе, какао, кефир, лимонад, все в одну чашку, плюс мармелад, печенье...

Я онемела. А Кристина неслась дальше:

— Поэтому литровые кружки пришлось купить, в нормальные интеллигентные чашечки этот коктейль бы не влез. За задержку извините, не все нужное в шкафу нашлось.

И тут до меня дошло: ни один человек не может сделать такую глупость, Кристина меня специально выводит из себя. Вот только не знаю почему.

Я улыбнулась.

— Замечательный напиток, но насладиться им я не могу, слишком сладко. Принесите лимон.

— Какой? — уточнила Кристина.

— Лимонный, — ответила я. И на всякий случай пояснила: — Кислый.

— Желтый или зеленый? — деловито уточнила Светкина. — Они разные.

— Оба. И в придачу свеклу, — велела я. — Только выдавите из нее сок.

Кристина кинулась к двери.

Я посмотрела на притихшую Леру.

— Извини, пожалуйста. Никогда с сотрудниками таким образом не разговариваю, но эта девушка может и ангела самообладания лишить. Ее взяли недавно, и я вначале думала, что Кристина не поняла, как надо работать. Затем решила: она нервничает из-за того, что находится на испытательном сроке. А сейчас меня осенило: помощница издевается надо мной. Не знаю, по какой причине ей это в голову пришло, и знать не хочу. Ее сегодня же уволят. Но давай вернемся к твоей проблеме. Ты сказала, что вышла из метро, а продолжить не успела из-за появления секретарши с адским пойлом. Говори, пожалуйста, я очень внимательно тебя слушаю.

Валерия прижала руки к груди.

— Я вышла из метро и остановилась у вашей витрины. Оформление часто меняют, и оно всегда прикольное. Сегодня там белки плюшевые, все с пудреницами. Ми-ми-ми прямо. И вдруг...

Девочка замолчала. Я улыбнулась.

— Тебе что-то из товара понравилось? Новый набор «Принцесса»?

— Вы мне не поверите, — прошептала Лера, — подумаете, что у меня крыша поехала.

— Все-таки скажи, — попросила я, с тревогой глядя на Леру — цвет лица у нее стал буквально серым.

— В магазине стояла моя мамочка! — выпалила Валерия.

В первую секунду я не поняла, как реагировать на услышанное. Затем осторожно спросила:

— Лерочка, извини, если я делаю тебе больно, но... Но ведь вроде твоя мама умерла?

— Да, — кивнула Лера, — умерла, я вам про это говорила. Мне тогда только-только семь лет исполнилось, сейчас уже тринадцать.

— Прости за напоминание о страшном дне, — пробормотала я, — но ты, наверное, присутствовала на похоронах. И ходишь иногда на могилу... э... не знаю, как твою маму звали.

— Ее имя Вера Михайловна Чернова, — уточнила Лера, — она работала риелтором, владела фирмой «ДТМ». Аббревиатура расшифровывается как «Дом твоей мечты». А на похороны меня не взяли. Могилы у мамулечки нет, ее тело кремировали. Ниша в стене сделана, там урна. Я один только раз колумбарий посетила, и мне не понравилось — очень холодно было, стена мрачная, около таблички с именем мамы крохотная вазочка приделана, и из нее один цветок торчит, искусственный. Все это ужасно выглядит. Вы не подумайте, что я забыла маму, просто...

Валерия съежилась.

— Я знаю, что она скончалась от тяжелой болезни... Ой, я путано говорю, вы меня дурой, наверное, считаете...

— Ты все понятно объясняешь, — ласково сказала я, думая, как связаться с родственниками девчонки, у которой явно проблемы с психикой.

На щеки Валерии вернулись краски.

— Можно все-все рассказать? Пожалуйста, выслушайте! Мне очень плохо.

Я хорошо помнила себя тринадцатилетнюю. Особо близких подруг у меня не было, поэтому после занятий я чаще всего брела домой одна. Меня редко звали в гости, в кино, на дискотеку. Отчасти непопулярность ученицы Козловой среди сверстников объяснялась тем, что я жила не в ближайшей к школе деревне, как все дети, а на значительном удалении, в отеле «Кошмар в сосновом лесу»[1]. А еще я не могла похвастаться знаниями, безропотно получала свои тройки и четверки, на уроках зевала, к тому же не носила модную одежду. Лет в двенадцать я пришла к выводу, что господь не одарил меня красотой, и начала плакать по вечерам в ванной. Меня очень тяготила необходимость вставать в несусветную рань, чтобы успеть к первому уроку, а ведь еще нужно было выполнять домашние задания и помогать бабушке в отеле. К тому же я растолстела, и ребята в классе начали меня дразнить...

В общем, жизнь казалась мне ужасной, школа — тюрьмой. Я ощущала полнейшее одиночество, ненужность, мучилась из-за своей уродливой внешности. Но вот же странность: никогда не тосковала по погибшим родителям. Почему? Может быть, потому, что совсем их не помнила. Для маленькой Степы папоймамой являлась в едином лице Белка. Но ведь бабушке все не расскажешь. Для того чтобы пожаловаться на свою несчастную жизнь, нужна хорошая подруга, а ее-то у меня и не было. Похоже, у Валерии тоже нет «жилетки».

Мне стало очень жалко девочку, поэтому я сказала:
— Конечно, говори.

И полился рассказ Валерии.

Глава 4

...Семья Черновых была благополучной и счастливой. Вера Михайловна и Владимир Николаевич владели фирмой «ДТМ». Ангелина Сергеевна, мать Владимира, вела хозяйство, заботилась о маленькой

---

[1] Подробно о детстве Степы рассказывается в книге Дарьи Донцовой «Развесистая клюква Голливуда».

Лерочке. Девочка ходила в детский сад около дома.
Жили Черновы в хорошей пятикомнатной квартире,
которую когда-то купил отец Володи, крупный адвокат. Николай Петрович хорошо зарабатывал, в семье
имелись машина и дача. Валерия дедушку не застала,
тот давно умер, но бабуля иногда рассказывает о муже,
вспоминает, как они любили друг друга. Ангелина
Сергеевна никогда не работала, вела домашнее хозяйство. В прежние советские времена Черновы считались зажиточными. Но после смерти Николая Петровича семья быстро прожила свои накопления. И вот
тогда родители Валерии стали заниматься торговлей
жильем.

У Веры Михайловны не было дружной семьи, ее
отец с матерью постоянно прикладывались к бутылке.
И мать Леры редко вспоминала их, рано умерших от
алкоголизма, зато охотно рассказывала, как тяжело и
трудно жила, став сиротой. Как работала за копейки,
чтобы не умереть с голоду, как устроилась мыть полы
на рынке и как помогала покупателям дотащить до
автомобиля наполненные сумки. Но, подчеркивала
Вера, она чувствовала в то время себя счастливой.
Копеечная зарплата соединялась с чаевыми, вполне
приличную одежду можно было купить в секонд-
хенде, торговки с рынка часто давали ей продукты.
Не распродала молочница весь творог, осталось у нее
полкило — домой она товар не повезет. У колбас-
ницы капризные клиенты, все как один требовали:
«Не кладите на весы «попку» от батона, срежьте ее».
К концу дня обрезков набегало на добрый килограмм.
В общем, домой Верочка возвращалась с туго набитой
кошелкой.

Кстати сказать, она еще делилась съестным с подо-
печной бабушкой. Сирота помогала одинокой ста-

рушке, соседке по дому: убирала ее квартиру, стирала белье и не брала у пенсионерки денег, просто жалела ее. Жизнь казалась ей прекрасной, люди на рынке любили приветливую, услужливую, честную девочку, готовую постоять за прилавком, если продавщице приспичило отойти. Верочка старательно мыла и пол, и прилавки, не сидела на месте, мухой летала по помещениям.

Однажды бабушка-соседка спросила Верочку:

— Хочешь подработать?

— Да! — обрадовалась та. — Очень!

Старушка протянула ей бумажку.

— Вот тебе адрес. Там живет Ангелина Сергеевна, моя давняя клиентка. Я ведь парикмахером работала, делала ей прически. Так вот, Лине нужна домработница, два раза в неделю.

Верочка расцеловала бабулю и помчалась к Черновым, которые очень удачно жили в паре минут ходьбы от ее дома. Дверь открыл Володя...

Через полгода сыграли свадьбу, и у Верочки началась новая жизнь — она стала обожаемой женой, любимой невесткой, а потом счастливой мамой. Через какое-то время супруги задумали открыть агентство покупки-продажи жилья. Казалось, солнце всегда будет сиять на небосклоне Черновых.

Но вдруг замаячила беда.

Вера заболела гриппом и решила перенести недуг на ногах — у нее была выгодная сделка. И что вышло? Деньги-то Чернова заработала, а вот здоровье потеряла. Из-за несоблюдения постельного режима у нее отказали почки. Больница, диализ, смерть.

От маленькой Валерии правду скрыли. Когда мама вдруг куда-то подевалась, бабушка спокойно объяснила внучке:

— Мамуля улетела в Екатеринбург, там твои родители открывают филиал фирмы. Она не скоро вернется.

Лерочка очень скучала по маме. Вера Михайловна убегала из квартиры рано утром, возвращалась поздно вечером, но воскресный день всегда проводила с дочкой. Они ходили в зоопарк, в музеи, в магазин, читали книжки, слушали пластинки. А теперь Валерии так не хватало мамы... Но Вера Михайловна не вернулась даже в день рождения дочки, не прилетела проводить ее в первый класс. Придя на первую линейку, Лерочка горько заплакала. Всех детей сопровождали группы взрослых: мамы, папы, бабушки-дедушки, дяди и тети, а Леру Чернову привела в школу одна-единственная Ангелина Сергеевна, которая к тому же забыла захватить фотоаппарат и поэтому не сделала ни одного снимка.

Праздник не принес девочке положительных эмоций. Лерочка сильно обиделась на маму и папу, которые не захотели даже на время оставить ради нее работу. Слова бабули: «Валерия! Нельзя быть такой эгоисткой, родители зарабатывают тебе на жизнь» — не успокоили ее. Первоклассница рыдала так, что ее до начала торжественной части отправили домой.

К занятиям Лера приступила только в середине сентября — от расстройства она заболела. Но учеба шла через пень-колоду. А мама не возвращалась.

Вскоре Леру неожиданно забрали из гимназии и отправили в далекое Подмосковье, в интернат для больных детей. Валерии стало совсем плохо. Ни папа, ни бабушка, ни мама ее не навещали, на Новый год к ней никто не приехал. В конце концов Лерочка перестала рыдать. Малышка смирилась с тем, что ее выгнали из дома, перестала стоять все свободное время у окна, глядя на дорогу, по которой к центральному входу подъезжали машины, и попыталась жить дальше.

А в феврале в интернате появился Владимир Николаевич Чернов. Сначала он зашел к директрисе, потом в кабинет вызвали Лерочку. Кроме отца и начальницы интерната в комнате находились еще психолог, врач и медсестра.

— Лера, сядь и выслушай меня спокойно, — попросил папа.

Девочка покорно опустилась на стул. Она знала, что в лесной школе учатся несколько детей из приютов. Детей, которых бросили родители. Маленькая Валерия решила, что отец прибыл, чтобы сообщить ей, что они с мамой и бабушкой больше не хотят ее воспитывать и оставляют навсегда в этом подмосковном интернате. Странное дело, девочка не испугалась, не заплакала. Наверное, у нее просто закончились эмоции, а вместе с ними иссякли и слезы.

Но папа неожиданно рассказал, что Вера Михайловна не уезжала ни в какую командировку, а тяжело заболела и легла в больницу. Ей требовалась пересадка почки. Мама очень надеялась на донорский орган, но у нее была редкая группа крови, поэтому она так и не дождалась операции. Мама умерла. Все.

Когда прозвучали последние слова, Лерочка, ожидавшая услышать от отца другое, не поняла, что случилось. Она робко спросила:

— Меня оставят жить здесь навечно? Я стану детдомовкой?

— Конечно, нет! — воскликнул отец. — Придет же такая глупость в голову... Мы с бабушкой отправили тебя сюда, так как не хотели говорить о том, что мама умирает. Мы очень надеялись на чудо, на операцию, которая вернет ей здоровье и жизнь. Но чуда не случилось: что ж, теперь ты знаешь правду. Вера от нас ушла. Собирайся, мы уезжаем домой.

Из всей папиной речи Лера уяснила лишь одно: лесная школа уходит в прошлое, она возвращается в Москву и снова будет жить одна в своей комнате, а не в спальне с тремя противными соседками.

— Ура! — закричала малышка и бросилась отцу на шею.

Однако в родную квартиру Валерия не попала, оказалось, что за прошедшее время Черновы переехали в другой район. Учиться девочка пошла в другую гимназию, не в ту, куда ее определили в первый класс, и в новой у нее сложились хорошие отношения и с ребятами, и с учителями.

Все шло замечательно. Вопрос, где ее мама, в голове Лерочки не возникал довольно долго, но однажды она подошла к бабушке и поинтересовалась:

— Когда мамочка из командировки вернется?

Ангелина Сергеевна удивилась, но ответила спокойно:

— Никогда. Она умерла. Ты забыла? Папа же все тебе объяснил.

— Мамы не будет совсем? — уточнила Лера.

— Да, — вздохнула Ангелина Сергеевна.

Лера ушла в свою комнату и стала размышлять над словами бабушки. Мама никогда не вернется, она умерла... Разве это возможно? Нет, конечно. Мамулечка в командировке.

До девяти лет Лерочка жила в уверенности, что рано или поздно увидит маму. Бабушка и папа не вспоминали Веру Михайловну, в квартире не было ее фотографий, день рождения, дату смерти матери в семье не отмечали, на кладбище девочку не возили. И Лера считала, что мама рано или поздно вернется из затянувшейся поездки...

Валерия прервала рассказ и посмотрела на меня.

— Дурочка я, да?

— Ты просто маленькая была, — возразила я. — Психика ребенка нашла способ сохранить его разум.

— Понимание пришло, когда папа женился на Елизавете Федоровне, — поморщилась Валерия. — Только тогда до меня дошло: мать ушла навсегда. Другая женщина заняла своими вещами ее шкаф, готовила на кухне еду, жила в одной комнате с папой... Вообще-то у меня к Лизе претензий не было. Она хорошо ко мне относилась, делала подарки, хотела подружиться. Папа велел мне звать ее мамой, но я не смогла. Через какое-то время меня перевели из любимой школы в платную гимназию. А тут... Ну вы сами видели Злобину. И ребята в классе под стать Зинаиде: считают меня оборванкой, нищей, потому что я приезжаю на занятия на метро, а их шоферы доставляют. Почти у каждого школьника есть охрана, разговоры ведут только об их домах в Лондоне или еще где-то за границей... А папа, после того как с Лизой развелся, постоянно забывает вовремя деньги в кассу гимназии внести, и Злобина громко при всех объявляет: «Чернова, опять твой отец в должниках!» Короче, не очень-то весело мне живется. И вдруг я увидела маму в вашем магазине! Я вошла внутрь, но не бросилась к ней, потому что решила: это просто очень похожая женщина. Очень-очень похожа. Прямо копия. Встала к ней почти вплотную, и она на меня посмотрела. Но не узнала. Что ж, это понятно, я ведь мало на себя, дошкольницу, похожа.

Лера поправила волосы.

— От природы у меня каштановый цвет, а в мае я в блондинку перекрасилась и коротко постриглась.

Сама некоторое время свое отражение в зеркале не узнавала. Знаете, от той женщины пахло мамиными духами. Забыла, как они называются... Аромат ландышей, а флакон длинный, с золотой пробкой. Их во Франции делают. Бабушке духи не нравились, она один раз сказала: «Вера, твой парфюм очень навязчивый, ты уходишь, а запах остается в комнате. Смени фирму». Мамочка возразила: «А мне аромат нравится. С детства их люблю, такими моя мама пользовалась, у нее в шкафу всегда два-три флакона про запас стояло». В тот день я все стояла рядом с женщиной в вашем магазине, смотрела на копию мамули и оторваться не могла, нюхала знакомые духи... Потом увидела, что она набор «Принцесса» купила. И вдруг...

Валерия вскочила.

— Понимаете, женщина руку за пакетом протянула, и я увидела... У нее на внутренней стороне ладони длинный шрам, я его помню... Уверена, это моя мама была! Она! Живая! Мне хотелось к ней броситься, да ноги к полу приросли. И закричать не смогла — голос пропал. Стою молча, как будто в статую превратилась, а на голову мне словно ткань набросили, полупрозрачную: все вокруг видно, но как в дыму. Потом неожиданно темно стало. Открываю глаза, а продавщица у меня под носом что-то вонючее держит и говорит: «Девочка, тебе плохо? Сейчас врача вызовем». Я испугалась и попросила: «Не надо никакого врача». Но она за телефон схватилась, и мне пришлось удрать.

Глава 5

Вечером того же дня мы со Столовым сидели в кафе.

— И ты девочке поверила? — хмыкнул Костя, намазывая масло на хлеб.

— Да, — кивнула я.

— Степа, мертвые не ходят по магазинам, — усмехнулся Столов. — У них денег нет, а бесплатно у нас даже зомби ничего не отпустят.

— Тебя ничего не смутило в моем рассказе? — поинтересовалась я.

Константин взял вилку.

— Кроме того, что Лера заметила в торговом зале давно похороненную женщину? Нет. Девочка явно психически нестабильна. Она столкнулась с теткой, внешне напоминающей ее мать. Только и всего!

Я взяла меню.

— Лера, рассказывая о детстве Веры Михайловны, упомянула, что ее родители пили горькую. Дед и бабка девочки покинули этот свет по причине алкоголизма. Другой родни у Веры не было.

— Эка невидаль, — поморщился Столов. — Сколько детей в России могут похвастаться такими предками? Да миллионы! Для народа пьянство — лучшая развлекуха, причем не только для представителей низших слоев общества. Посмотри на столик в углу, за ним сидят два мужика. Оба определенно при деньгах. Так вот, они уже вторую бутылку коньяка докушивают. Думаю, еще по стопарику опрокинут, и метрдотель их шоферов кликнет — нехай своих господ по каретам растаскивают. У нас любят говорить: народ пьет от бедности, у людей нет средств на книгу, на билет в театр... Как же! А эти, явно непьющие, тогда почему назюзюкиваются? Нет у тебя миллионов, есть у тебя миллионы — не важно. Клюкают не от бедности, а от нежной любви к спиртному, от того, что не хотят решать проблемы, задумываться о будущем. Кто заставляет человека выбирать злую жену, неинтересную работу? Никто. Каждый сам все себе устраивает. Не нравится баба? Не живи с ней. Не устраивает служба? Поменяй ее. Ни фига делать не умеешь, в школе двойки получал, образования нет? Ну так возьмись за ум, овладей престижной профессией. Учиться никогда не поздно. Но! Дело в том, что измениться может лишь тот, кто по-настоящему хочет жить иначе, кто танком к цели прет, невзирая на препятствия. И никто его не остановит. А вот ежели индивидуум водку сосет и ноет: «Жизнь ужасна. Что делать? Кругом одни воры и сволочи, честному перцу вроде меня на хорошую зарплату не устроиться», это означает одно: все алконавта устраивает. Его главная страсть — выкушать огненной воды, обблеваться и заснуть в луже дерьма, обвиняя в своих жизненных неудачах правительство, чиновников, врачей, соседей, жену, тещу, родителей. У него все кругом гады и сволочи, а он, самый умный, из-за них в канаве пьяный храпит. А вот и нет, дружок! Ты в помойке валяешься, потому что свиньей являешься. Все, конец выступлению. Занавес.

Я зааплодировала.

— Браво! В принципе, я согласна с тобой, но сейчас мы говорим не об абстрактном человеке, а о родителях Веры Михайловны Черновой. Если она росла в семье алкоголиков и у нее не было других родственников, откуда взялась в ее рассказе мать, любящая французский парфюм? Узкий флакон, золотая пробка, запах ландышей — это, скорей всего, «Диориссимо». Совсем недешевые духи от фирмы «Диор». Классика. У нас они тоже представлены: их в основном покупают дамы в возрасте, те, кто не изменяет привычкам молодости.

— По мне, так все запахи на один вкус, — заметил Костя.

— На один нюх, — улыбнулась я. — И откуда у алкоголички деньги на «Диориссимо»?

— Она мыла полы в богатом доме, хозяйка сделала прислуге подарок, — живо нашел ответ Костя.

— Ладно, допустим, — согласилась я. — Но! Сама пьяница, муж «синяк», денег у них вечно нет, а ведь требуется опохмел. Куда денутся духи? Тут вариантов нет! Но Лера сказала, что Вера Михайловна утверждала, будто у ее мамы в шкафу всегда было несколько флаконов про запас.

Костя молча разламывал вилкой котлету.

— Нестыковочка, однако, — покачала я головой. Затем продолжила: — В рассказе Валерии были и другие странности, она на них внимания не обратила, а я их заметила.

— Например? — полюбопытствовал Костя.

— Отправка ребенка в загородный санаторий для больных детей, перевод Леры в другую школу после смерти матери, переезд семьи на новое место жительства, — перечислила я. — К чему все это?

— Ну... — протянул Столов. Затем выдал версию: — Старшие не хотели, чтобы девочка видела, как мать угасает на диализе.

— И поэтому сменили квартиру после похорон и не навещали дочь? — напомнила я. — Нет, тут что-то не так. Ты выполнил мою просьбу?

— Теперь понятно, по какой причине госпожа Занятость удостоила ужином скромного холопа Столова, — усмехнулся Константин. Затем взял телефон, который как раз в этот момент замигал экраном, и молча слушал сообщение. Затем сказал собеседнику: — Спасибо. С меня бутылка твоего любимого коньяка, завтра привезут. Вышли все на почту. Жду.

Мой визави вернул трубку на место со словами:

— А вот и ответ на твой вопрос. Да, я выполнил твою просьбу. Попросил одного приятеля, он шишка в системе МВД, выяснить данные по Черновой — ему это раз плюнуть, он имеет доступ во все базы. Информацию он сейчас на имайл отправил.

Столов вынул из сумки айпад.

— И она прилетела. Через секунду ты увидишь копию справки о смерти... Ах ты ежкин матрешкин хаврошкин!

— Что там такое? — занервничала я.

Костя протянул мне планшетник, я уставилась на экран, несколько раз перечитала сообщение и пробормотала:

— Она действительно жива...

— Но уж лучше бы умерла, — отрезал Константин.

— Валерия на самом деле могла видеть мать, — протянула я. — Выходит, девочку обманули. Вот почему ее отдали в лесную школу, убрали из Москвы, вот чем объясняется переезд на новую квартиру, смена школы...

— Отец и бабушка поступили правильно, — отрезал Столов, — они заботились о психике ребенка. Абсолютно уверен, что в новой школе и в другом доме никто понятия не имеет, что Вера Михайловна Чернова арестована за два убийства, признана сумасшедшей и отправлена на лечение в спецбольницу.

— Не так давно ее освободили, — заметила я.

— И как только могли отпустить такого монстра? — взвился Столов. — На ней же кровь двух людей!

— Посчитали ее неопасной, решили, что она выздоровела, — вздохнула я. — Интересно, старшие Черновы в курсе, что мать Валерии на свободе?

Мой друг развел руками.

— А мне откуда знать?

Я протянула Косте его трубку.

— Звони.

— Кому? — не понял он.

— Своему знакомому, той шишке из МВД, — уточнила я. — Пусть он познакомит меня со следователем, который занимался делом Черновой.

— Тебе это зачем? — напрягся Костя.

— Я обещала Валерии узнать адрес или телефон той покупательницы, — объяснила я. — Лере тринадцать лет, обмануть ее, как первоклашку, уже не получится. Девочка увидела на ладони женщины шрам и узнала его. Она мне сказала, что мама незадолго до «отъезда в командировку» сильно порезала руку — взяла бокал, а тот развалился у нее в руке, осколки повредили сухожилие. Лера хорошо помнит, что мать потом разрабатывала руку, пальцы у нее после операции были в полусогнутом состоянии. Лера мне сказала: «Понимаю, встречаются очень похожие люди. Но еще и шрам на том же месте, что и у мамочки... Согласитесь, это уже слишком для совпадения. Она жива. И я хочу выяснить, почему она бросила меня. Помогите, пожалуйста, узнать правду — посмотрите по чеку, кто покупал в вашем бутике набор «Принцесса» около пяти вечера. Это ведь несложно сделать, много времени не потратите. Если откажетесь, я не обижусь. Но я очень упорная, всегда добиваюсь своего. И обязательно найду маму, просто с вашей помощью это будет быстрее».

— Какая-то девочка попросила тебя, и ты тут же решила заняться любимой игрой в Шерлока Холмса... — неодобрительно заметил Костя. — А не следовало бы!

Я отодвинула тарелку на край стола.

— Валерия начнет искать мать и рано или поздно выяснит правду про убийства. Представляешь реакцию девочки? Она очень, даже можно сказать, излишне эмоциональна. Увидела у прилавка женщину, похожую на мать, и оцепенела, потеряла способность двигаться, говорить, даже в обморок упала. Хорошо хоть дышать не перестала. Я, кстати, проверила эту информацию. Да, у прилавка, где торгует детскими наборами Катя, стало плохо подростку. Продавщица схватилась за нашатырь, девочка очнулась и убежала. Екатерина не успела ни спросить у нее ничего, ни взять контакт родных, чтобы им позвонить.

— Зачем тебе подробности дела Черновой? — пожал плечами Костя.

— Будет лучше, если Валерия узнает ужасную правду от того, кто к ней хорошо относится, — вздохнула я.

— То есть от Степаниды Козловой? — уточнил Костя.

Я поманила официантку.

— Да. И мне надо понять, на самом деле Вера Михайловна выздоровела или попала под какую-то акцию вроде амнистии? Хотя не знаю, отпускают ли сумасшедших раньше срока? Если врачи гарантируют, что женщина более не опасна, Валерии можно рассказать правду. Однако... Нет, я передумала!

— Вот и отлично! — обрадовался Костя. — И слава богу! До твоей головы дошла простая истина: эта история ни с какого бока тебя не касается. Пусть семья Черновых сама занимается фамильными монстрами. Почему ты не ешь десерт?

— Аппетит пропал, — призналась я. — Владимир с Ангелиной Сергеевной сделали все, чтобы Валерия забыла мать. Очень старались. Купили даже нишу в колумбарии.

— Это непросто проделать, — отметил Костя, — нужны документы о смерти. Или немалые деньги. Бумаг-то у них не было, значит, пришлось потратиться.

— Фото «покойной» в доме нет, — продолжала я, — никакие даты, связанные с Верой, не отмечают.

— И что? Она ведь жестокая убийца! — воскликнул Константин

— Я обещала Валерии узнать, жива ли ее мама, — упрямо повторяла я. — Или с уверенностью сказать ей, что, несмотря на фотографическую похожесть и шрам на руке, женщина в магазине все же не Вера Михайловна.

— Ты расскажешь девочке, что ее мамаша сумасшедшая и убийца? — спросил Столов.

— Ну, это мне слабо, — призналась я.

— Ты же сказала, что передумала копаться в сей истории, — напомнил Костя.

— Нет, я совсем другое имела в виду. Сообразила, что торопиться нельзя. Сначала разберусь, по какой причине Чернову выпустили, соберу всю информацию, а уж потом...

Я замолчала.

— Продолжай! — велел Костя.

Я попросила официанта принести капучино и ответила:

— Пока не решила, как поступлю. И поняла свою ошибку. Мне не нужен следователь. Лучше поговорить с психиатром, который больную лечил. Можешь свою шишку попросить имя врача сообщить?

Костя закатил глаза.

— Даже если Рапкин и согласится, то это пустая затея. Существует понятие врачебной тайны. И врач служит в особом месте, где содержатся преступники, он тебе ничего не сообщит.

Я сделала глаза кота Шрека.

— Милый, пожалуйста!

— Ладно, — помолчав, все же согласился Константин. — Но предупреждаю сразу: Сергей ни малейшего отношения к системе, где лечат убийц-психов, не имеет. Сильно сомневаюсь, что он может назвать данные специалиста.

— Тем не менее попробуй, — не сдалась я. — У Рапкина есть жена?

— Да, — кивнул Столов. — И дочь в придачу.

— Отлично! — обрадовалась я. — Костя, я внесу его в список ВИП-клиентов, и у твоего Сергея исчезнет проблема, что дарить своим женщинам на 8 Марта, День святого Валентина и прочие праздники. К тому же он будет получать наши эксклюзивные наборы. Поверь, они нравятся даже тем, кто в плащах из кожи крокодила с сумкой за несколько сот тысяч евро на личном самолете в Нью-Йорк летает.

— Прекрати, — отмахнулся Столов, — взятку я Сереге предлагать не стану.

Мне стало смешно.

— Взятка? Да ты что, милый! Просто сундучки с косметикой. Чепуха на постном масле. Их налоговая в расчет не принимает.

Столов положил в свой кофе сахар.

— Когда ты называешь меня «милым», я отлично знаю: ты ни за что не отстанешь, будешь давить на меня, бедного, пока я не подниму лапы. А сегодня я уже два раза слышал этот эпитет. Поэтому из чувства простого самосохранения подчиняюсь.

— Милый! — подпрыгнула я. — Обожаю тебя!

Столов почесал затылок.

— Вот теперь мне стало страшно. «Милый», да еще «Обожаю тебя»? Не к добру твои доброта и любовь. Ох, явно задумала Козлова нечто титаническое. Сейчас напилит поленьев, а мне потом дровишки красиво у забора складывать...

Глава 6

Домой я вернулась около восьми и сразу зашла к Несси.

— Степашка! — обрадовалась соседка и отпихнула бедром собаку Магду, которая вознамерилась облизать меня с головы до ног. — Хочешь чаю? Проходи, заварка совсем свеженькая, только вчера утром ее приготовила. Магда, иди гулять!

Я сбросила в прихожей туфли, поставила на комод сумку и, шлепая по полу босыми ступнями, двинулась за Агнессой Эдуардовной в кухню, неся в руках пакет с надписью «Бак».

Чай, который готовит Несси, похож на слабый раствор йода — две капли антисептика на три литра воды. Агнесса берет щепотку заварки, заливает ее океаном кипятка, дает постоять и, приговаривая: «Я пью настоящий чифирь, никогда не доливаю в чашку к заварочке кипяточку», наполняет предназначенную гостю кружку до краев. Лично мне, чтобы проглотить сей напиток, требуется положить в него побольше сахара, варенья или меда, а лучше всего сразу. И свежим у Несси считается чаек, которое она сварганила в пятницу, а подает вам в понедельник. Когда чайник опустеет, моя соседка добавит в него горячей воды. Размокшие в лохмотья листья чая она заменит на новые лишь тогда, когда из носика польется совершенно бесцветная жидкость.

Только не подумайте, что Несси жадная. Более щедрого человека, чем она, я никогда не встречала. Почему же Захарьина так экономит чай? У меня нет ответа на этот вопрос. Я тоже не отличаюсь скаредностью, но когда тюбик с кремом для тела пустеет, разрезаю его ножницами и выскребаю все со стеночек дочиста. Поверьте, в тюбике найдется содержимое, чтобы попользоваться еще два-три раза. И почему я так поступаю? Могу ведь приобрести крем по цене поставщика, то есть вполовину дешевле, чем в магазине. У каждого своя фишка. У Несси это чай, у меня — крем для тела.

— Садись, а то остынет, — велела Агнесса Эдуардовна, когда я вошла в столовую. — Попробуй сыр, его Маргарита из Парижа привезла.

Мне стало смешно.

— Это я.

— Я прекрасно вижу, что в комнате Степа, — хихикнула Несси, — старческий маразм пока не весь мой мозг цепкими ручонками стиснул. Иногда, правда, войду на кухню и соображаю: зачем сюда приперлась? Но людей еще различаю.

— Сыр действительно из Парижа, из гастрономического бутика, расположенного на минус первом этаже торгового центра «Ле Бон Марше». Но притащила его сюда я, Козлова, — уточнила я. — Марго приволокла тебе экзотическое варенье то ли из Таиланда, то ли из Индии, то ли из Китая.

— Точно! — обрадовалась соседка. — Совершенно черная банка, а на ней непонятно на каком языке написано: «Джем из манго».

— И как ты сообразила, что внутри, если тара непрозрачная, а этикетка не читается? — вздохнула я.

Агнесса Эдуардовна взяла чайник.

— Маргоша объяснила. Она такой ела, ей переводчик его посоветовал, сказал: «Вкуснее вы точно ничего никогда не пробовали». Объяснил, что там орехи, манго и местный изюм, очень крупный. Я баночку берегу на особый случай.

— На какой? — полюбопытствовала я.

Несси поставила на стол чашку, в которой булты-халась светло-желтая жидкость.

— Ну... вдруг Мерил Стрип в гости заглянет. Обожаю ее!

Я начала рыться в вазочке с конфетами.

— В принципе, варенье может храниться столетиями. Думаю, надо подготовить несколько вариантов для особого случая. Вдруг сюда явится, например, российский президент? Оно, конечно, тоже сомнительно, но более вероятно, чем визит актрисы из США. Между прочим, сыр, который я выбрала в подвале «Ле Бон Марше», тоже хорош, не плавленая гадость в пластиковой коробочке.

— Подвал! — подпрыгнула вдруг Несси. — Степашка, нам надо серьезно поговорить.

Я насторожилась. Агнесса Эдуардовна не носит сумок в виде розовых плюшевых собачек с молниями на спине, не пользуется заколками в виде кошек, не натягивает свитера с принтами героев диснеевских мультиков. И малиновые ботфорты в сочетании с зеленым мини-платьем в голубых стразах не наденет. Все это с восторгом проделывает моя бабуля Изабелла Константиновна. Я давно смирилась с тем, как одевается Белка, и никогда не пытаюсь объяснить ей, что соломенная шляпа с букетиком пластмассовых ромашек на полях категорически не сочетается с ярко-бирюзовой шубой из синтетического гепарда.

Помню как-то раз Стефано, глядя на ноги Белки, задумчиво произнес:

— Дорогая, у твоей бабушки определенно есть свой стиль. Более того, она ухитряется вычислить модные тенденции задолго до того, как они придут на мировые подиумы. Посмотри на нее внимательно.

Я вздохнула.

— Оранжевые гетры, черные ботинки на грубой тракторной подошве с красными шнурками и бежевое шелковое платье с узором из незабудок. Сегодня Белка явно превзошла себя.

Стефано снял очки.

— Несколько лет подряд ты отводила в сторону взгляд, когда видела, как Изабелла Константиновна, натянув белые носочки, щеголяет в босоножках. Это был такой faux pas[1], что просто ужас. А сейчас! На всех мировых Неделях моды это самая крутая новинка — стада манекенщиц шагают в белых носочках и босоножках. Белка просто опередила фэшн-мир. Подожди, через годик мы увидим на показах ее гетры, платье и эти несносные ботинки с оскорбляющими мой взор шнурками.

И точно! Стефано как в воду глядел: спустя два сезона на показах появились девушки, наряженные точь-в-точь, как тогда моя бабуля.

А вот Агнесса Эдуардовна просто носит свитер, футболку, джинсы, изредка платье. И она не ездит на мотоцикле, надев шлем в виде медвежьей головы. Так раскатывает Белка. Но характеры у моей соседки и бабушки одинаковые. Обе совершенно не хотят считаться со своим возрастом, передвигаются бегом, плевать хотели на диету и здоровый образ жизни. Они не посещают фитнес, не сдают регулярно анализы, ложатся поздно, встают рано, занимаются только тем, что им нравится. И обе горазды на выдумки. Поэтому, услышав из их уст фразу: «Нам надо поговорить», я

---

[1] Faux pas (*фр.*) — произносится на русском, как фо па, дословный перевод: неверный шаг. Выражение используют, желая сказать, что кто-то совершил неправильный поступок. — *Здесь и далее примечания автора.*

холодею, поскольку далее непременно последует рассказ об очередной гениальной идее, которая влетела в головы очень мною любимых пожилых дом. И уж поверьте, они пойдут на все, чтобы претворить свое очередное безумие в жизнь.

— Помнишь Додика? — начала Несси.

На всякий случай я кивнула. У Агнессы Эдуардовны примерно тысяча задушевных друзей и раз в десять больше близких знакомых. Возможно, мужчина с таким именем когда-то наслаждался чайной церемонией в столовой Захарьиной. Но разве можно запомнить всех приятелей Несси?

— Так вот, — продолжала Агнесса Эдуардовна, — у Додика есть Нюша, сестра брата дяди, а у нее племянник Жора, сводный шурин деверя Арины, жены Кати.

Я потрясла головой. Арина, жена Кати? Сводный шурин деверя? Понятия не имею, что это за родство! При чем тут некий Додик? И, главное, зачем мне все это знать?

— А его внучатый дедушка... — продолжала тем временем Несси.

И тут раздался звонок в дверь.

— Приехал! — подпрыгнула соседка. — Сиди, не шевелись. Сейчас такое увидишь — замертво упадешь. Не вставай!

Глава 7

Пока Несси открывала дверь, я успела вскочить, вылить в раковину ужасный чай и сесть на место за секунду до того, как в столовую вошли двое мужчин. Один из них — высокий плечистый блондин с карими глазами в простой майке и джинсах. Но я-то хорошо знаю, какая фирма произвела эту одежду и сколько стоят его вроде бы неприметные шмотки. Второй гость оказался ростом чуть повыше меня, с животом и волосами почти до плеч, которые постригли, похоже, с помощью газонокосилки.

— Степа, познакомься, — голосом глашатая объявила Агнесса Эдуардовна. — Андрея ты, конечно, узнала, а с ним Гаврюша, лучший друг, который за компанию пришел посмотреть на подвальчик.

Я кивнула.

— Очень приятно.

Хорошо бы теперь понять, кто из мужчин Гаврюша, а кто Андрей, которого мне следует знать.

— Мальчики, разрешите представить вам Степашку, — ворковала Несси, — главного визажиста, директора фирмы «Бак» по макияжу, лучшую девушку на свете. Мы с ней соседи, чему обе невероятно рады. Да?

— Конечно, — заулыбалась я. — Живу на этаж выше госпожи Захарьиной.

— Рад встрече, — приветливо сказал толстяк.

Накачанный красавчик-блондин просто кивнул.

— Степанида не замужем, — сообщила Несси, — она богатая, умная, красивая, работящая невеста. А как девочка готовит! Андрюша, вы же не женаты?

Толстяк улыбнулся, а в глазах блондина заплескался страх. Сразу стало понятно, что последний и есть Андрей.

— О! Я угощу вас невероятным деликатесом! — воскликнула Агнесса Эдуардовна. — Степа его привезла из какой-то экзотической страны. Сейчас попробуем...

Голос Несси затих в коридоре, я осталась наедине с двумя мужчинами, в столовой повисла тишина.

— Любите путешествовать? — нарушил молчание толстяк.

— Часто летаю в командировки, — пояснила я.

Блондин встал и, не произнеся ни слова, вышел.

— Вообще-то Андрей воспитанный человек, — смутился толстяк, — но он нервно реагирует, когда его знакомят с девушкой, которая...

Гость замолчал.

— Свободна, — весело договорила я. — Опасается, что его окольцуют?

— Ну, вы же знаете, Андрей отчаянно храбр, — начал защищать приятеля Гаврюша.

Я прищурилась.

— Пользуясь тем, что мы остались вдвоем, хочу спросить: почему Несси и вы твердо уверены, что я когда-то встречалась с Андреем?

Брови Гаврюши поехали вверх.

— Вы не узнали Маркина?

— А должна? — теперь смутилась я. — Извините, у меня водоворот людей каждый день перед глазами. Андрей модель? Стилист? Производитель косметики? Байер? Журналист? Где нас с ним столкнула судьба? На Неделе моды в Нью-Йорке? Париже? Милане? Или он ВИП-клиент фирмы «Бак»?

Гаврюша кашлянул.

— Вы в кино ходите?

— Нет, — призналась я, — не успеваю. Конечно, можно посмотреть фильмы в самолете, но я предпочитаю в полете просто спать.

— Но телевизор, наверное, смотрите? — предположил Гаврюша.

— Вечером, перед сном, — кивнула я, — правда, не каждый день.

— Сериал «Третий лишний в пустыне» вам понравился? — задал очередной вопрос собеседник.

Первым моим желанием было честно сказать: «Нет, я изредка включаю фэшн-канал, и только». Но в ту же секунду я почему-то подумала, что толстяк, возможно, имеет какое-то отношение к многосерийному фильму, и соврала:

— О да! Прекрасная работа!

— Рад это слышать, — заулыбался Гаврюша, — вы видите перед собой режиссера-постановщика.

Я мысленно похвалила себя за сообразительность и решила закрепить успех:

— Потрясающее впечатление! Гениальная лента!

Гаврюша вынул из кармана телефон и постучал пальцем по экрану.

— Меня немного волнует, что действие в основном разворачивается в пустыне. Пейзаж однообразен: желтый песок, верблюды, солнце... Не устает ли зритель от такого зрелища? Ответьте честно, мне очень интересно ваше мнение.

Мне давным-давно известно: если вас просят говорить начистоту, значит, нужно вдохновенно врать. Я закатила глаза.

— Конечно, нет. Барханы постоянно меняют форму, верблюды такие милые, бедуины в ярких одеждах прекрасны.

— Бедуины... — задумчиво повторил Гаврюша.

Экран моего сотового, который лежал на столе, вспыхнул. Краем глаза я увидела сообщение от Кости. «Кирилл Павлович Драпкин, психиатр Веры Михайловны Черновой. Подхода у меня к нему нет. Говорят, у него мерзкий характер».

— Разноцветные палатки, оазисы, — продолжала я.

Гаврюша расхохотался. И тут в столовую вернулся Андрей.

— Получил эсэмэску? — спросил мой собеседник.

— Да, — улыбнулся Андрей.

Гаврюша протянул правую ладонь.

— Сто баксов, пожалуйста.

Я растерялась. Что происходит?

— На вашей милой мордочке застыл вопрос, — заметил, улыбаясь, Гаврюша, — даю ответ. Сериал «Третий лишний в пустыне» существует на самом деле. Один федеральный канал его уже пять лет гоняет. Сколько серий, Андрюша?

— Снято или показано? — уточнил блондин. — В эфире вроде тысяча с чем-то уже прошли. Забыл точное количество.

— Вопреки названию, верблюдов, песка и солнца там нет, — веселился Гаврюша, поглядывая на меня, — под пустыней авторы сценария имели в виду человеческую душу. Андрей — исполнитель главной роли. Он давно не может спокойно по улице пройти — на него женщины с воплями кидаются. Два дня назад загородный дом Маркина загорелся. Малолетние фанатки, не зная, что актер на ночных съемках, а свет в особняке зажгла домработница, разделись догола и начали плясать у входа в дом с криками: «Мы твои невесты, выбирай лучшую!» В руках они держали факелы, одна девица его уронила, вспыхнуло крыльцо, огонь перебрался в холл, в столовую... Короче, Маркину предстоит масштабный ремонт. И где ему жить? Снять номер в отеле? Туда непременно примчатся его обожательницы. Снять квартиру? Фанатки подъезд надписями «Андрей love» исчеркают, и соседи справедливо возмутятся. Нам требовалось найти место, где знаменитость точно не найдут. Но тетушки, смотрящие сериал, есть повсюду. Обнаружить жилое здание, где нет ни одной влюбленной в Андрюшку особы, казалось нам неразрешимой задачей. Но потом Маркину дали телефон Агнессы Эдуардовны, и та предложила ему пожить, пока идет ремонт, в цокольном этаже ее дома. Прекрасный вариант! Госпожу Захарьину ни журналисты, ни фанатки с Андреем не свяжут, в ее особняке только две квартиры. Но друг возразил: «У дамы небось есть внучка, которая всем растреплет про меня». Я не согласился: «Существуют на свете женщины, которые о сериале и не слышали». Короче, мы поспорили.

— На сто баксов? — перебила я. — И вы выиграли? Извините, что начала врать про барханы, не хотела обидеть режиссера. Все знакомые мне творческие люди очень эмоциональны, они расстраиваются, когда узнают, что их книга, картина или музыка собеседнику незнакома. А вы в курсе, что в цоколе у нас склад ненужных вещей?

— Да, — кивнул Маркин.

Я посмотрела актеру прямо в глаза.

— Несси давно лелеет мечту выдать меня замуж за богатого и знаменитого человека. Ей кажется, что я страдаю от нищеты и одиночества. Но это не соответствует действительности. Я прилично зарабатываю и пока не собираюсь связывать свою жизнь с кем бы то ни было. Недостатка в богатых и знаменитых ухажерах у меня нет. Я работаю в мире моды, общаюсь в основном с успешными, обеспеченными людьми. Извините, Андрей, никогда бы вам этого не сказала, но ситуация сложилась так, что следующие мои слова не должны показаться вам хамством. Я не смотрю сериалы, у меня на них не хватает времени. Вас как актера я не знаю. Кроме того, восторгов при виде любого селебрити никогда не испытываю, автографов не прошу, селфи не делаю. Есть несколько личностей, перед которыми я испытываю благоговение, но они не из мира кино. От меня вам неудобств ждать не надо. Живите спокойно в цоколе столько, сколько вам надо. Но там полно хлама, который давно пора выбросить.

— А вот и наироскошнейшее варенье! — заявила Несси, вбегая в столовую. — Сейчас, секундочку...

Хозяйка заметалась по комнате, стол быстро заполнился угощениями: в центре стояла банка с этикеткой с иероглифами. Агнесса Эдуардовна начала наливать гостям чай.

— Напиток из трав? — обрадовался Андрей. — Прекрасно. Я адепт здорового питания. Какой состав сбора? Ромашка, мята, что-то еще? Но если там кошачьи уши, то, извините, я даже пробовать не стану. Они мне строго-настрого доктором запрещены.

— Кошачьи уши? — повторила Несси. — Впервые про такое растение слышу.

— Оно весьма распространено, — без тени улыбки сообщил Гаврюша, — растет, как репейник, повсюду в Центральной Африке.

— Почему вы решили, что я угощаю вас отваром из такой ерунды? — опешила Несси. — Заварила черный чай, лучший, его мне Степа из Парагвая привозит. Положила целую чайную ложку, да еще с верхом, на чайник.

Гаврюша оглядел двухлитровый заварник и хихикнул, а я проглотила уже готовое возражение, что я никогда не летала в Парагвай и даже понятия не имею, где эта страна находится.

— Варенье! — засуетилась Несси. — Берите побольше, кладите на кекс!

— О-о-о-о! — оживился Андрей. — Джем с маффином — мой любимый завтрак, но я и поужинать так не откажусь.

Мне стало смешно. Адепт здорового питания, который обожает жирное и сладкое!

— Из чего джем сварен? — поинтересовался Гаврюша, зачерпывая содержимое из банки.

— Степа, расскажи, — велела Несси. — Ты же его покупала!

А мне внезапно очень захотелось спать. Объяснять честной компании, что джем из каких-то фруктов я Несси вовсе не привозила, сил не нашлось, поэтому я буркнула:

— Из плода дракона.

— Он такой розовый, а внутри белый с мягкими черными зернышками? — уточнил Андрей.

Чтобы спрятать зевок, я сделала вид, будто вытираю рот салфеткой, и кивнула. У меня стали закрываться глаза, я собралась посидеть для приличия минут пять и под благовидным предлогом смыться.

— Ну как? — осведомилась Несси. — Ваши ощущения? Степа! Хоть попробуй свой эксклюзив.

Делать нечего, пришлось взять ложку.

— Оригинально, — оценил деликатес Гаврюша. — Вроде там орехи есть, что-то такое упругое на зубах.

— Смахивает на лепестки миндаля, но не тонкие, как обычно, а толстые, — заметила Несси.

— По мне, так это семечки. Или кедровые ядра, — вставил свое слово Андрей.

— Из орехов джем не делают, — заспорила я, ощущая во рту кусочки, напоминающие маленькие плоские полусваренные макароны. А еще нечто, смахивающее на мелко нарезанные тонкие тряпки.

Андрей взял вторую порцию, положил ее на тарелку, начал ковырять ложкой и вдруг взвизгнул:

— Мама! Это же...

И Маркин онемел.

Глава 8

— Засахаренный таракан! — радостно договорил Гаврюша. — Впервые его попробовал.

Я немедленно выплюнула то, что было во рту, в розетку и не испытала при этом ни малейшего смущения. Андрей закрыл глаза и откинулся на спину, одной рукой актер схватился за горло, другой за лоб. Несси вскочила, достала из шкафа миску, сунула ее звезде телеэкрана под нос и пропела:

— Если вам плохо, то не стесняйтесь.

— Нет, ошибочка вышла, — весело сказал Гаврюша, — не таракан главный герой варенья.

Андрей приоткрыл один глаз и прошептал:

— А кто?

— Кузнечик, — бойко ответил его друг.

— М-м-м... — в изнеможении протянул Маркин.

— Не похож, — возразила я. — Хорошо знаю, как выглядит насекомое, у которого уши на ногах. То, что вижу в розетке, похоже, саранча, но какая-то странная, маленькая...

— Час от часу не легче! — простонал Маркин, зеленея.

— Насекомые — кладезь белка, — заявил Гаврюша, — говорю это как врач, они полезные.

— В Таиланде засахаренные тараканы на палочках продаются, — добавила Несси.

— Ты их ела? — передернулась я.

— Не-а, — засмеялась Агнесса Эдуардовна. — Базиль купил нам по штучке и обе сам съел.

— Кто бы сомневался, — буркнула себе под нос я. — Он и не такое слопает, его прожорливость один раз чуть нас не погубила[1].

---

[1] Степа вспоминает историю, которая описана в книге Дарьи Донцовой «Бизнес-план трех богатырей».

— Мальчиком манипулировали! — кинулась защищать любимого внука добрая бабушка. — Он наивен, как новорожденный котенок, ласков, как месячный щенок.

«Прожорлив, как стая акул, и ленивее его никого на свете нет», — мысленно договорила я, но вслух не произнесла ни слова.

— У них целы лапки, голова, усы, — восхищался Гаврюша, рассматривая содержимое своей розетки. — Как так ловко ухитрились насекомых приготовить, что они не развалились?

— М-м-м... — простонал Андрей, опять хватаясь за горло.

— Сироп их цементирует, — авторитетно заявила Несси. — И вы все не правы, перед нами не тараканы, не кузнечики, не саранча, а сверчки!

Телефон Гаврюши тихо звякнул, он схватил трубку.

— Ага, вот и сообщение... Никто не угадал. Я отправил фото этикетки одному своему знакомому, он полиглот, свободно владеет более чем пятьюдесятью языками и еще сто просто понимает. Слушайте, что мы вкушали с восторгом. Я еще и коробочку с кексом для него заснял. С чего начнем?

— От маффинов я засады не жду, — махнула рукой Несси, — я их приобрела в простом супермаркете. Огласите правду про джем.

— «Джингамеры в сиропе», — громко произнес Гаврюша.

— Чудесно, — кивнула я, — ответ все объяснил. Значит, всего-навсего джингамеры. Однако интересно, кто они такие.

— Спокойствие, только спокойствие, — усмехнулся Гаврюша. — Володя педантичен, читаю далее. «Гиппократ, поскольку меня терзают смутные сомнения, а знаете ли вы о джингамерах, то я рискнул дать объяснение. Заранее прошу извинения, ежели вы в курсе, а я, неблагодарный и злонравный, усомнился в эрудиции ученого. Джингамеры — мелкие насекомые, живущие на шкуре слона. Они передвигаются резвыми скачками, неприятностей элефантам не доставляют, наоборот, от них одна польза. Джингамеры чистят кожу слона от ороговевших кожных чешуек».

— Блохи! — вздрогнул Андрей. — Я ел джем из блох! Дайте срочно что-то антисептическое выпить.

— Хотите рома, который Степа не знаю, откуда привезла? Налить? — радушно предложила Несси. — Очень крепкий, глотнешь — и дым из ушей валит.

— Читаю далее, — повысил голос Гаврюша. — «Погонщики собирают умерших джингамеров и...»

— Дохлые блохи! — взвизгнул Андрей. — О, мамма миа! Варенье из останков насекомых!

— «...и делают из него десерт, — продолжал тем временем режиссер, — который считается изысканным блюдом. Каждого почившего джингамера заворачивают в сброшенные крылья бабочек жмурниц, высушивают на солнце, зарывают на полгода в землю. Через шесть месяцев достают, засыпают сахаром...»

— О боже! — взвыл Маркин. — Только подумаю, что хуже ничего быть не может, а угощенье все гаже и гаже делается. Джем из мумий блох! Степа, где был твой разум, когда ты покупала этот изыск?

Мне пришлось оправдываться:

— Я не привозила его, джем приволокла какая-то другая подруга Несси. Я не летаю в Азию, работаю только в Европе, Америке и Великобритании.

— «Потом их утрамбовывают в банки, кладут в стойло пони, где тепло, выделяемое навозом, естественным образом нагревает содержимое. Через три-четыре месяца джем, как правило, готов. А у кексов текст на русском. Тут я уже не нужен. Но, Гиппократ, изучите его внимательно. Забавное чтиво», — звонко договорил Гаврюша.

— Офигеть! — икнул Андрей. — Я съел целых две ложки. Теперь у меня внутри заведутся экзотические блохи, выращенные в дерьме пони.

— Маловероятно. Мумии, как правило, не оживают, — успокоила я любимца миллионов телезрителей. — Опасности заполучить этих джин... гин... у тебя нет. Разве что холеру подцепишь. Или чуму...

— О-о-о-о! Кексы! — воскликнул Гаврюша.

— С ними-то что? — удивилась Несси. — Обычная выпечка из магазина.

— Читаю состав, — объявил режиссер, держа в руках коробку. — Буковки микроскопические, но у меня зрение как у дальнозоркого орла. Забавно, однако. Трифоксококаоалноидная смесь, идентичная муке, дрожжевидная составляющая на базе пальмового масла, яичный порошок условно-натуральный, продукт молочного разведения ключевой водой из источника монастыря под городом Гановск, облегченное сливочное масло десятипроцентное растительного выращивания, эмульгатор из рогов серого кролика, улучшитель вкуса с запахом кекса, ароматизатор, закрепитель формы, затвердитель, Е тысяча триста, Е четыре миллиона пять, Е девятьсот сорок шесть... Еще штук двадцать «ешек» замыкает список пенициллиносульфимидная паста для консервации. Натуральный биоэкопродукт, без ГМО. Произведено на фабрике минеральных удобрений и промышленных масел. Адрес изготовителя: Бирюкинская область, город Гановск, Кладбищенская улица, дом один. Кошерно. Халяль. Постная еда. Приятного вам аппетита.

— Кошерный такой кекс, — прошептал Андрей, — прямо супер. Варенье из мумий блох на его фоне просто диетический деликатес.

Несси решила сменить тему беседы.

— Давайте-ка посмотрим подвал!

— Отличная идея, — одобрил Гаврюша.

— Пойду домой, — быстро сказала я, — завтра рано вставать.

— Никак ты заболела? — встревожилась Агнесса. — Сейчас заварю антипростудный чай.

— Только не это! — испугалась я. — Нет-нет, я прекрасно себя чувствую.

— Почему тогда решила в девять вечера под одеяло заползти? — удивилась Несси. — Никогда раньше часа ночи не укладываешься.

— Мы тебе надоели? — прищурился Гаврюша.

— Конечно, нет, — соврала я, — просто... э... ну... я хотела...

Моя фантазия забуксовала и свалилась в кювет. Чтобы не выглядеть совсем уж идиоткой, я спросила:

— Почему ваш друг-полиглот в эсэмэске обращается к вам «Гиппократ»?

— Я же врач, — пояснил Гаврюша. — Разве ты не поняла? Пошли, провожу тебя до квартиры.

Я попрощалась с Андреем и Несси, и мы с толстяком вышли на лестницу.

— Если вы врач, то зачем представились режиссером? — с запозданием удивилась я.

— Так объяснил уже: хотел проверить тебя, правда ли сериал с Маркиным не видела, — усмехнулся Гаврюша. — Свой род занятий изменил, чтобы мое любопытство в отношении фильма выглядело убедительным. И многие почему-то пугаются, узнав, что по профессии я психиатр.

Я остановилась.

— Психиатр? Работаете с душевнобольными людьми?

— Здоровым мои услуги не нужны, — резонно ответил Гаврюша. — Хотя стопроцентно здоровых людей вообще нет. Есть недообследованные. М-да... Слушай, я перешел с тобой на «ты», и Андрей тоже. Может, и ты перестанешь выкать?

— Хорошо, — тут же согласилась я. — Знаешь своих коллег?

— Нас вообще-то много, — пожал плечами собеседник. — Конечно, у меня большой круг общения, и кроме работы в клинике я еще преподаю в мединституте. Плюс с кем-то учился на одном курсе, кого-то сам выучил. А почему ты интересуешься?

— Мне очень надо найти контакт доктора Драпкина, — призналась я. — Слышал о таком?

— Зачем он тебе? — поинтересовался Гаврюша.

— Он работает в спецбольнице, где содержатся умалишенные преступники, которых нельзя судить, но и отпустить невозможно, — объяснила я. — Мне до зарезу надо с ним пообщаться. Хотя, говорят, у Драпкина мерзкий характер.

— Да, своеобразный дядечка, — протянул Гаврюша. — Если хочешь что-то о его пациенте узнать, лучше и не начинать. Может так послать, что мало не покажется.

— Так ты с ним знаком? — обрадовалась я. — Может, мобильный его знаешь?

— Есть номерок в контактах, — кивнул мой собеседник.

Я схватила толстяка за руку.

— Послушай, у тебя ужасная стрижка, давай совершенно бесплатно приведу твою шевелюру в порядок. В обмен на телефон Драпкина, а?

— Он тебе так нужен? — усмехнулся Гаврюша. — Хочешь помочь кому-то? Зря надеешься. Драпкин ни за какие самородки не согласится признать преступника душевнобольным, если тот таковым не является. Мне известно, что ему и квартиру, и машину, и победительницу какого-то конкурса красоты за фальшивый диагноз предлагали. Драпкин дароносцев выгнал. Дурак, да?

— Нет, — возразила я, — просто честный человек. Могу даже представить, что дружу с ним. Но мне не надо никого от Фемиды прятать, просто необходимо получить сведения об одном его пациенте.

— Он ничего никогда не скажет, — отрезал Гаврюша.

— И почему меня это не удивляет? — мрачно спросила я.

— Теперь честность Драпкина не кажется тебе привлекательной? — засмеялся Гаврюша.

— Мое мнение о враче не изменилось, — возразила я. — Пожалуйста, дай номер его телефона. Если я объясню ему, в чем дело, вероятно, психиатр пожалеет девочку, которая осталась без мамы, и поможет.

— Дверь в твои апартаменты приоткрыта, — встревожился мой спутник.

— Мы с Несси никогда не запираем створки, — отмахнулась я. — В доме лишь две квартиры, а в наш подъезд никто без ключа не войдет.

Гаврюша сел на подоконник.

— Расскажи, в чем дело. Зачем тебе Драпкин понадобился?

Послышался громкий лай.

— Ага, Магда с прогулки вернулась, — обрадовалась я, встала и открыла дверь в стене.

Из здоровенной проволочной клетки, которая ездит по внешней стороне стены нашего дома, держа в зубах батон колбасы, вышла собака Магда.

— О, ты опять занялась разбоем! То-то надолго пропала! — рассердилась я.

— Гав, — произнесла Магда, не разжимая челюстей.

Потом она элегантным движением задней лапы захлопнула лифт и продефилировала к квартире Несси. На пороге оглянулась и повторила:

— Гав-гав-гав.

Затем, гордо подняв голову, удалилась в апартаменты.

— Ух ты! Кто это? — изумился Гаврюша. — Смахивает на пони, но вроде лает.

— Магда, собака неведомой породы, — рассмеялась я. — Правда, Агнесса Эдуардовна уверена, что ее питомица — рыжебородая горнопятнистая магера. А самое интересное, что псине, как представительнице этой уникальной породы, с моей помощью удалось получить золотую медаль на выставке[1]. Но на самом-то деле ты видел плод любви не пойми кого неясно с кем. Не бойся, она добрая. Только вороватая. Зато хозяйственная — если что вкусное сопрет, на месте не съест, домой принесет, Несси угостит.

— Хочется верить в добрые намерения великана, — пробормотал Гаврюша, — я видел здоровенные зубы.

— Боишься собак? Хочешь, поговорим об этом? — хихикнула я.

— Я не психотерапевт, — вздохнул Гаврюша, — часами с пациентами не болтаю. Мы, психиатры, как

---

[1] Эта история рассказана в книге Дарьи Донцовой «Бизнес-план трех богатырей».

правило, прописываем человеку десять-пятнадцать видов таблеток с сильным побочным действием, а потом радуемся, когда больной тихо сидит в углу, выводя пальцем слюнями узоры на обоях. Психотерапевт в своем кабинете главный, а в психиатрических больницах царями являются санитары. За хорошего медбрата прямо драка идет, мы их переманиваем. Вот недавно мне удалось затащить к себе в больницу очаровательную девочку. Размеры у нее твои, на тощего комара похожа, но теперь я за буйное отделение спокоен.

— Думаешь, хрупкая женщина сможет скрутить разбушевавшегося мужчину, чей вес зашкалил за центнер? — изумилась я.

— Конечно, нет, — поморщился собеседник. — Лиза мастер кидать шприцы. Как она это проделывает, секрет для всех. Просто швыряет шприц, и тот, вопреки всем законам логики и земного тяготения, летит по помещению, а затем втыкается иглой в нужного человека. Все. Через пару секунд в отделении тишь да гладь, божья благодать. А где сейчас была Магда? Ты запирала ее в чулане?

Я опять открыла дверь в стене.

— Конечно, нет. Перед тобой лифт. Магдуся ходила гулять.

Гаврюша заглянул в открывшееся пространство.

— Псина одна выбегает на улицу? И сколько инфарктов случается в вашем микрорайоне за день?

— Местный народ отлично знает собаку, — пояснила я. — Псина далеко не уносится, дефилирует по ближайшей улице. Дойдет до будки, в которой блинчики пекут, выпросит пару штук, стащит в супермаркете сыр или колбасу. В хорошую погоду удержать Магду дома трудно. Вот зимой она на приколе — лежит на диване.

Гаврюша округлил глаза.

— Собака сама спускается и поднимается?

— Да, — кивнула я. — Она носом на нужные кнопки нажимает. Подъемник для нее и был построен, но сейчас им Несси охотно пользуется.

Гаврюша опять сел на подоконник.

— Рассказывай, зачем тебе понадобился Драпкин.

Глава 9

На следующий день мы с Гаврюшей сидели в кафе около моей работы и вели неспешную беседу.

— Извини, что доставила тебе столько хлопот, — смутилась я, — никак не ожидала, что ты приедешь, думала, просто дашь мне мобильный номер Драпкина.

— Кирилл ни за какие пряники не станет рассказывать постороннему человеку о своей пациентке, — нахмурился Гаврюша, — а вот со мной поделился. Да я и раньше от него про Чернову слышал. Мы с Драпкиным соседи, живем на одной лестничной клетке. И по телефону такие сведения не сообщают. С Верой Михайловной вышла странная ситуация. Она жива. И на свободе.

— Значит, Лера не ошиблась, — протянула я. — Девочка могла видеть маму в нашем торговом центре.

— Похоже на то, — согласился Гаврюша. — Хотя не исключаю, что ей встретилась похожая женщина. Но главное сейчас не то, кого именно Валерия встретила, а то, что Вера Чернова не скончалась. Отец и бабушка ввели малышку в заблуждение, потратили много сил и денег, чтобы внушить Лере: ее мать ушла в лучший мир после тяжелой болезни.

— Очень жестоко они поступили, — пробормотала я, — девочка до сих пор тоскует о матери.

— Думаешь, ребенку в шесть-семь лет лучше было узнать правду? — поморщился психиатр. — И жить дальше со знанием, что она дочь жестокой убийцы, которая находится на лечении в специальной психиатрической клинике? Как только жену арестовали, Владимир Чернов оформил развод и лишение супруги родительских прав. Не стоит бросать в него камни, ведь существовать рядом с душевнобольным человеком подвиг и очень тяжелый крест. Не всякому это по силам. И уж точно не нужно ребенку. Но!

— Но? — повторила я.

Гаврюша сделал глоток кофе.

— Постараюсь изложить историю последовательно, а ты слушай. Сразу хочу предвосхитить твой вопрос, откуда Драпкин, который изложил мне все это, знает массу подробностей о Черновой. Отвечаю: психиатр, который работает с больным, находящимся в стационаре, да еще в специализированном, постоянно общается с подопечным. Да, в моей шутке про то, что мы любим закидать больного лекарствами, большая часть правды. Но огромную роль в процессе лечения имеет доверие пациента к врачу, и если оно возникает, выздоровление идет быстрее. Драпкину удалось подружиться с Черновой, она ему все без утайки рассказала...

Вера и Владимир Черновы владели конторой «Дом твоей мечты». Сначала они и не думали заниматься куплей-продажей квартир профессионально, просто Вера однажды помогла своей очень близкой подруге, Оле Карасевой, приобрести жилье.

Ольга торговала конфетами, была одной из первых, кто стал ввозить в Россию дешевый шоколад из Европы, в котором какао-бобов почти нет. На сладостях сомнительного качества женщина разбогатела и, естественно, решила улучшить жилищные условия.

Карасева обратилась в одно агентство, в другое, и поняла: все они пользуются общей базой в Интернете, а потом требуют немалые деньги за то, что посидели у компьютера, да еще откусывают неплохой процент за оформление сделки. Ольга девушка бережливая, решила, что сама подыщет себе подходящий вариант, и начала заниматься проблемой. Но вскоре сообразила: у нее нет на это времени, а вот у безработной Веры его полно. И Ольга предложила лучшей подруге стать ее риелтором, пообещала хорошо заплатить. Но Верочка отказалась от денег, решила оказать бывшей однокласснице дружескую услугу.

Когда все благополучно завершилось, Оля приехала к Черновой с тортом и сказала:

— Ты отказалась взять вознаграждение.

— У той, кто мне как сестра, деньги брать невозможно, — отрезала Вера.

— А мне неудобно использовать ту, кого я считаю сестрой, — в тон ей сказала Карасева. — Поэтому я нашла выход. Тебе позвонит одна моя знакомая, которая ищет риелтора. С постороннего человека получить плату за свою работу вполне нормально.

Сначала Вера действовала в одиночку, находила клиента и подыскивала жилье для него. Потом к делу присоединился Владимир. Спустя некоторое время желающих воспользоваться услугами Черновых оказалось так много, что пара поняла: им пора завести офис, нанять несколько сотрудников. И вскоре на рынке жилья появилась контора «Дом твоей мечты».

Тогда Черновы не могли похвастаться богатством. Отец Владимира, крупный адвокат, получавший когда-то баснословные гонорары, уже скончался. Его вдова, Ангелина Сергеевна, никогда нигде не работала, всю жизнь занималась домашним хозяйством.

Если у дамы и был так называемый подкожный запас, в смысле, денежная заначка, то он иссяк. А родители Веры увлекались весьма популярным в России спортом под названием литрбол и в конце концов допились до могилы. У пары алкоголиков была большая квартира, но Мамаевы, еще не потеряв в тот момент человеческий облик, продали ее, купили дочке Вере однушку, а себе избу в деревне и отправились жить в Подмосковье, где баловались водочкой до смерти. Похоже, алкоголики любили единственную дочь — они не пожалели денег, позаботились о ее жилплощади. Вера продала свою квартиру, и на вырученные средства они открыли фирму.

Некоторое время дела их шли в гору. А потом совершенно неожиданно для Владимира и Ангелины Сергеевны Веру арестовали за убийство двух клиенток: Каретниковой Оксаны Федоровны и Голубевой Галины Михайловны. Дело вел следователь Григорий Беркутов, он живо докопался до истины. Обе женщины обратились в фирму Черновой, чтобы улучшить свои жилищные условия. И та, и другая имели маленькие квартирки, но насобирали денег на большие хоромы. Положить капитал в банк они никак не могли.

Оксана являлась переходящей любовницей богатых и чиновных женатых мужчин, которые давали ей при расставании приятную сумму...

— Проститутка, — уточнила я, перебив рассказчика.

— Резко сказано, — укорил меня Гаврюша. Затем продолжил.

...Каретникова на улице не стояла, знакомилась с папиками в дорогих ресторанах, жила с ними максимум полгода и не переживала из-за разрыва отношений. А Голубева пела на эстраде. Сольных концертов в Кремле она не давала, Первый канал телевидения на свои эфиры ее не приглашал, но в ресторанах хорошенькую Галочку отлично знали, и певица была частой гостьей в программах кабельного телевидения. Если кто не слышал про канал «Припевочка», то это не означает, что у него нет зрителей. Симпатичную, веселую, некапризную Галину охотно приглашали поработать на не очень богатых юбилеях, свадьбах, кооперативах. Молодая певица старалась изо всех сил, не отказывалась исполнять песни по заказу, даже танцевала с гостями. И неплохо зарабатывала. Понятно, что ни Каретникова, ни Голубева не платили налоги, поэтому и не держали денежки в банке. Обе хранили доллары дома.

Было у жертв еще несколько общих черт. Например, обе любили выпить, но не абы что — Оксана и Галя употребляли только красное сухое вино, привезенное из Италии, к остальному алкоголю красавицы не притрагивались. Далее. У обеих не было близких. Ни родителей, ни детей, ни братьев-сестер. На момент смерти у Каретниковой отсутствовал любовник: она разошлась с одним, а другого пока не нашла. Галина же старалась держаться от парней подальше, она с подозрением относилась к представителям сильного пола.

Как уже говорилось, оба дела вел Григорий Беркутов. Сначала он занимался убийством Каретниковой. Эксперт сразу определил причину смерти: покойная пила красное вино, в которое подмешали сильнодействующее снотворное. Лекарство не имело ни вкуса, ни запаха. Тело обнаружили спустя несколько дней после убийства, когда соседи пожаловались на запах.

Беркутову сразу стало понятно: у жертвы кто-то был в гостях. На столе, кроме всякого-разного, находился фужер со следами пальцев и губ, и чашка, на которой тоже нашли отпечатки. На бокале определили следы хозяйки, на чашке — пальчики неизвестной дамы. Их прогнали по базе, но совпадений не обнаружилось. А еще в прихожей валялся брелок из желтого металла в виде женской сумочки. Скорее всего, он крепился к ключам. Но на колечке, которое принадлежало Оксане, висела розовая кошечка. Домработница жертвы сказала, что «золотой сумочки» у Каретниковой никогда не было. Зато у Оксаны Федоровны хранилось несколько сотен тысяч долларов — она собиралась покупать загородный дом. Прислуга знала, что в шкафу в спальне есть небольшой сейф, но код ей был неизвестен. Правда, полиция еще до опроса пожилой женщины обнаружила открытый железный шкафчик, пустой и тщательно протертый снаружи и внутри.

Началось расследование. Беркутов предположил, что преступление совершил или близкий Каретниковой человек, или сотрудник риелторского агентства, в которое Оксана обратилась, чтобы приобрести жилье. Какую фирму выбрала Каретникова, прислуге было неизвестно. Представляете, сколько в Москве агентств по продаже недвижимости? Больших и маленьких? Проверить следовало все.

И тут произошло убийство Голубевой, которое один в один походило на то, что случилось с Каретниковой. Красное сухое вино, фужер с отпечатками хозяйки, кружка со следами пальцев и губ неизвестной. Правда, были и отличия. В домах Каретниковой и Голубевой работали лифтерши. Но Оксана жила в многоэтажной башне, где бо́льшая часть апартаментов сдавалась, хозяева часто менялись, и консьержка там не особо тщательно выполняла свои служебные обязанности — часто отлучалась по личным делам, поэтому на вопрос следователя: «Кто заходил в гости к Каретниковой?» она развела руками и ответила: «Тут орда народа носится, кто к кому летит, мне не докладывают».

А вот у Голубевой в подъезде было всего двенадцать квартир, и бабушка, сидевшая у лифта, оказалась бывшей директрисой школы, она была очень ответственным и внимательным человеком и объяснила оперативникам:

— В девятнадцать тридцать к Галине Михайловне приходила женщина из риелторского агентства «ДТМ». Звать ее Вера Михайловна Чернова. Когда она ушла, я понятия не имею. Моя смена заканчивается в двадцать ноль-ноль. Вечером и ночью тут никто не дежурит.

Человек, опрашивавший лифтершу, уточнил:

— Как вы узнали имя гостьи? Она представилась?

Консьержка пояснила:

— Голубева обитает на втором этаже, дом старинный, акустика в подъезде, как в храме — кто на пятом чихнет, мне на первом слышно. Шумных жильцов здесь нет, на лестнице всегда тихо. Женщина сказала, что идет к Голубевой, поднялась на один пролет, позвонила. Думаю, Галина Михайловна спросила ее: «Кто там?» У певицы не было ни глазка, ни домофона. У нее старинная входная дверь из красного дерева, цельный массив. Створка сохранилась с начала двадцатого века, со времен постройки дома, и Галина не хотела ее, как сама мне объясняла, «дырками и проводами портить». Гостья громко ответила: «Добрый вечер. Я Вера Михайловна Чернова из агентства по продаже недвижимости «Дом твоей мечты», мы договаривались на восемь, но я немного раньше приехала. Если вам неудобно, я посижу в машине». И хозяйка ее впустила...

Глава 10

Гаврюша взял салфетку.

— Обыватели считают, что серийными убийцами становятся только мужчины. Неверное мнение. Есть женщины, на счету которых много смертей, просто представительниц слабого пола в армии маньяков меньше. Или они хитрее, не попадаются. Милые дамы демонстрируют прямо-таки обезьянью изворотливость: филигранно врут, умеют запутывать следы почище лисы. Один раз мне пришлось ехать поездом. Терпеть не могу железную дорогу — долго, все грохочет, еда в ресторане вне всякой критики, туалет грязный. Но не во все города летают самолеты. Я взял билет в СВ, да не догадался выкупить купе полностью — сглупил и оказался наедине с тетушкой лет шестидесяти самого невинного вида. Она начала меня опекать: жареной курицей, помидорами, крутыми яйцами угощать, достала бутылку хорошего коньяка. На третьей стопке, выяснив, что я психиатр, женщина спросила:

— Как вы думаете, я сумасшедшая?

— Стопроцентно нормальных людей нет, — засмеялся я, — у каждого свои тараканы в голове.

— Посоветуйте, что бы такое попить успокаивающее, — продолжала тетенька. — Неохота четвертого мужа убивать, уж очень он хороший человек, да черт под локоть толкает.

И далее в подробностях сообщила, как она трех супругов на тот свет отправила с помощью сердечных капель. Никаких претензий у нее к ним не имелось, и богатством бедолаги не обладали, на него рассчитывать не приходилось. Никакой корысти в убийствах не было. И горевала она потом — одной-то плохо.

Но «черт под локоть толкал» — и очередной спутник жизни усаживался в лодку Харона[1].

— И ты не сообщил о ней в полицию? — поразилась я.

— Ехали мы в поезде, — напомнил Гаврюша. — Наступила ночь, легли спать. Я проснулся в восемь, а попутчица уже вышла. Ни фамилии, ни адреса ее я не знал, только имя — Татьяна. Скольких женщин так в России зовут?

— Ну да, — пробормотала я. — Небось она и того несчастного, которого убивать не хотела, тоже отравила. И как ты не побоялся заснуть? Вдруг бы дамочка и тебя на тот свет отправила?

Гаврюша взял чайник с заваркой.

— Но я же не ее муж. У маньяков есть четкий образ того, кого надо лишить жизни. Если дама не была патологической вруньей, способной выдумать что угодно, лишь бы привлечь к себе внимание, то она — непойманная серийная убийца. И тихий внутренний голос шепчет мне, что моя попутчица именно такова. Слова «Черт под локоть толкал» очень хорошо характеризуют серийщика. Человек не имеет желания лишать кого-то жизни, а убивает. Но вернемся к основной теме. Помнишь, я тебе говорил, что, с одной стороны, убийства Каретниковой и Голубевой точь-в-точь повторяли друг друга, а с другой — были в них и отличия?

Я кивнула, а собеседник продолжал:

---

[1] Харон — в греческой мифологии перевозчик душ умерших через реку Стикс в Аид, подземное царство мертвых. Всегда изображался мрачным старцем в рубище, в правой руке у него весло, левой Харон берет плату за услуги.

— В помойном ведре на кухне Голубевой нашли ватку со следами крови. Такая же капелька обнаружилась на разбитой чашке, которая тоже лежала в мусоре. А на столе, как я уже говорил, стояли фужер со следами пальцев и губ хозяйки, плюс кружку с отпечатками незнакомки. Похоже, события разворачивались так. К Галине заглянула женщина, которая представилась Верой Черновой. Гостья разбила фарфоровый бокал, из которого пила чай, порезалась, когда стала собирать осколки, и прижала к ранке вату.

Психиатр начал рыться в своей сумке.

— Не стану тебя мучить долгим рассказом, сразу перейду к эпилогу. У Веры взяли отпечатки пальцев. Они совпали с теми, которые остались на чашках в квартирах Каретниковой и Голубевой. «Золотой» брелок в виде сумки тоже принадлежал Черновой. И что показал анализ крови?

— Это была кровь Веры, — вздохнула я.

— Отлично, — похвалил меня собеседник. — Прибавь сюда бдительную лифтершу, которая опознала риелторшу, и станет понятно, почему мать Валерии задержали.

— Ее признали ненормальной? — спросила я.

Гаврюша кивнул.

— Примерно через десять дней после заключения Веры Михайловны в следственный изолятор она замолчала. Не произносила ни слова, не ела, не пила и очутилась сначала в местном медпункте, потом в специализированной палате городской больницы для психиатрических больных. Долгое время Чернова ни с кем не общалась. Не отвечала на вопросы врача, медперсонала, агрессии не проявляла, покорно пила лекарства, не нарушала режим, проходила все процедуры, занималась рисованием. Так продолжалось до тех пор, пока в клинику не пришел на работу Драпкин, которому удалось завоевать доверие пациентки. Однажды во время очередного обхода Вера внезапно спросила у доктора:

— Можно вам все рассказать?

— Конечно, — согласился Драпкин, — идите в мой кабинет.

Чернова устроилась на диване и поведала свою историю.

Она никого из женщин не убивала. Да, была с погибшими знакома — занималась подбором квартир для них.

Отношения с Каретниковой проходили по схеме «клиент-агент», ничего личного. Они встречались в основном в кафе. Но один раз Оксана позвонила Вере и попросила приехать к ней домой. Зачем, не уточнила, сказала: «Хочу показать кое-что в квартире, возможно, это ускорит продажу». Чернова приехала в указанный час. Хозяйка квартиры открыла дверь, провела ее в комнату и спросила:

— Что случилось?

— Ничего, — удивилась владелица агентства.

— Зачем тогда вы приехали ко мне? — опешила Каретникова.

— Так вы же сами меня пригласили, — ответила Вера.

— Я? Нет, — возразила Оксана. — Это вы мне звонили сегодня утром с просьбой принять вас вечером.

Женщины начали выяснять, что произошло, и поняли: Оксане и Вере звякнула какая-то тетка, которая Каретниковой представилась Черновой, а владелице агентства сообщила, что ее имя Оксана. Незнакомка организовала встречу агента и клиента в квартире Каретниковой. Во время телефонного разговора связь была очень плохой, из трубки доносились треск, шум... Вот женщины и не поняли, что над ними подшутили. Поохав и поахав, они вскоре расстались.

Чай Вера в квартире клиентки не пила, бутылку вина не приносила. И вообще, у Черновой аллергия на красное сухое вино, она на него даже смотреть не может. Откуда взялись ее отпечатки на чашке, она понятия не имеет.

С Голубевой дело обстояло иначе. Галина велела Вере приезжать к ней домой. Как правило, после одиннадцати вечера — тогда лифтерши в подъезде уже не было. Но в день последней их встречи Владимир предложил жене сходить в кино на сеанс в двадцать один час, поэтому Вера попросила у клиентки разрешения приехать к ней в семь. Та согласилась, но перенесла время на девятнадцать тридцать. Голубева была говорлива, капризна, придирчива, продержала владелицу агентства у себя до без четверти девять. В результате Чернова опоздала на встречу с супругом, Володя, не дождавшись ее, уехал домой, в кино они не попали. Галина никогда не угощала Веру Михайловну чаем, она всегда давала ей понять: риелтор кто-то вроде горничной, обслуживающий персонал, человек второго сорта. Сухое красное вино Вера опять же с собой не приносила, чашки не разбивала, порезов у нее не было, кровь с помощью ваты она не останавливала. И объяснить, откуда все взялось, она не может.

Чернова попыталась все это рассказать следователю Григорию Беркутову, но тот ей ответил:

— Можете болтать что угодно, но улики никогда не врут. Куда деньги спрятали? Признавайтесь...

— Понятно, почему он ей не поверил, — вздохнула я. — И что случилось потом? Вера Михайловна все-таки призналась в содеянном? Отдала украденную валюту?

— Нет. Чернова все отрицала и место, где спрятана добыча, не открыла.

— Она и не могла это сделать, — фыркнула я. — Показать, где захованы доллары, равносильно признанию в убийстве. Бедная Лера! Теперь я понимаю, почему Владимир и Ангелина Сергеевна обманули ребенка.

— Не надо делать поспешных выводов, — остановил меня врач, — сначала выслушай историю до конца.

Глава 11

— Вам посчитать? — спросила официантка, подбегая к нашему столику.

— Нет, — возразил мой спутник. — Принесите еще чаю с лимоном и пирожков с мясом. Вот всегда мне после сладкого колбасы хочется... А тебе что?

— Ничего, — отказалась я, — уже съела «картошку».

— Она размером с перепелиное яйцо, совсем крошечная, можешь позволить себе еще пару таких пирожных, — попытался склонить меня к обжорству Гаврюша.

Я решила отвлечь его от еды.

— Почему Вера, очутившись в СИЗО, замолчала? Собеседник поднял указательный палец.

— Чернова открыла Драпкину правду. Человек, который впервые очутился за решеткой, испытывает стресс. И Вера не стала исключением. Сначала ее поместили в многоместную камеру, где шумела масса баб: воровки, наркоманки, убийцы. Чернову охватил безумный страх, она неделю вообще не спала и ничего не ела. Кормили в изоляторе отвратительно, а с воли ей никто посылок не передавал. Форму подследственным не выдают, Чернова была все время в той одежде, в которой ее привезли. Представляешь, во что превратились вещи? Мыла, шампуня, зубной пасты у владелицы агентства при себе не было, туалетной бумаги тоже.

— Просто ужас, — поежилась я. — Разве можно держать человека в таких условиях? Если поместили за решетку, государство обязано обеспечить преступника одеждой, средствами гигиены, едой, лекарствами...

— В СИЗО находятся не преступники, — уточнил Гаврюша, — так назвать человека может только суд. До вынесения приговора все невиновны, просто подследственные. Ладно, не стану углубляться в ненужные дебри...

Примерно через неделю или дней десять Веру вдруг переместили в крохотную камеру, где находились всего двое — Лена и Катя, фамилий своих они не назвали. Товарки приняли Веру радушно, угостили чаем, печеньем из своих запасов. Голодная Чернова от души поела и мгновенно заснула. Посреди ночи она ощутила, что кто-то ее трясет, проснулась и онемела — около шконки стояла белая фигура, лицо ее закрывал капюшон. Привидение протянуло к Черновой окровавленные руки и завыло:

— Если скажешь хоть слово, умрешь... Если откроешь рот, умрешь... Если будешь болтать, умрешь...

А потом из его рук вырвался сноп искр...

Вера лишилась чувств. Она пришла в себя, когда по лицу что-то потекло. В камере было душно. Лена сидела на нарах, а Катя стояла около Черновой с кружкой в руке.

— Жива? — поинтересовалась она.

— Кто это был? — прошептала Вера.

Катя поставила кружку на стол.

— Извини, водой тебя обрызгала... ты призрака видела, да? Понимаешь, изолятор очень старый, его при каком-то царе построили. Недавно к зданию современную часть добавили, но мы находимся в подвале самого древнего коридора. Тут живет привидение кровавой барыни Салтычихи, которая много женщин на тот свет отправила. Призрак является только тем, кого любит, а по сердцу ему такие же, как он сам, серийные убийцы. Всегда им хорошие советы дает.

— Вы ее тоже заметили? — прошептала Вера.

— Жуть, — передернулась Лена, — чуть со страху не умерли. Правда, Кать?

Та молча кивнула.

— Но слов его мы не слышали, — продолжала Елена, — только тебе они предназначались. Чего Салтычиха-то велела?

— Молчать, — еле слышно пролепетала Чернова, — ни слова не произносить.

Лена схватилась за щеки.

— Ой, а ты с нами болтаешь! Беда случится, точно. Все, захлопни рот навсегда!

— И как тогда жить? — заплакала Вера.

— Молча, — отрезала Лена. — Не реви. Господь все управит. Просто не мели языком. Катька, налей ей чаю!

Вера выпила содержимое кружки, которую подала ей Катя, быстро заснула и увидела сон. Такой яркий, словно явь!

Салтычиха, по-прежнему одетая во что-то белое, сидела на спальном месте Лены, потом медленно встала и стала приближаться к Черновой... Лица привидения было не видно, оно, как и в прошлый раз, оказалось закрыто низко опущенным капюшоном.

— Не послушалась меня, развязала поганый язык, — зашептала известная своей лютой жестокостью барыня. — Сама виновата, кровь всех тобой убитых сейчас проступит.

Салтычиха резким движением сбросила капюшон, обнажился желтый череп с пустыми глазницами, несколькими торчащими в разные стороны гнилыми зубами, с которых стекали бордовые капли. Фантом поднял руку...

Вера заорала, почувствовала, как на ее лицо попала какая-то жидкость. Чернова во сне вскочила на дрожащие ноги, увидела, что вся ее одежда в крови, большие и мелкие алые пятна были повсюду: на юбке, на чулках, на обуви. Чернова хотела заорать, но из горла не вырвалось ни звука... Больше она ничего не помнила. Как оказалась в одиночной палате психиатрической лечебницы? Почему и как ее вывезли из СИЗО? Может ли Салтычиха появиться в больнице? По какой причине все это происходит с ней, ведь она никому не сделала зла? Отчего ее обвиняют в убийствах? Что ее ждет впереди?

Много вопросов теснилось в голове у Веры, но она не могла их задать, потому что у нее начисто пропал голос. И вообще ей было очень-очень плохо. Голова кружилась, мысли путались, при виде любой еды тошнило, желудок взбунтовался так, что она не могла отойти от унитаза. Дни слились в один: Вере делали уколы, потом появился мужчина, он что-то говорил, его губы шевелились...

Гаврюша махнул рукой.

— Психогенный шок, заболевание, появляющееся вследствие перенесенной психической травмы или сильного эмоционального потрясения. Для него характерно помрачение сознания, бред, двигательные и аффективные расстройства. Хорошая новость:

болезнь носит временный, обратимый характер. При правильном и своевременном лечении можно достичь полного выздоровления.

— Жуть, — пробормотала я.

— Да, приятного мало, — кивнул Гаврюша. — Драпкин начал работать с Черновой и спустя некоторое время понял: она не убийца. Кто-то очень постарался, чтобы запугать ее. Кирилл сделал для нее все, что мог — добился освобождения бедняжки, которую признали социально неопасной.

— Где она живет? — спросила я.

Гаврюша развел руками.

— От Драпкина я знаю, что его пациентка сменила фамилию, стала Мамаевой. Вопрос про ее жилье не ко мне. Но, наверное, адрес можно узнать по справке. Краткий итог нашей долгой беседы: Вера жива. И с большой долей вероятности можно сказать: она ни в чем не виновата.

— А как Драпкин понял, что пациентка не убийца? — полюбопытствовала я.

Собеседник вынул из сумки кошелек.

— Я задал ему тот же вопрос, но Кирилл улетал в командировку, времени у него уже не было. Надо найти Веру и поговорить с ней. У меня есть кое-какие знакомства в полиции, могу поискать ее адрес. Хочешь совет? Не надо ничего пока рассказывать Валерии. Пообщайся с Черновой, объясни ей, что дочь ее видела. Пусть Вера тебе растолкует, почему Драпкин счел ее невиновной. Повторяю: не езди пока к Лере. Что ты ей сейчас можешь сказать? Что ее маму арестовали как серийную убийцу, но не отправили на зону, потому что она временно сошла с ума? Вера Михайловна жива, ее отпустили, признав социально неопасной? А теперь поставь себя на место девочки и представь, что это тебе сообщили столь замечательную новость. И как ты отреагируешь? Не всякий взрослый может выслушать такое известие, устояв на ногах. А девочка точно впадет в истерику и, боюсь, натворит бед.

Глава 12

На работу я вернулась в глубокой задумчивости. Часы показывали ровно два. К шести мне надо приехать в гимназию и делать юным актерам макияж. Непонятно почему Зинаида Федоровна, руководитель местной театральной студии, хочет, чтобы каждая репетиция протекала при полном параде. Что ж, плата начисляется за каждый мой приезд, поэтому я просто молча раскрашу лица ребят.

Гаврюша отсоветовал мне искать телефоны отца и бабушки Леры, чтобы рассказать им о воскрешении Веры. Владимир Николаевич и Ангелина Сергеевна, конечно же, в курсе того, что она не умерла, а спрятана от посторонних и от Леры в психлечебнице. Но слышали ли они об ее освобождении? И уж точно им неведомо, что девочка встретила мать в бутике «Бак». Бывший муж и свекровь не придут в восторг, выяснив, что Веру узнала Лера: они могут отправить дочь за границу. И самое главное, доктор Драпкин считает, что Владимир Николаевич как-то причастен к ужасу, который случился с его женой. Но вот почему психиатр так решил, он объяснить не успел, потому что спешил в аэропорт. Ни в коем случае нельзя предупреждать Чернова о том, что я хочу найти Веру.

— Степа! — громко сказал кто-то у меня за спиной.

Я почему-то испугалась, резко повернулась, услышала звук «крак», который произвел мой позвоночник, ощутила острую боль и схватилась за поясницу.

— Что случилось? — испугалась заведующая отделом персонала Лида Корякина.

— Не знаю, — простонала я. — Неудачно дернулась, что-то щелкнуло, и теперь мне очень больно, даже вздохнуть не получается.

— У моей бабульки такая ерундень часто случается, — деловито сообщила Лида. — С возрастом все позвонки на фиг стираются и их со страшной силой клинит. Называется болезнь «старческий артрит». Неприятная штука, но с годами, Степа, всякое случается.

— Спасибо тебе, Корякина, — сказала я, безуспешно пытаясь выпрямиться, — очень хорошо все объяснила. Сколько лет твоей бабуле?

— Девяносто четыре, — весело сообщила сотрудница.

— Мне немного меньше, — заметила я. — Поэтому у меня пока не должно быть болячек, которые у пожилых людей случаются.

— Знаешь, Степа, календарь не показатель, — начала вещать Корякина, — один человек и в сто лет огурец, а другой в двадцать больной кролик, вроде нашего главного визажиста, которой сейчас спинку перекорежило.

— Еще одно мое тебе нижайшее мерси, — прошипела я, — на сей раз за сравнение с простуженным кроликом. Зачем ты тут стоишь? Ступай себе мимо, иди, куда шла!

— Так я уже притопала, — кивнула необидчивая Корякина, — к тебе и рулила. Хочешь, чтобы я уволила Кристину?

— Мою помощницу? — обрадовалась я. — Да! С ней совершенно невозможно работать.

— Невозможно, — повторила Лида, — но придется тебе к девушке привыкнуть.

Я наконец-то смогла выпрямиться и расправить плечи.

— Назови хоть одну причину, по какой мне стоит портить свою нервную систему общением с бестолковой девицей, не способной понять шутку.

— «Бак» не цирк, — отрезала Корякина, — хиханьки-хаханьки нам тут без надобности. Главное — продажи, работа.

— Вот работать Кристина мне и мешает! — топнула я ногой. Тут же опять услышала звук «крак» и снова схватилась за поясницу.

— Добрее нужно к людям относиться, — заметила Лида, — от злости артрит чумеет, по всему телу расползается. Что будешь делать, когда он до черепа доберется? Кирдык тогда котенку!

Я вспомнила нашу школьную учительницу биологии и произнесла ее коронную фразу:

— Мозг — фарш, в нем костей нет.

— И что? — удивилась Лида.

— Значит, суставов тоже, — продолжала я, — артрит извилины не захватит.

— С этим спорить не стану, — хихикнула Корякина. — Только в чем мозги лежат? В черепушке. А она из чего? Из костей!

Я замерла. Есть ли в черепной коробке суставы? Честное слово, не знаю. Плохо разбираюсь в том, как работает доставшееся мне от рождения тело. Знаю совсем немного. Например, если на ночь не наемся как следует, я не засну. Еще помню, что чайная ложка спиртного делает меня пьянее всех на свете, и утром я, как правило, смахиваю на свинку — вместо глаз щелочки, а на голове гнездо сумасшедшей курицы, которая целыми днями своими лапками взбивает солому для мягкости.

— Все идет от головы, Степанида, и если в ее суставах завелся артрит, он по всему организму побежит, — оптимистично пообещала Корякина.

— Лида, отстань от меня! — взмолилась я. — Что тебе надо?

— Пришла объяснить, что Светкину нельзя уволить, — объявила заведующая отделом персонала.

— Да ну? — прокряхтела я. — Назови причину ее иммунитета. Она дочь президента? Невестка генерального прокурора?

Лида округлила глаза.

— Тсс. Круче: Кристина — дочь Елизаветы Федоровны, которая нам все сертификаты качества на парфюмерию и косметику выдает.

— О-о-о! Нет! — простонала я. — Если ужасное существо выпереть вон, мамаша затаит злобу и начнет вставлять палки в колеса всей махине «Бак». А она это может.

— Влегкую, — согласилась Корякина, — за родную доченьку всем пасть порвет.

— Но почему именно мне выпала честь получить в секретари сей уникальный экземпляр? — возмутилась я.

Лида сладко заулыбалась.

— Потому что ты очень спокойная, интеллигентная, не станешь орать на Кристину, как Надя Салибина, не примешься материться, как Леня Панкин, не велишь ей со своей собакой гулять, как Нина Решетникова. Многие наши начальники делают из помощниц по службе бесплатных домработниц, а ты в этом ни разу не была замечена.

— Просто у меня нет собаки, — огрызнулась я. — Кстати, сомневаюсь, что все названные тобой люди устроят дедовщину доченьке самой Елизаветы Федоровны.

— Тише! — шикнула Лида. — Это секрет. Елизавета мне позвонила и сказала: «Лидочка, ты прекрасно знаешь, как я к вам всем отношусь, как всегда помогаю, на многое глаза закрываю, взяток никогда не беру. Выполни небольшую просьбу. Дочь моя прям с ума сошла: так хочет у вас визажистом работать. Я ей не разрешала, а девочка скандал закатила и на конкурс в «Бак» анкету отправила. Ваша Степанида — ее кумир. Возьми дурочку, пусть побегает на службу. Начнет вставать в семь утра, исполнять чужие приказы — живо у нее дурь из башки выдует, займется тем, что я велю. Только не проговорись ей, что я просила. Мы в ссоре. Пусть думает, что честно в кастинге победила и ей самой придется решение об увольнении принимать. Не хочу, чтобы девочку по носу щелкнули, за глупость убрали». Я обещала ей молчать и только сейчас, Степа, увидев твою просьбу убрать Светкину, правду тебе открыла. Сделай правильные выводы.

— Степанида! — закричал издалека пронзительный голос моей неувольняемой помощницы. — Вас Чернова к городскому телефону просит, говорит, вы по мобильному не отвечаете!

Я скрипнула зубами и, стараясь не злиться, отправилась туда, где вопила Кристина.

Глава 13

— Почему вы скрюченная? — спросила помощница, когда я, закончив беседу с Лерой, положила трубку.

Следовало сказать девице, что неприлично торчать в комнате, когда начальница ведет личную беседу, но я вовремя вспомнила о мстительной Елизавете Федоровне и сквозь зубы процедила:

— Спина заболела, повернулась неудачно.

Кристина развернулась и убежала. Я направилась к кофемашине. Валерия попыталась выяснить, что мне удалось узнать о ее маме, но девочке пришлось довольствоваться общей фразой: «Сейчас не могу говорить, рядом много народа. Вечером перед репетицией поболтаем».

Я нажала на кнопку, из носика в кружку полилась бледно-коричневая жидкость. Я удивленно заморгала. Кому пришло в голову перепрограммировать агрегат, который был мною куплен на мои собственные деньги и установлен в моем кабинете? Это моя машина! Я пью только крепкий эспрессо или капучино, а не пойло, смахивающее на совсем свеженький, только недельку назад заваренный чаек Агнессы Эдуардовны!

— Пошли... — закричала Кристина, врываясь в кабинет.

Моя рука, именно в этот момент державшая чашку с напитком, дрогнула, содержимое частично выплеснулось на пол.

— Кристина, — простонала я, — нельзя так вопить и пугать всех окружающих. И скажите, кто задал кофемашине другую программу?

— Я, — не стала скрывать Светкина. — Потому что нельзя глотать кофе чернее чернил. Желудок свой убьете! Пойдемте...

— Куда? — уточнила я, пытаясь справиться с желанием запустить чашку с остатками жуткого варева прямо в нос помощнице. — Зачем?

— К доктору Коровину, — объяснила Кристина. — Он гений! Мой любимый в драке повредил позвоночник...

Мне расхотелось швыряться чашкой. Кристина — редкостная дурочка. Ну кто еще станет рассказывать начальнице, с которой только-только познакомилась, про своего любовника-драчуна?

— Притащила Лешика на себе трупом, — продолжала девица, — а назад он вприпрыжку ускакал. У него все-все позвонки на пол ссыпались. Я позвонила Коровину, он вас ждет прямо сейчас.

Я улыбнулась. Несмотря на глупость, Кристина, оказывается, добрая. Вот Корякина откровенно издевалась надо мной, а Светкина живо нашла врача.

— У меня большой талант, — болтала помощница, — я могу живенько отыскать любого человека. Правило пяти рук. Вам нужен директор космодрома? Я и его контакт отрою. Как? Офигенно легко! Знаю Зину Котову, муж которой доставляет продукты в военный городок, где ракеты взлетают. Она позвонит Валере, тот звякнет заведующей кафе, где обедает Наташка, маникюрша, у которой жена главного космодромщика ногти в порядок приводит, и та даст мобильный номер супруга. Опля! Проще некуда! И так всегда. Надо лишь остановиться, призадуматься и выстроить рукопожатную цепочку.

— Спасибо, Крися, — искренне поблагодарила я заботливую девушку, — но мне надо в шесть приехать в одно место.

— Сто раз успеете, — не сдалась Светкина, — медцентр, где Коровин принимает, через дорогу расположен. Я сама у Коровина спину вылечила, а потом к нему своего Лешика приперла. Пока его лечили, по вашему центру гулять отправилась и поняла: ну очень мечтаю здесь работать. И вот, желание мое исполнилось. Вам помочь дойти?

Я хотела отказаться от визита к врачу, но тут спину скрутило так, что потемнело в глазах.

— Степочка, — закудахтала Кристина, — не тормозите, Коровин всем помогает, уйдете от него как новенькая.

— Надеюсь, он и правда хороший специалист, — прошептала я. — Но сама схожу к доктору, а ты пока посиди здесь на телефоне. Если кто меня спросит, вежливо отвечай: «Козлова вышла». Если я не умру, то вернусь и перезвоню этому человеку. Наверное, прием недолгий?

— С Лешиком Коровин быстро разобрался, — сказала Светкина. — Не волнуйтесь, все океюшки сделаю.

Я поползла к двери, но остановилась, не открыв ее.

— Пожалуйста, не рассказывай никому про мою спину.

Кристина сделала быстрое движение рукой чуть повыше подбородка.

— Закрыто на молнию.

— Молодец, — похвалила я. — Ты действительно можешь любого человека найти?

— Ага, — заулыбалась девица, — через знакомых. Мой Лешик в полиции служит, он в любую базу войдет на раз.

— Правда? — обрадовалась я.

— Ну так! — подпрыгнула Кристина. — Говорите, кого отыскать желаете?

— Веру Михайловну Чернову, — объяснила я, — нужен адрес или телефон.

— Сделаю, — с самым серьезным видом пообещала Светкина.

Изо всех сил стараясь выглядеть бодро, я, приклеив к лицу улыбку, прошагала по первому этажу, выбралась на улицу, перешла проезжую часть, вошла в приемную медклиники и сказала девушке на ресепшен:

— Моя фамилия Светкина. То есть нет, я Козлова. А Светкина договаривалась о приеме у доктора... э... как же его фамилия? Овцова? Нет. Верблюдова? Быков? Ой, забыла!

— Может, Коровин? — подсказала блондинка.

— Да! — обрадовалась я.

— Доктор примет вас через десять минут, — предупредила девица. — Заполните пока анкету, она нужна врачу для ознакомления с больной. Вот бланк, если будут вопросы, позовите меня.

— Непременно, — пообещала я, забирая у администратора листок и отходя к высокому круглому столику на одной ноге, который стоял ближе к окну. Ну, какие тут у нас вопросы...

За спиной раздался вой. Я вздрогнула. Началась эвакуация здания?

— Девушка! — окликнули меня с ресепшен. — Баранова!

— Моя фамилия Козлова, — поправила я.

— Ступайте в пятый кабинет, — приказала дежурная, махнув рукой в сторону, — врач освободился, гудок подал.

— Не успела еще заполнить анкету, — сказала я.

— Ерунда, — отмахнулась администратор.

Я поспешила в указанном направлении и обнаружила в кабинете древнего дедушку, который сухо произнес на едином дыхании:

— Здрассти, садитесь, вещайте.

— Вздрогнула, чихнула, пилой поясницу режет, — в том же стиле отрапортовала я, — все.

— Шел, упал, очнулся, гипс, — хмыкнул Коровин.

Потом он медленно встал, вплотную приблизился ко мне и ткнул пальцем куда-то в спину.

Я взвизгнула.

— Ой!

— Я сразу понял, в чем проблема, — неожиданно растерял свою суровость врач, — у вас искривление из-за нарушенной позиции чешуек мозга. Часто встречается у излишне эмоциональных людей, гиперобязательных и аккуратных. Сейчас позову мальчика, который вас на томограф отведет. Как вас зовут?

— Степанида, — представилась я.

— Извините, — смутился доктор.

— За что? — не поняла я.

— Принял вас, Степан, за девушку, — ответил эскулап, — волосы длинные, мелкие черты лица. Но сейчас присмотрелся и понял: вы определенно юноша, плечи широкие, задницы нет.

Я не успела возразить, потому что в кабинет, шаркая ботинками, вполз старичок чуть моложе хозяина кабинета и дребезжащим голосом спросил:

— Звали?

— Да, друг мой, — заорал Коровин. — Ваша задача — сопроводить больного на анализ ПДФГ, потом на КПР и ТЭФ, следом на БМРТ, ГДЗ и скоренько назад. Вы поняли?

— Стандартное исследование, — прокряхтел божий одуванчик.

— Вы молодец, — похвалил его Коровин. — Ступайте, Степан, не бойтесь, боли не ощутите.

— Ага, можно подумать... — забубнил себе под нос второй дедок, вытаскиваясь в коридор. — Между прочим, ПДФГ током дерется, а от КПР волосы дыбом встают.

Я остановилась.

— Правда?

Провожатый потер щеку.

— Никогда пациента не обманываю. Зачем врать, что приятно будет, если сейчас ПДФГ ему как даст! Как влепит! Как треснет! Как офигачит!

— Зачем же такое исследование делать? — испуганно спросила я.

— Вот и я того же мнения, — хмыкнул дедуля, — смысла нет. И все остальное тоже не надо. Дорого. Глупо. Больно. Наш эскулап вам и без них ого-го какой счет выставит. Но раз велено, надо выполнять. И вы, представитель сильного пола, не тряситесь, как девочка...

Старик оглушительно чихнул.

— Будьте здоровы, — сказала я. — Коровин перепутал, перед вами женщина.

— Да, да, отличная погода, — заулыбался дедуля.

— Хорошая, солнечная, — согласилась я, удивленная реакцией спутника. — Скажите, я могу отказаться от болезненных исследований?

— Столовой у нас нет, — ответил дедок, — у метро кафе работает, не очень плохое, но дорогое.

Я растерялась. Что случилось? Еще пару секунд назад мой спутник казался мне адекватным, нормально отвечал на вопросы. Не мог же он так быстро лишиться разума? На вид ему, конечно, лет сто, но я всегда считала, что процесс потери ума не мгновенный.

В коридоре показалась полная бабуля в темно-коричневом платье и уютных домашних тапках в виде поросят. Она поравнялась с нами и спросила у старичка:

— Виктор Николаевич, могу я чем-то помочь? Вы, похоже, в растерянности.

— Ада Сергеевна, — обрадовался мой провожатый, — правильно говорите, на дворе восхитительное лето.

Бабуля посмотрела на меня.

— Он чихал?

— Очень громко, — подтвердила я. — А после этого сразу стал твердить про погоду. Может, «Скорую» вызвать?

— Да, да, — закивал Виктор Николаевич, — Коровин велел Степана на ПДФГ, КПР, ТЭФ, БМРТ и ГДЗ отвести.

— Нынешние мужчины женоподобны, — осматривая меня с головы до ног, изрекла Ада Сергеевна, — ПДФГ сегодня закрыт, его только по понедельникам делают, КПР уже месяц как сломался, оператор ТЭФ в отпуске, а никто кроме него с пультом не справится, для БМРТ не купили бумажную ленту, ГДЗ у нас еще зимой демонтировали, да Коровин запамятовал. Что же касаемо приезда «Скорой», мой юный друг, то здесь лучшие доктора Москвы на одной территории, собрались все профессора. Виктору Николаевичу мигом помощь окажем, если умирать начнет. Лично я ему трахеотомию с превеликой радостью и укол в сердце в придачу сделаю. Но реанимации не понадобится. Наш медбрат, кандидат наук Мазаев, во время чихания, которое производит с особым смаком, всегда теряет слуховой аппарат. Такую маленькую штукенцию, которая непосредственно в ухо вставляется. На полу ее не вижу, загляните под скамью. Найдете там ее, отдайте Виктору Николаевичу, и он чудесным образом слух обретет. Удачи.

Ада Сергеевна бойко посеменила дальше по коридору.

Я решила успокоить престарелого медбрата:

— Не волнуйтесь, сейчас отыщу потерю.

— Да, да, дождя, слава богу, не обещали, — сказал тот.

Глава 14

Я опустилась на колени и заглянула под скамью. У самой стены лежало нечто, смахивающее на «ухо», которым на телевидении пользуются для связи режиссер и ведущий. Попытка дотянуться до прибора ни к чему не привела, моя рука оказалась коротка.

— Степан, не надо бояться исследования, — принялся утешать меня Виктор Николаевич, — вы мужчина, не раскисайте.

Я легла на живот, однако и из этого положения не смогла ухватить слуховой аппарат. Пришлось наполовину вползти под скамейку, и только тогда задуманное с блеском осуществилось.

— Степан, голубчик, послушайте меня, — бубнил дедуля, — друг мой, вы сейчас демонстрируете позорную трусость. Соберите в кулак свое мужество. Право, мальчики не дрожат при виде прибора, даже если последний током бьет больно-пребольно. Представьте, что вы партизан, должны выдержать страшную пытку, чтобы спасти товарищей. И все получится!

Я попыталась вылезти назад и вскрикнула — в спине снова что-то громко щелкнуло.

— Ангел мой, не рыдайте, — засюсюкал Виктор Николаевич, — угрозы вашей жизни нет. Вернем вам чешуйки мозга на место, окно в черепе заделаем.

Пока дедок пытался успокоить несуществующего Степана, я, сделав несколько бесплодных попыток выбраться из-под лавки, сообразила: у меня заклинило задний ход. Что ж, если машина не может катить назад, надо развернуться и ехать вперед. Под заунывные причитания Виктора Николаевича я полностью влезла под скамейку и начала осторожно поворачиваться по часовой стрелке. Но поняла, что теперь вообще не могу пошевелиться, поясницу заломило еще сильнее.

— Степан, — надрывался старичок. — Ах ты, господи! Только не это! Хватит уже с нас тех, кто с ума сошел в клинике! Позавчера аспирантка Коровина после того, как тот съел ее диссертацию, из окна выкинулась. Ау, Степан, зачем вы туда полезли? Вам Коровин тоже дал отрицательный отзыв на диссертацию? Забудьте, он шарлатан. Я с ним работаю из-за бедности, здесь хорошо платят. Кстати, могу сам вам чешуйки мозга на место поставить. Без исследований. Задача проще некуда, всего лишь надо знать один прием.

Я хотела сказать, что полезла под лавку, чтобы добыть слуховой аппарат, который во время чихания потерял старичок, но тут что-то неожиданно крепко ударило меня по спине. От неожиданности я вскрикнула и пулей выскочила из укрытия.

— Слава богу, — обрадовался Виктор Николаевич, — доорался-таки я до вашего разума, милый мальчик.

Я протянула старичку свою находку.

— Ой, ой, — покачал головой дедуля, — ангел мой Степан, расчудесно понимаю вашу проблему. Сам вынужден пользоваться сим агрегатом. Но я-то уже мужчина в расцвете лет, мне восемьдесят шесть, а вы такой юный... Сочувствую от всей души! Хотите, посоветую прекрасного сурдолога? Академика, не абы кого.

— Аппарат ваш, — закричала я.

— Что? — прищурился дедуля.

Я прибавила громкости и повторила:

— Аппарат ваш.

— Прибора для измерения частот излучения ауры желудка у нас нет, — заулыбался дедок. — Степан, душа моя, у вас, гляжу, слабое здоровье. А за здоровьем надо следить тщательно! И психическое состояние настораживает. Зачем вы под лавку бросились? Я не психиатр, но тревожное состояние вкупе со страхом и фобиями, на мой взгляд...

Я набрала полную грудь воздуха и заорала во всю мощь легких:

— Аппарат ваш!

Виктор Николаевич с сожалением посмотрел на лавочку.

— Ну вот, стукнул кулаком по скамейке от эмоций, и смотри-ка, сиденье покалечил.

Я потерла поясницу и вдруг сообразила: она совершенно не болит. Несмотря на солидный возраст, Виктор Николаевич оказался на удивление сильным, его кулак проломил сделанную, похоже, из фанеры лавку и треснул меня по позвоночнику. Так вот что меня ударило... Ну и ладно, и хорошо, что этот удар таинственным образом меня вылечил, пора уходить из клиники. Но сначала надо отдать дедуле потерю. Только он что-то не собирается ее брать...

— Возьмите свой слуховой аппарат, — завопила я.

Дверь расположенного рядом кабинета открылась, в коридоре появилась еще одна столетняя бабулька. И тоже в домашних тапочках, только они были сделаны не в виде зверушек, просто обычные клетчатые пантофли, на левом краснел большой помпон, на правом его не было.

Старушка уперла кулаки в бока.

— Девушка, он чихал?

— Чихал, — вздохнула я.

— И аппарат потерял?

— Да.

— Вы его нашли?

Я показала бабуле приспособление на своей раскрытой ладони.

— Вот. Пытаюсь Виктору Николаевичу его вручить, а он решил, что агрегат принадлежит мне, и ни под каким видом не берет.

Старушка схватила устройство.

— Виктор Николаевич еще молод, слух он потерял не так давно, лет пятьдесят назад, по какой причине, не знаю, и тогда же ему вот эту ерунду сделали. Весь наш докторско-академический состав юноше давно объяснил: наука вперед ушла, нужно приобрести нормальный современный прибор. Но молодежь такая вредная, вечно со старшими спорит. Вот он и мучается из-за своей подростковой тупости. Ох уж эти молодые люди! Нет для них пророков в своем отечестве! Деточка, мне ваши глаза не нравятся, они оба одинаковые, а должна наблюдаться асимметрия органов зрения. Заходите как-нибудь, я ваши прелестные очи сделаю такими, как надо.

С этими словами бабуля вцепилась Виктору Николаевичу в волосы, дернула за них, повернула голову старичка и в секунду впихнула ему в ухо найденный мною аппаратик. Потом, не говоря ни слова, исчезла в своем кабинете. Я посмотрела на табличку, которая украшала дверь. На ней значилось: «Академик академии «Образование и медицина», доктор наук, профессор, окулист С.Г. Слонова». Мой взгляд переместился на соседние двери... Пришлось изо всех сил стиснуть зубы, чтобы не расхохотаться. Похоже, на работу в эту клинику принимают только тех, чьи фамилии связаны с животным миром: Коровин, Слонова... а вон там кабинет дантистов Белкина и Зайцева.

— Ну вот, Софья Георгиевна вечно меня за волосы таскает, — пожаловался Виктор Николаевич. — Степан, как вы себя чувствуете? Паническая атака закончилась?

— Полностью, — заверила я, — ощущаю себя в полном здравии. Виктор Николаевич, вы сказали, что какая-то пациентка Коровина после того, как доктор съел ее диссертацию, выбросилась из окна.

— Глупый поступок, — кивнул дедок. — Клиника-то расположена на первом этаже. Ну, вывалилась она на тротуар, и что? Даже не ушиблась. Но у человека в момент помешательства мозг работает особым образом.

— Диссертация — это что-то вроде брошюрки? — уточнила я. — Один мой знакомый ее написал, а потом по почте рассылал по списку.

— Сейчас вы говорите про автореферат, краткое содержание работы, — улыбнулся дедок, — его членам Ученого совета, где защита предстоит, отправляют. Диссертация размером с книгу. Но ее никто из профессуры полностью изучать не станет. Да и автореферат-то не особо смотреть захотят. А почему вы интересуетесь, мой юный друг? Подумываете об ученой степени? В какой области, позвольте спросить?

— Меня удивили ваши слова «съел диссертацию», — улыбнулась я. — Стопку бумаги не так-то просто сжевать.

Виктор Николаевич взял меня под руку.

— Степан, ангел мой, это просто такой словесный оборот. Игорь Семенович мой научный руководитель, я под его началом вот уж скоро пятьдесят лет над кандидатской тружусь. «Съесть диссертацию» означает не допустить работу к защите. Э... э... поймите меня правильно, ученая степень не всегда свидетельство ума и таланта. Очень часто, даже слишком часто, всякие научные звания являются наградой за способность долго сидеть на стуле и писать не читаемую никем чушь.

Виктор Николаевич понизил голос:

— Степан, душа моя, вы милый мальчик, поэтому скажу: не ходите более к Коровину. У нас есть доктор Черепахов, вот он — прекрасный специалист. Но Семен Михайлович сейчас в командировке. Коровин же сидит тут, потому что является академиком. Сначала сей ферт занимался изучением воздействия разных препаратов на поведение человека. Потом у него случились большие неприятности — один пациент, которого Коровин чем-то попотчевал, покончил с собой. Поднялся шум, но жена Игоря Семеновича, дочь крупного чиновника, сей пожар затоптала и велела супругу переквалифицироваться, и с тех пор, с начала шестидесятых годов прошлого века, он занимается массажем. А также остеопатией, которой позже увлекся. Но подчас его дьявол в бок пинает, и он кое-кому говорит: «Все ваши проблемы со спиной идут от головы. Сначала надо ее на место поставить». И в результате этой постановки у больных часто случаются истерики, неадекватное поведение. Один пациент на Коровина с кулаками накинулся, а его аспирантка, милая такая девочка лет пятидесяти пяти всего, после того как научный руководитель ее труд в очередной раз разорвал, к окну кинулась. Да, Коровин — мастер человека до потери разума довести. Хорошо еще, что он капли Носорогова в воду людям не подливает.

— Капли Носорогова? — хихикнула я.

— Ничего смешного, душа моя, — вздохнул дедуля. — Господин Носорогов их еще до советской власти придумал. Снотворное[1] работало мигом после того, как человек выпивал чай, куда снадобье добавляли. Так-то лекарство не проглотить, противное очень, заварка же гадкий вкус отбивала. Нахлебается пациент — и вмиг баиньки захочет. Но скоро проснется, и начнутся у него галлюцинации, даже может увидеть привидение...

— Привидение? — повторила я. — Интересно...

— Ступайте, Степан, домой. Да не выдавайте меня на ресепшен, оплатите прием и удаляйтесь, — посоветовал дедушка.

Глава 15

— Коровин помог, да? — спросила Кристина. — Бодренько так прибежали. Докладываю: нет в Москве Веры Михайловны Черновой, она нигде не зарегистрирована. Люди с такой фамилией есть, конечно, но имя не совпадает.

— Но она точно находится в столице, — вздохнула я.

— Лешик, жених мой, предположил, что она квартиру снимает, а регистрироваться не стала, — звенела Светкина. — Такое часто происходит, поэтому в Москве жить очень опасно. Одна ночью через Битцевский парк не пойдешь!

— Одной и вечером через Битцевский парк ходить никогда не надо, — усмехнулась я. — Кристина, а вас как доктор Коровин лечил?

Светкина сгорбилась.

---

[1] Такого лекарства нет. В советские годы было лекарство с подобным действием, его использовали в клиниках. Автор на всякий случай не приводит настоящее название, так как препарат до сих пор можно купить в Интернете.

— Ой! Он сначала массаж делал. Не помогло. Как болело, так и ныло дальше. Потом таблетки прописал, розовенькие. У меня от них голова кружиться стала, желудок заболел, затошнило. Тогда врач сказал, что все мои проблемы от головы, надо ее на место поставить.

— И что он делал? — полюбопытствовала я.

Кристина поежилась.

— Сажал в кабинете на стул, ругал ужасно, обзывал тупой коровой, которая не может боль терпеть. Мне очень обидно стало, я даже плакала. А в конце концов он предложил: «В клинике вы большие суммы за услуги отдаете, но если будете ко мне домой ходить, в два раза дешевле выйдет. Вечером, с восьми до одиннадцати, я готов с вами работать». Я обрадовалась, Лешику сообщила, а он раскипятился: «На квартиру? В поздний час? Даже не думай! И вообще незачем к нему таскаться, раз толку нет». Пришлось бросить Коровина.

— Почему тогда вы меня к нему направили? — возмутилась я. — Говорили, что он помог.

— Так правда спина вылечилась, — сказала Светкина. — Я подумала: неприлично просто перестать появляться, надо врача предупредить. Зашла в кабинет, честно заявила: «Доктор, спасибо, но ни фига вы лучше мне не сделали, прощайте. Домой к вам не поеду. Лешик запретил, сказал, что это так же опасно, как через Битцевский парк ночью бегать». К двери уже пошла, и вдруг... В спину меня что-то как стукнет, как треснет, как вломит! Чуть не упала, еле-еле на ногах устояла. Оборачиваюсь и вижу — на полу книга лежит. Понятно стало: Коровин в меня толстущим справочником запустил. Попал промеж лопаток, и кости-то щелкнули. Опля! Ничегошеньки и не болит! Я подумала, что вы его тоже до бешенства доведете. Характер у вас вредный, придираетесь ко мне постоянно, недовольна всем, так что врач в вас непременно том швырнет. И — тря-ля-ля-ля! — спинку вылечит.

— М-да... — пробормотала я. — Кристина, вы всегда говорите людям правду в лицо?

— Конечно, — кивнула помощница. — Стараюсь никогда не врать. Да это и подло — за глаза гадости шептать, а при встрече сладко петь.

— Мне нужен телефон вашего жениха Алексея, — сказала я.

— Зачем? — удивилась Светкина.

— Ищу лицо для очередной рекламной кампании, — соврала я, — приятнее работать с кем-то из своих. И деньги вам не помешают.

— Конечно, нет, — обрадовалась Кристина, — мы заявление вчера в загс отнесли, теперь на свадьбу собирать надо. Сейчас сброшу вам контакт.

— Спасибо, — поблагодарила я и пошла к главному бухгалтеру Гале Коткиной.

Та, выслушав мою просьбу, отнюдь не обрадовалась.

— Найти оплату за набор «Принцесса»?

— Да, — подтвердила я.

Галина показала на свой компьютер.

— Степа, ты хоть понимаешь, сколько у нас работы? Я давно выпрашиваю у Романа Борисовича две дополнительные ставки, все мои девочки по уши завалены. И что? Дал он деньги?

— Уверена, что нет, — улыбнулась я.

— Ничего веселого не вижу, — рассердилась Коткина.

Я умоляюще сложила руки.

— Галюша, до зарезу надо!

— Нет, — не дрогнула главбух.

— С меня самый большой торт, — пообещала я.

— Вот уж спасибки... — скривилась Коткина. — Пытаюсь свою задницу хоть на сантиметр меньше сделать, бисквит с кремом очень при диете поможет. Наборы для девочек популярны. Их постоянно покупают.

— Знаю точный день и час покупки, — заныла я. — Ну пожалуйста!

— Иди отсюда, не мешай, — фыркнула Галина. — Хотя... Если уломаешь Романа дать бухгалтерии одну новую ставку, так и быть, займусь твоей просьбой.

— У тебя вроде дочке четырнадцать лет? — вкрадчиво спросила я. — Надо же, как время летит!

— И не говори, — отмахнулась Галя. — Вымахала Лена аж метр восемьдесят четыре, нога сорокового размера, сама тощая, одни кости, не жрет почти ничего. Вступило ей в башку моделью стать. Выпрашивает деньги на обучение в школе «Стиль и красота». А где мне их взять? Мужа нет, мама болеет, Ленке новые туфли чуть ли не каждый месяц покупать приходится — лапа у нее, как лыжа, а все равно растет.

Я оперлась локтями о стол.

— Галчонок, слушай меня внимательно. Через неделю мы начинаем кастинг девушек для показа коллекции «Бак» осень-зима. Считай, твоя Лена уже его выиграла.

— Так она не умеет дефилировать, — расстроилась Коткина.

— Не переживай, я живо ее сама обучу, — пообещала я.

Галина схватила мышку.

— Поняла. Баш на баш. Я тебе про банк, ты мне дочку на подиум.

Я пожала плечами.

— Бартер. Удачную карьеру Лене не обещаю, все зависит от ее упорства и трудолюбия, но отличный шанс заявить о себе она получит.

— Говори дату и время, — деловито велела главбух.

Я вытащила телефон и продиктовала сведения.

Ответ от Гали прилетел на Ватсапп, когда я спешила на парковку: «Банк «Улус», карта visa, пользователь Вера Мамаева».

Не успела я обрадоваться, как раздался звонок. Номер определился, но он не был внесен в мои контакты.

— Козлова слушает, — официально ответила я на вызов.

— Беспокоит Алексей Кудрин, — произнес приятный баритон. — У вас ко мне дело?

Я попыталась вспомнить, кто такой Кудрин. Не смогла это сделать и решила последовать примеру Светкиной — сказать человеку правду в лицо.

— Добрый день. Вы кто? Стилист? Поставщик? Представитель рекламного агентства? Журналист? Не могу сообразить, откуда вас знаю.

— Я полицейский, — представился Алексей. — Моя невеста Кристина ваша помощница. И я хорошо знаю, что сейчас от вас услышу.

— Да ну? — удивилась я. — Продемонстрируйте свою догадливость.

— Вы ее увольняете, — вздохнул Алексей. — Крися до невозможности радовалась, когда место получила, но она со своим характером ничего поделать не может, поэтому...

— Вы правы, — остановила я его, — на самом деле я испытываю острое желание указать Светкиной на дверь. Но вы можете спасти свою невесту.

— Как? — тут же заинтересовался Алексей.

— Я собралась сейчас пойти пообедать, и если вы можете освободить часок, то лучше нам встретиться. Разговор не телефонный, — объяснила я. — За свой ланч я плачу сама. На выбор два кафе: «Аризона» неподалеку от площади Фирсова или «Коломбо» на улице Грошкина. Какое вам подойдет?

— Центр города, — пробормотал Алексей. — О'кей, выезжаю. Давайте в «Коломбо». Буду там максимум через полчаса. Полагаю, Кристине не стоит знать о нашей встрече?

— Приятно иметь дело с человеком, который сразу понимает, что к чему, — пропела я.

Из трубки послышался смешок.

— Учитывая ситуацию, это я должен вам льстить, а не вы мне.

— У нас бартер. Алексей Кудрин желает, чтобы Светкина сохранила работу, а я нуждаюсь в ваших услугах. Поэтому давайте обоюдно нахваливать друг друга, — предложила я.

Глава 16

— Кристина — замечательная девушка, — завел Алексей, открывая меню, — добрая, красивая, готовит восхитительно, я ее люблю. Но манера моей невесты — никогда не врать... До встречи с Крисей я общался с Наташей. Она установила отличные отношения с моей мамой, что, поверьте, довольно трудно. Ната — гений общения, для всех хорошее слово находила. А потом случайно выяснилось, что она меня обманывает — живет с богатым женатым стариком, берет у «папика» деньги, нигде не служит. Все, что она о себе рассказывала про работу стюардессой, про частые полеты, оказалось сплошным враньем. У меня с ней состоялся ну очень шумный разговор, и я услышал, что девушка мать мою просто ненавидит, а сам я нищеброд, дурак, нужен ей как прикрытие. Она, видите ли, намерена от своего олигарха родить, а малыша на жениха записать.

Кудрин отложил меню.

— Неприятно. Поэтому, когда у меня с Кристиной отношения начались, ее привычка резать правду, глядя в глаза, очень меня подкупила. Крися с двумя мужчинами никогда крутить не станет. Она честная, но... э... э... не очень сообразительная.

— Заказывать что будете? — спросила подошедшая официантка.

— Лосось с овощами, — хором произнесли мы.

— Надо же, совпали во вкусах, — усмехнулся Алексей, когда девушка ушла. — Продолжу. Сначала я радовался: вон какая Крися откровенная, уж точно без второго дна. А потом... С мамой моей она вдрызг рассорилась. Со своей, кстати, тоже. Подружек у нее нет, со службы постоянно гонят. Недавно я поймал себя на мысли: если бы Наташу и Крисю сложить да перемешать, получилась бы идеальная жена. Умеренная доза вранья в семье не помешает. Ну да ладно, хватит обо мне. Рассказывайте, что у вас.

Я подробно изложила историю Веры Михайловны Черновой и завершила ее фразой:

— У меня есть знакомый следователь, Семен Николаевич занимается...

— Случайно его фамилия не Старкин? — перебил меня Алексей.

— Да, — удивилась я. — Но он сейчас улетел отдыхать. Специально выбрал какой-то экзотический остров и перед посадкой в самолет прислал сообщение: «Буду пятнадцать дней недоступен. Все ок. Отпуск без Интернета и мобильника».

— Моя голубая мечта... — признался Алексей. — Но у меня мама сердечница, поэтому телефон я никогда не отключаю. И далеко от дома не уезжаю.

Я взяла у официантки тарелку.

— Значит, вы знаете Семена?

Собеседник развернул салфетку.

— Лично нет. Уважаю как профессионала, очень хочу попасть в его команду, но шансов на то, что Старкин обратит внимание на самого обычного следователя, почти ноль.

— В жизни всякое случается, — ответила я. — Если вы мне поможете, Кристина останется на работе. А если я пойму, что вы хороший специалист, устрою вам встречу со Старкиным. Не обещаю, что Семен Николаевич возьмет вас к себе, просто предоставлю возможность с ним поговорить. Дальнейшее будет зависеть уже не от меня.

— Хотите найти Веру Михайловну Чернову? — предположил Алексей. — У вас есть чек. Может быть, она фамилию поменяла?

— Точно, — воскликнула я.

— Так... — протянул Алексей. — Но это не все?

— Нет, — согласилась я. — Можно ли узнать, с кем Вера сидела в камере в СИЗО?

Собеседник подцепил на вилку веточку цветной капусты.

— Не верите в истории с привидением?

— А вы? — в свою очередь спросила я.

Алексей взял перечницу.

— Очень сомнительно, что острог посетил дух Салтычихи.

Я налила воды в фужер.

— Не верю в вампиров, вурдалаков, леших, призраков и прочую нечисть, но на всякий случай прочитала в Интернете про Салтычиху. Сейчас бы ее назвали серийным маньяком — женщина зверски убила более ста своих крепостных. Ее приговорили к пожизненному заключению и отправили в Ивановский женский монастырь. Он находится в Москве, в Малом Ивановском переулке. А СИЗО, где держали Чернову, расположено совсем в другом месте. Адреса изоляторов не секрет, их тоже легко найти в Сети. Если уж в столице и живет дух Салтычихи, то он должен бродить возле обители, где ее держали. В СИЗО-то ему зачем появляться?

— Ну да, — с самым серьезным видом кивнул Алексей, — в поведении ментальной сущности покойной должна быть логика.

Я нацепила на вилку кусок лосося.

— Была в одной клинике и там услышала про снотворные капли Бегемотова, подлитые в чай — они вызывают у человека мощные галлюцинации.

— Сейчас таких лекарств много, — согласился Кудрин, — не говоря уже о наркотиках.

— Мне в голову пришли две версии событий, — продолжала я. — Лене и Кате пообещали что-то за спектакль, и они самозабвенно исполнили свои роли, напугали Веру, облив ее чем-то красным, доведя до эмоционального шока. Или в чай-еду Черновой добавили какой-то препарат, отчего у нее начались глюки.

Кудрин взял из корзинки ржаной хлебец.

— А возможно, и то, и другое разом. Сведения о помещенных в изолятор хранятся в архиве. Но за десять минут я ничего не выясню.

Я осторожно вытащила из рыбы мелкую косточку.

— Вовсе не требую мгновенного ответа на мои вопросы. Но и затягивать не стоит. Договорились?

— По рукам, — кивнул Алексей. Затем повторил просьбу: — Кристине ничего не сообщайте.

Я положила вилку с ножом на пустую тарелку.

— И не собиралась.

— Десерт? — предложил Алексей, опять открывая меню. — Мороженое в самый раз будет.

— Слишком калорийно, — вздохнула я.

— И почему все женщины, смахивающие на сушеную воблу, постоянно думают о диете? — спросил Алексей. — Вот вы, например...

Мне стало смешно.

— Алеша, общение с Кристиной не прошло для вас даром — вы тоже начали правду-матку резать. Никогда не говорите девушке, что она смахивает на рыбу длительного хранения.

— Вы не дали мне договорить, — смутился Кудрин, — а я намеревался сказать, что вам, обладательнице прекрасной фигуры, можно лопать мороженое с утра до ночи.

— О! А это явное влияние Наташи-вруньи, — расхохоталась я и взяла зазвонивший телефон. — Костя? Привет! Несколько раз пыталась поговорить с тобой, но слышала про недоступность абонента.

— Степашка, извини, — забормотал Столов, — я спешно улетел. Я в Австралии. Вернусь через две недели. Что привезти тете в качестве сувенира? Хочешь кенгуру?

— Нет, — быстро ответила я.

— Плюшевую игрушку, — уточнил Константин.

— Терпеть их не могу, — фыркнула я. — Алло, алло...

Разговор прервался.

— Давайте я вас подвезу, — предложил Алексей, когда мы вышли на улицу. — Куда направляетесь?

Я показала на свою «букашку».

— В школу к Валерии, макияж на репетиции делать. Спасибо за предложение, но я сама за рулем. И гимназия недалеко. Хочу еще успеть посоветоваться с тамошним психологом. Нужен совет: говорить Лере правду или нет?

— Психолог женщина? Тогда лучше не называйте ей имя ученицы, — посоветовал Кудрин. — Бабы болтливы, психологи не исключение, разнесет новость по этажам.

Я подошла к своей машинке.

— Тогда консультация со специалистом теряет смысл. Каждый подросток индивидуален, один просто удивится тому, что с матерью стряслось, а другой в больнице окажется. Я плохо знаю Валерию, поэтому и пребываю в сомнениях.

— И все же не называйте имени девочки, — повторил Алексей. — В школах трудится женский коллектив, а у них сплетни с молниеносной скоростью разносятся. Возможно, лучше вам пообщаться с отцом или бабушкой. Похоже, они очень любят Леру, если столько сделали, чтобы сохранить ее психическое здоровье. Сейчас найду их телефон и вышлю вам.

— А мой знакомый психиатр, приятель доктора Драпкина, лечившего Чернову в спецстационаре, наоборот, порекомендовал не беседовать с Владимиром Николаевичем и Ангелиной Сергеевной, — протянула я. — Впрочем, он предостерегал и от общения с Лерой. Посоветовал вначале разыскать саму Веру и пошептаться с ней, выяснить, почему Драпкин счел ее невиновной и поспособствовал ее освобождению.

— А почему твой друг, который выяснил массу всего у врача, сам его об этом не спросил? — поинтересовался Кудрин, неожиданно переходя на «ты».

— Не успел, — объяснила я. — Драпкин куда-то улетал, рассказал часть истории и поспешил на самолет.

Алексей открыл свою машину.

— Возможно, твой знакомый прав, я не специалист по подросткам. Но послушай и мой совет: школьный психолог, скорее всего, баба, рот у нее на замке не удержится. И ты права, абстрактно рассуждать нельзя, в беседе с ней придется назвать имя Валерии. Но тогда секрет живо из омута выплывет, слух дойдет до отца и бабушки девочки, те выяснят, что гримерша Козлова затеяла расследование, разразится скандал. Садись пока ко мне и давай сначала кое-что узнаем про отца Леры, про ее семью. Поймем, что там за люди, станет ясно, как себя вести.

Я посмотрела на часы, увидела, что запас времени у меня еще есть, и устроилась на переднем сиденье. Алексей взял телефон.

— Настена, срочно выясни цвет исподнего Владимира Николаевича и Ангелины Сергеевны Черновых. Как всегда, за пять минут. Жду.

— Здорово! — восхитилась я. — И что, коллега прямо все так быстро разузнает?

Кудрин вынул из подлокотника пачку жвачки.

— Хочешь?

— С банановым вкусом? — скривилась я. — Никогда! Кто бы мне объяснил, почему сей очень вкусный фрукт, будучи добавлен в йогурт, творог или молоко, делает этот продукт мерзким?

— А мне нравится, — возразил Кудрин, работая челюстями. — Ты сейчас пахнешь рыбой, а я нет!

Я решила тоже отказаться от официоза в разговоре.

— Зато ты издаешь аромат лосося, который живет в банановой роще, политой химическими удобрениями.

Кудрин оценил шутку — похлопал ладонью по торпеде.

— Браво! Нам не стоит осуждать Крисю, говорить правду и тебе пришлось по вкусу.

— Я вру намного чаще и охотнее, — парировала я.

Телефон Кудрина, засунутый в подставку, замигал, на экране появилось слово «Барбося».

— Говори, — велел сотруднице Алексей, нажимая на кнопку.

— О светлый падишах, мечта моих девичьих грез, — зачастил звонкий девичий голос, — твоя верная раба...

— Настя, — перебил Алексей, — ты на громкой связи.

— Алексей Юрьевич, — тут же сменила тон девушка, — слушайте. Ангелина Сергеевна домашняя хозяйка. Была замужем за адвокатом Николаем Петровичем Черновым. Ни в чем дурном не замечена. Вдова. Пенсионерка. Владимир Николаевич ее сын. Учился в институте на юриста. Работал в разных конторах, карьеры не сделал. Часто менял место службы, но это не преступление. Не привлекался, несудим. Чист со всех сторон. Вступил в брак с Верой Михайловной Мамаевой. Та родила дочь Валерию. Спустя некоторое время после свадьбы он ушел с последнего места работы, совместно с женой открыл фирму по сделкам с недвижимостью, название ее «Дом твоей мечты». Потом Веру арестовали, и муж сразу с ней развелся, перевез семью на другую квартиру, девочку перевел в новую школу. Учитывая тяжесть содеянного женой, осуждать Владимира трудно. Его супруга убила двух клиенток их общей риелторской конторы.

— О Вере я знаю, — остановил девушку Алексей, — о ней можешь не докладывать.

Глава 17

— Хорошо, — согласилась Анастасия, — но все же отмечу, что сначала я удивилась, почему о деле Черновой не раструбили газеты. Журналистов же пивом не пои, а дай написать про кровавое преступление... Но потом посмотрела на сводку новостей того времени, и все стало понятно. В день ареста Черновой случилась масштабная авиакатастрофа, и все СМИ три дня занимались только этой трагедией. А затем уже в автокатастрофе погиб один политик — он влетел в бетонное ограждение на шоссе. С ним в машине оказались молодая женщина и двое детей, они выжили. Пассажирка сообщила шокирующую новость: она — вторая жена народного избранника, мальчики — признанные им сыновья, которые имеют права на наследство отца. Оцениваешь, что началось? Неделю все газеты и интернет-порталы вопили о незаконной супруге и малышах. Про женщину-риелтора, убившую своих клиенток, и не вспоминали. А может, и вовсе ее историю не заметили. Все в один пазл сложилось, что позволило Владимиру скрыть от людей свою семейную трагедию. К самому господину Чернову у следователя никаких вопросов не было, Владимир Николаевич сразу объяснил: главной в фирме являлась жена. Муж работал пристяжной лошадью, потому что ему трудно общаться с людьми. Показывать жилье, убеждать человека, что угловая однокомнатная конура на первом этаже хрущевки-развалюхи стоит пятнадцать миллионов и является лучшим вложением денег, юрист не мог. Всем этим занималась Вера. Что делал Владимир? Лазил в Интернете по базам недвижимости, отслеживал частные объявления. Работали они так: приходит клиент, рассказывает о своей мечте, с ним общается Вера. Потом муж подыскивает нужного покупателя на жилье или находит варианты апартаментов для приобретения. Жена бегает, показывает квадратные метры, поет ласковые песни. Нашелся подходящий вариант? Владимир проверяет «чистоту» квартиры, оформляет документы. Бабки падают в ячейку — ура, мы это сделали! Чернов прекрасно управляется с бумагами и компьютером, но бесед с людьми он чурается, с клиентами никогда сам не сталкивается: они для Владимира лишь имена в бланках.

— Редкий мужик признается, что не сам у руля фирмы стоит. Даже если он на самом деле только кофе подает, все равно непременно щеки раздует: «Я глава фирмы», — заметил Алексей.

— Может, Владимир так в жизни и поступал, — хмыкнула девушка. — Но поскольку разговор шел в кабинете следователя, а его супругу обвиняли в убийствах клиенток фирмы, муж предпочел как можно дальше от нее дистанцироваться. Но вот что интересно. Если дело обстояло именно так, как представил Чернов, то после ареста Веры Михайловны фирма должна была захиреть и скончаться. Ан нет! Она работала на прежних оборотах, исправно платила налоги. Похоже, Владимир уверенно крутил штурвал, но это уже никого не удивляло, потому что жена сидела в психушке, а следователь дело сдал и забыл о нем. Но! Вот тебе штришок. После того как Веру признали невменяемой, ее муж начал брать кредиты. Буквально весь оброс ими. Хватал сумму в одном банке, отдавал в другой, просил ссуду в третьем и возвращал долг второму хранилищу. Этакое чертово колесо, многим знакомое. Но бесконечно вертеться оно не может, рано или поздно остановится — и тогда случается беда. Через год такого марафона Владимир женился. У его второй супруги, Елизаветы Федоровны Кулагиной, оказалось богатое приданое: четыре квартиры в Москве, одна в Питере, дача. Мать новой госпожи Черновой была известной актрисой, отец — знаменитым режиссером. Они оставили доченьке нехилое наследство. Вскоре после свадебного пира супруга продала недвижимость в городе на Неве, и после этого Владимир быстро погасил все кредиты. Интересное совпадение, да? Почему Чернов постоянно оказывался в долгах?

— Наркотики, азартные игры, бабы... — предположил Алексей. — Свои забавы он успешно скрывал и скрывает от матери, а вот новой женушке признался и попросил помочь.

— Сомневаюсь в употреблении наркотиков, — возразила Анастасия. — Ангелина Сергеевна поняла бы, что сын сидит на игле. А вот покер и женщины вполне вероятны. Или какая-то еще страстишка.

— Елизавета Федоровна не стала бы продавать недвижимость, узнай она о беготне мужа за юбками, — вставила я свое слово.

— О! Здрасти, вы кто? — спросила Настя.

— Степанида Козлова, — представилась я.

— Анастасия Барбосина, — в тон мне сказала девушка, — палочка-выручалочка Алексея Кудрина.

— Лучше сказать: фея с волшебной палочкой, — поправила я.

— Обожаю фимиам, — можете продолжать, — засмеялась Настя. — Нет, тут не соглашусь. Многим теткам нравятся плохие парни. Чем больше те им изменяют, пьют, дерутся, тем сильнее идиотки своих мучителей обожают. Однако Кулагина оказалась не из этой стаи. И через год с небольшим после свадьбы она оформила развод. Сейчас она живет в Греции, жилье в России сдает, получает неплохую сумму и проедает ее. Что-то у Кулагиной и Чернова не срослось.

— И как нам узнать, где Вера Чернова-Мамаева живет? — посетовала я. — Настя, у вас есть какие-то идеи на этот счет?

— Вы разве не в курсе? — удивилась Барбосина. — Когда я стала говорить про бывшую больную, Алексей сказал: «Не надо, я все знаю».

— Я имел в виду историю убийства Каретниковой и Голубевой, — пояснил Кудрин, — адрес Мамаевой, наоборот, мне очень нужен.

Раздался характерный звук.

— Отправила его тебе на Ватсапп и даже услышала, что сообщение пришло, — отметила Барбосина.

— Улица Воронская, дом шесть, квартира двадцать четыре, — прочитал Кудрин. — Барбося, где ты его нарыла?

— Эка сложность... — хихикнули из трубки. — Да так, слегка извилины напрягла. Собственно, все очень просто: Чернову-Мамаеву обязали после освобождения сообщить свой адрес в психоневрологический диспансер. Кстати, ее недавно сняли с учета по рекомендации доктора наук профессора Драпкина. Очень врач постарался ради пациентки: Вера теперь не сумасшедшая, может спокойно ездить за границу и получить права на вождение машины. Но адресок ее в базе регистратуры остался. Всего-то делов было туда влезть, мне минуты хватило. У них защита никакая. Вот вам и медицинская тайна, элементарно все там отыскать можно.

— Это тебе легко, а простому пользователю нет, — возразил Алексей и поинтересовался: — Сейчас Владимир тоже в долгах?

— Нет, — ответила Настя. — По банкам он более не скачет, но ведь есть ростовщики, а про их клиентов я ничего разузнать не могу.

— Что по поводу сокамерниц Веры? — продолжал Кудрин. — Лена и Катя. Выяснила их фамилии-адреса?

— Пока в работе, — отрапортовала Настя, — результат доложу. Досвидос вам, мой падишах.

Трубка замолчала.

Кудрин посмотрел на меня.

— Как поступишь?

— Поеду в гимназию, — ответила я. — От Леры пока правду утаю. Работы мне там на полтора часа, затем покачу к Вере Михайловне, и вот ей-то сообщу, что дочка ее в магазине видела. Пусть мать совет даст, что мне делать: лучше ее никто девочку не знает. Ни отец, ни бабушка, ни тем более школьный психолог. Потом тебе расскажу, что мне Чернова, то есть Мамаева, про себя объяснила. А ты мне непременно сообщи, нашла ли Настя Лену с Катей, ее сокамерниц.

— Барбося их точно отроет, живых или мертвых, — кивнул Алексей. — У меня тоже кое-какие мысли в голове вертятся. Если предположить, что женщин подговорили напугать до шока Веру, то в акции замешан кто-то из сотрудников СИЗО. Да, да, ну никак тут без него не обошлось! Надо глянуть, кто дежурил по коридору в ту ночь, когда Вера очнулась вся в крови после своей «встречи с привидением». Кстати, была ли это на самом деле кровь? Обо всех происшествиях сотрудники обязаны писать рапорт, так вот хорошо бы сей документ найти и почитать.

— Отличная идея, — обрадовалась я, — мне она в голову не пришла. Не подумала о том, кто в тюрьме работает.

— В следственном изоляторе, — поправил Кудрин.

— Да какая разница! — отмахнулась я.

— Большая, — возразил Алексей. — Но не стану тебя ненужными знаниями грузить. Мы работаем в команде?

— Да, — кивнула я.

— Кто главный? — осведомился следователь.

— Оба, — заявила я, — решение принимаем сообща.

Алексей улыбнулся.

— За мой первый опыт работы частным детективом. Удачно получилось, что я в отпуске. На две недели.

— И почему тогда в Москве сидишь? — удивилась я. — Хоть бы на дачу поехал.

Кудрин отвел взгляд в сторону.

— С деньгами негусто, а фазенды нет. Но основная причина в другом. Кристину наконец-то на работу взяли, одному не хотелось никуда отправляться. Нехорошо получится: я на пляж, а Криська в душном городе парится. Кстати, хочу уточнить еще раз: если мне удастся доказать, что Веру Чернову подставили, то Кристина остается у тебя в помощницах?

— Да, — подтвердила я.

— И ты познакомишь меня со Старкиным? — не унимался мой собеседник.

— Верно, — снова согласилась я. — Но...

— Так... — протянул Алексей. — Уже появилось «но»?

— Ничего нового, — успокоила я парня. — Сразу сказала тебе: устрою встречу с Семеном Николаевичем, и только. Сможешь ему понравиться? Отлично. Не произведешь хорошего впечатления? Я за это ответственности не несу. И насчет Кристины: давай договоримся о сроке, в течение которого она со мной будет работать. Вечно я твою невесту не выдержу.

— Год, — быстро решил Алексей, — за двенадцать месяцев я смогу примирить маму с ней, и Мария Алексеевна согласится на свадьбу. Могу и без одобрения матери расписаться, но не хочу ее обижать. И планирую через год родить ребенка.

— Ладно, двенадцать месяцев я как-нибудь потерплю, — согласилась я, — очень уж мне Валерию жалко. А почему твоя мать против Кристины?

Кудрин опять пригладил волосы.

— Ну, там так получилось. Я позвал Криську в гости знакомиться. Сначала все хорошо шло, она ужин похвалила — мама и правда шикарно готовит. Потом мать сказала: «Сыночек, причешись, ты на ежика похож». И тут Крися добавила: «Прическа по-идиотски выглядит, надо тебе иначе постричься. Давай другую стрижку прямо сейчас сделаю? Ножницы у меня с собой». И все, мать теперь о Светкиной даже слышать не желает. Мне от бабушки, она недавно умерла, двушка осталась. Хорошая, но убитая. Старушка не позволяла там даже обои переклеить, говорила: «Мы с дедушкой недавно ремонт сделали, в тысяча девятьсот шестьдесят четвертом году».

— Ну прямо вчера, — засмеялась я.

— Через два месяца я официально наследником стану, — делился планами Алексей, — за восемь-девять месяцев приведу жилье в порядок, а там и о малыше думать можно. Мама узнает, что Кристина беременна, и смягчится.

— Надеюсь, у тебя все получится, — улыбнулась я, — что же касается волос... Здесь я соглашусь с Кристиной, причесон тебя никак не украшает. Смени мастера. Похоже, у твоего стилиста обе ноги левые.

— При чем здесь ноги? — удивился Кудрин.

— Руками даже самый бездарный ученик такую стрижку не соорудит, настоящий апофигей, — еще сильнее развеселилась я, — выглядишь как Иванушка-дурачок, который вылез из бетономешалки. В какой салон ходишь? Забудь туда дорогу.

— Меня мама стрижет, — после небольшой паузы признался Алексей. — Она парикмахером работала.

— Вот почему она на потенциальную невестку разозлилась, — догадалась я. — А Кристина умеет стричь? Она где-то училась?

— Да нет, — пожал плечами Леша, — сама как-то освоила. Насте очень красивую голову сделала.

Глава 18

В момент, когда я подъехала к дому, где теперь жила Вера Михайловна, позвонил Алексей.

— Настя нашла Елену Корниловну Чуйкину и Екатерину Игоревну Петрову. Первая — неудачливая воровка: попалась на кармане, сперла кошелек. Она умерла на зоне от сердечного приступа. Вторая — проститутка-клофелинщица: опаивала клиентов лекарством, потом грабила их. Такие девицы нередко становятся убийцами — не рассчитала дозу, мужик к праотцам отправился. Пик этого «бизнеса» пришелся на девяностые годы. И до сих пор еще некоторые «феи шоссе» этим препаратом пользуются, но их все меньше и меньше, теперь другие препараты используют. Екатерине повезло — от ее руки никто не скончался. Один парень чуть было не отправился к праотцам, но его откачали, он в больницу попал — этот клиент про ночную бабочку следователю и доложил. Елена с Екатериной не очень серьезные преступницы, так, мелочь криминальная. Поэтому возникает вопрос: как они оказались в подвале, куда переместили Веру? Камеры там двух- или трехместные, предназначены для наиболее опасных или значимых подследственных. Тот коридор и вовсе особо охраняемая зона. Лене и Кате было место в общей камере, куда по двадцать теток напихано, всякая шелупонь — те, кто вещи в магазинах тырит, деньги из карманов прет, мужа сковородкой убивает.

— На твой взгляд, лишить жизни супруга — пустяк? — удивилась я.

Кудрин чем-то зашуршал.

— Пришла жена домой не вовремя, а в спальне ее дорогой-единственный с соседкой по лестничной клетке Камасутру осваивает. Хозяйка схватила табуретку, в них швырнула, попала женщине по башке. А муж на кухню побежал. Вот идиот, нельзя от разъяренной бабени нестись туда, где колюще-режущие предметы в изобилии хранятся. В сортир ему дорога или к лифту. Но он сдуру в пищеблок ринулся, ну и получил ножом в спину. Полиция приехала, убийца над телом голосит: «На кого ты меня покинул?» Недавно у меня такой случай был. А теперь сравни его с тем, что инкриминировали Вере. Кто опаснее?

— По всему выходит, Чернова, — вздохнула я. — Не знала, что тюремное начальство так о жестоких преступниках печется, создает им уют и покой.

— Серийных убийц держат отдельно, потому что им терять нечего, — сказал Алексей. — Если кто-то из сокамерниц обидит маньяка, тот ночью человека придушить может, потому что тяжелее его срок уже не станет, все равно он по верхней границе получит. А значит, можно себе не отказать в удовольствии еще кого-то в ад отправить. Не о серийщике заботятся, а о тех, кто с ним бок о бок окажется. И по идее в одном отсеке с Черновой мелочи вроде Лены да Кати никак не должно было находиться. Но они там очутились. В лазарет Вера поступила с окровавленным лицом и в испачканной одежде. Руки у нее были разбиты, на стенках камеры остались красные пятна. Елена и Екатерина рассказали, что проснулись от шума и увидели, как Вера бьется носом о кирпичи, лупит по ним кулаками. До этого она уже один раз устроила скандал: легла на нары, вроде заснула, но вдруг вскочила и начала спрашивать у соседок: «Видели ее? Женщину в балахоне? Привидение!» Чуйкина и Петрова решили, что новенькой от страха, которому все впервые попавшие в СИЗО подвержены, приснился кошмар. Охрану они звать не стали, побоялись, что всем не по-детски влетит. Успокоили соседку, но та, однако, вскоре вновь впала в буйство.

— Чернова психиатру другое рассказывала, — вспомнила я. — Сбрось мне адрес Екатерины. Где она работает?

— Никаких сведений о работе Петровой нет, — сказал Кудрин, — бывшей зэчке без образования трудно куда-либо устроиться, ни в одно приличное место ее не возьмут. Скорей всего, она моет полы без оформления, каждый день получает от хозяина малую крошку прямо в лапы. И никаких налогов. Ты где?

Я оперлась о руль.

— У дома Черновой, то есть теперь Мамаевой, — ответила я, выбираясь из машины и направляясь к зданию.

— Попробуй ее как следует расспросить, — посоветовал Алексей.

— За тем и приехала, — сказала я, шагая по ступенькам. — Ужас просто, квартира ее на последнем этаже, а лифта нет.

— Люди большие деньги платят, чтобы в фитнес-клубе на тренажере «эскалатор» пройти, а тебе даром это занятие досталось, — рассмеялся Алексей. — Если поразмыслить, в любой луже можно найти самородок.

— И часто тебе в грязи золото попадалось? — пропыхтела я, останавливаясь наконец у нужной двери.

— Пока ни одного не обнаружил, — по-прежнему серьезно заявил Алексей и тяжело вздохнул. — Но факел надежды никогда не погаснет. Ладно, удачи тебе. На связи...

Преодолев все пролеты, я отдышалась и нажала на звонок. Веселая трель чирикала, но никто не спешил на ее зов, стало понятно, что дома никого нет. Пришлось спуститься во двор. На скамейке между подъездами сидела женщина, у ног ее крутилась лохматая собачка, я подошла к незнакомке.

— Здравствуйте.

— Добрый вечер, — отозвалась тетушка.

Я вдруг ощутила, что на мои ноги в балетках как будто опустилась меховая шапка. Глянула вниз и поняла, что собачка решила использовать меня вместо стула.

— Вы понравились Муне, — улыбнулась хозяйка, — она не ко всем так благоволит.

Я решила наладить с владелицей ласковой псинки хорошие отношения, поэтому наклонилась и погладила кудлатый комок.

— Ох, не делайте этого! — воскликнула женщина. — Сейчас же перестаньте!

Я живо отдернула руку.

— Извините, не хотела ничего плохого ей причинить.

— Охо-хо... — пробормотала тетушка. — Чур, от меня ничего не требовать! Не просила вас Муну трогать, сами придумали.

Собачка начала елозить попой по моим балеткам.

— Не знаете, случайно, когда Вера Михайловна Мамаева с работы возвращается? — поинтересовалась я.

— Понятия не имею, здесь теперь всякий сброд живет, — заявила дама. — Муна, домой! Если вы спрашиваете о бабе, что снимает квартиру на пятом, то она весьма легкого поведения — к ней мужик шляется, бутылками звенит. Вот времена настали, всякая плесень шикует, а я, честная пенсионерка, голодаю.

Собачка вскочила. Неожиданно ощутив в балетках влагу, я наклонилась и ахнула.

— Она на меня написала!

Соседка схватила псинку.

— Никто не виноват, не стоило Муняшу гладить, она от удовольствия с собой справиться не может.

Женщина бросилась к подъезду и исчезла, я не успела более ничего сказать, просто стояла, глядя на испорченную обувь.

— Вам помочь? — спросил тихий голос.

Я обернулась и увидела женщину с короткой стрижкой. Она подергала носом и добавила:

— Однако тут неприятно пованивает.

— Смрад идет от моих балеток, собака Муна на них написала, — понуро уточнила я. — Сейчас выброшу их в мусор, отправлюсь в автомобиль босиком. Обычно вожу в машине запасную пару, но вчера ездила на мойку, поэтому вытащила из салона все лишнее, а утром на место не вернула.

Женщина одернула платье.

— Шлепать голыми ногами по Москве негигиенично, заразу можно подцепить. Есть другое предложение. Поднимаетесь ко мне, моете ноги, и я дам вам старые сланцы.

— Огромное спасибо, вы очень добры! — обрадовалась я. — Обещаю вернуть шлепки завтра. Скажите, вы не знаете, случайно, Веру Михайловну Мамаеву? Она на последнем этаже живет.

— Обувь дряхлая, не надо ее возвращать. Приедете домой, просто вышвырните, — засмеялась незнакомка.

— Все равно с меня причитается, — пообещала я, идя к подъезду. — Работаю в фирме «Бак», наш курьер вам завтра ВИП-подарок доставит.

— О-о-о! — обрадовалась добрая жиличка. — Недавно я приобрела у вас набор «Принцесса». Нужен был дорогой подарок, пришлось разориться. Я бы и сама вашей косметикой пользовалась, но мне не по карману. Зачем вам Вера Михайловна?

— Надо поговорить, — улыбнулась я.

— Тогда начинайте, — кивнула собеседница, — Мамаева перед вами. Или хотите сначала себя в порядок привести? Собака в моем подъезде живет? Как она выглядит? Буду ее при встрече обходить, не хочется, чтобы и мне обувь «убили».

Мирно беседуя о Муне, мы с Верой вошли в ее квартиру. Я испытывала неудобство — Вера Михайловна оказалась хорошим человеком, пожалела незнакомку, на которую написала собачка, а я вместо благодарности начну сейчас очень неприятный для хозяйки до блеска вылизанной квартирки разговор.

Глава 19

— Держите тапки, — весело сказала Вера, — прямо в них и уйдете. И не переживайте, им сто лет уже. Хотите чаю?

— Не откажусь, — пробормотала я, с каждой минутой пребывания у Черновой чувствуя себя все гаже и гаже.

— Угощайтесь сухофруктами, — предложила она, ставя на стол курагу. Позвольте спросить, вы кто?

Я вынула из сумки визитку.

— Степанида Козлова, главный визажист фирмы «Бак».

— А что вам от меня надо? — удивилась Вера Михайловна.

Я начала вертеть в пальцах чайную ложку.

— Речь пойдет о Валерии...

— О ком? — отшатнулась женщина.

Я сделала глубокий вдох.

— О вашей дочери. Я не имею отношения к полиции, не знакома ни с кем из семьи Черновых, кроме Леры. Меня наняли делать макияж членам театрального кружка гимназии, где учится девочка. Мы с ней разговорились, я сообщила, где работаю, и она сказала, что недавно видела в головном магазине фирмы «Бак» свою маму, которая, насколько ей известно, несколько лет назад умерла.

— Так, значит, я скончалась? — пробормотала моя собеседница. — Интересно, однако.

— В колумбарии на кладбище установлена табличка с вашим именем и фамилией Чернова, — уточнила я.

— Выходит, Владимир придумал, что его жена покойница, — поморщилась хозяйка квартиры. — Молодец, что тут скажешь. Ловко.

— Не знаю теперь, как поступить, — призналась я. — Лера попросила меня найти ее маму по чеку, вы ведь карточкой покупку оплатили. В общем, я вас отыскала. Но Лере пока ничего не сообщила, не знаю, как вашей дочери сообщить, что ее мать жива. Владимир снова женился, потом развелся. Девочка долго тосковала по матери, но сейчас Валерия уже достаточно взрослая, чтобы понять — раз мама умерла, то уже не вернется. Ваша дочь в конце концов смирилась с потерей. И вдруг через витрину магазина Лера увидела ту, которую больше всех любит.

Моя визави опустила голову и прошептала:

— Бедная улиточка... Понимаете, мы с дочкой, когда она была совсем маленькая, прочитали книжку про двух улиток и потом так себя называть стали. Я — улита, она — улиточка. Недавно я увидела эту сказку на полке в магазине, и прямо слезы из глаз полились.

— Почему вы не поехали к дочке после того, как из клиники вышли? — удивилась я.

Вера потерла ладонью висок.

— Владимир лишил меня родительских прав. Особых проблем при решении этого вопроса, думаю, у него не возникло. У меня же был психиатрический диагноз, к тому же я по решению суда жестокая убийца. Кто такой ребенка доверит? И нужна ли Лере такая мать? Что она в анкете в графе «родители» напишет, когда на работу устраиваться будет? Я все гадала: как бывший муж и его мать ребенку мое исчезновение объяснили? Решила, что соврали, мама, мол, плохая, Лерочку бросила, нашла другого мужчину, уехала с ним на край света. О том, что меня покойницей объявят, я не догадалась. Они нишу в стене колумбария купили?

Я кивнула.

— Охо-хо... — протянула Вера Михайловна. — Что ж, надо скататься на погост, поставить букетик за упокой. А вы храбрая девушка, Степанида, не побоялись к убийце приехать. Вдруг я задушу вас?

— У меня возникли большие сомнения по поводу справедливости выдвинутых против вас обвинений, — спокойно ответила я. — Мы подозреваем, что вас подставили. Но пока ничего точно не выяснили.

— «Не выяснили»? «Подозреваем»? — повторила Вера мои слова, выделяя окончания. — Вы не одна занялись этим делом?

— Нас двое, — уточнила я. — Если мы докажем вашу невиновность, Лера сможет воссоединиться с вами. И вы сможете предъявить права на фирму по продаже недвижимости.

Вера положила руки на скатерть.

— Мои родители не считались богатыми, папа с мамой не демонстрировали свое благосостояние. Отец служил в районной управе, занимался бесхозным жильем. Понимаете, что это такое?

— Не очень, — призналась я.

Вера пустилась в объяснения.

— Ну вот такой пример. Умер одинокий человек, родни никакой, а квартира у него кооперативная, денег стоит. Кому жилье достанется?

— Государству? — предположила я.

Чернова подняла указательный палец.

— О! Здесь золотая собака и зарыта. У покойного в доме мебель, посуда, картины, утварь... У большинства, правда, хлам, его выбросить и забыть, но у некоторых были настоящие ценности. Будете слушать? Сейчас все расскажу...

Хорошо помню день, когда отец мне сказал:

— Верушка, мама в больницу с аппендицитом угодила, придется тебе мне помочь. Но дай честное слово, что язык за зубами удержишь.

Мне тогда шестнадцать исполнилось, я росла тихой девочкой, не имевшей друзей-подруг, в основном с книжками сидела. Да еще на зубах у меня скобка стояла. Нынче-то брекеты в моде, а во времена моего детства над девочкой с железной пластиной во рту все потешались. Короче, мне некому было секреты выбалтывать, но я сказала:

— Ей-богу, сохраню тайну.

— Отлично! — обрадовался папа.

И мы с ним двинулись по району. Зашли в хороший дом, кирпичный, военные там жили, кооператив «Армия». Отец в одну квартиру позвонил, дверь открыл дядя Леня, близкий друг нашей семьи. Я его прекрасно знала, мы праздники вместе проводили. У него была дочка Танюша, лет на шесть-семь меня младше. Ее все звали Нюша, первый слог отбросили.

Зашли мы в комнату, и я ахнула. Повсюду книги, издания старые, много потрепанных. А вот шкафы роскошные, красное дерево с позолотой. Папа велел:

— Веруся, очень осторожно упаковывай тома, которые тебе вон та тетя даст, в коробки, перекладывай их газетной бумагой.

Женщину я впервые увидела. Она мне свое имя назвала, но оно из головы сразу выветрилось, не помню его совершенно. Я стала выполнять задание, помогать ей. Папа посуду собирал, картины снимал, дядя Леня статуэтки всякие в чемоданы складывал, потом люстру снимал. Я устала и шепнула папе:

— Зачем грязные издания так аккуратно паковать?

Женщина меня услышала и засмеялась:

— Деточка, книга, которую я держу в руках, дороже всей этой квартиры. Без ее содержимого, конечно. А если продать альбом с рисунками, что на журнальном столике лежит, легко машину «Волгу» можно будет купить, и еще на то, чтобы обмыть приобретение, останется...

Вера встала и налила в заварочный чайник кипяток.

— У меня никаких плохих мыслей тогда не возникло. Дядя Леня служил начальником местного отделения милиции. Разве он мог что-то неправильное совершить? И папа тоже. Потом, повзрослев, я узнала, чем занимались мои родители и их друзья. Леонид Воронин вместе с отцом «демонтировали» квартиры одиноких покойников. Им помогала Эмилия Феликсовна, искусствовед, сотрудник крупного музея, которая прекрасно разбиралась в антиквариате, иконах, посуде, картинах. Работала группа слаженно: сначала забирала ценности, а потом ставила на их место грошовую ерунду. Сняли хрустальную люстру времен Павла в однушке старухи? Чтобы не вызвать подозрений, голый крюк посредине потолка не оставили, повесили на него трехрожковую отечественную лабуду, которую в ближайшем магазине за несколько рублей приобрели. Родственников нет, никто возмущаться не станет. Куда потом ценности девались? Продавались людям, которые за старину толстые пачки купюр охотно отсчитывали. Но мама моя ходила в старой цигейковой шубке, папа много лет носил одно зимнее пальто, оба ничем среди людей на улицах не выделялись. То, что у нашей семьи был денежный запас, не демонстрировалось. А потом пришла беда.

Глава 20

Вера поставила передо мной кружку с чаем.

— Как-то раз отец не вернулся домой с работы. Мама заволновалась, стала звонить дяде Лене, а у того в кабинете ответил другой мужчина. Мне тогда было уже двадцать лет, и я хорошо помню, как у матери вытянулось лицо. Она быстро повесила трубку и сказала:

— Доченька! Сейчас семь, и если ты поторопишься, то успеешь на электричку. Беги на вокзал, бери билет до станции Егозино. Сойдешь с платформы, следуй через лес до деревни Капустино: она заброшена, в ней жителей нет. Село маленькое, всего одна улица, отыщи последний дом — в нем, в отличие от остальных, железные ставни. Открой его. В самой большой комнате увидишь на стенах картины. Сними их, перенеси в здание, которое находится на участке у церкви. Там возьми любые полотна в рамах и повесь в доме, откуда картины заберешь. Заночевать тебе придется в деревне. Первая электричка от станции Егозино в семь утра к Москве пойдет. Будь осторожна. Если кто тебя увидит, большая беда приключится. Лучше всего было бы холсты сжечь, да папа не разрешит. Ступай, доченька. Когда вернешься, знаешь, как поступить, да?

А я уже в курсе была, чем папа, мама, дядя Леня и Эмилия Феликсовна занимались, поэтому ответила:

— Надо посмотреть на окна нашей квартиры. Если горшка с геранью в гостиной не будет, то в дом не входить, а по городу поболтаться. К обеду можно вернуться. Если вдруг на милицию в квартире наткнусь или вызовут меня, на все вопросы отвечать: «Ничего не знаю. Родители меня в свои дела не посвящали, я вчера вечером отправилась в телецентр, хотела в конкурсе на место ведущей поучаствовать, ночь в очереди простояла и еще полдня сегодня. Потом вышла женщина и сказала: «Все, хватит нам желающих». Так и уехала домой, никуда не попав».

— Я слышала, как накануне по телевизору объявили, что открывается какой-то новый канал, молодежный, и туда нужны виджеи не старше двадцати одного года. Вот и использовала эту информацию.

Мама дала мне ключи и от избы, и от приходского дома. Нужные картины я сразу нашла. Ох и намучилась я с ними! Они не просто в рамах находились, а в этаких ящиках стеклянных. Тяжеленные оказались, ужас! До сих пор не знаю, как с ними справилась. В Москву я приехала на следующее утро. Герань стояла на месте, дома была мама. А через неделю вернулся и папа.

Вера пошла к кухонному шкафчику, достала вазочку с печеньем. Затем положила на стол коробку с мармеладом.

— Угощайтесь, очень вкусный. И слушайте дальше. Мы стали жить как прежде, но из нашей жизни исчезли дядя Леня со всей семьей и Эмилия Феликсовна. Папа оформил пенсию по болезни. Затем родители быстро разменяли наши просторные апартаменты, на меня оформили однокомнатную квартиру, а себе купили дачу в Подмосковье и уехали туда жить.

Вера провела рукой по скатерти.

— Я не пользовалась успехом у мужчин, никаких кавалеров до окончания института у меня не было. Смешно, да?

Мне оставалось лишь пожать плечами.

— Совсем не обязательно пускаться во все тяжкие с пеленок. В конце концов-то вы вышли замуж. И думаю, по любви.

Рассказчица прикрыла глаза.

— О да... По великому чувству, безбрежному, как космос, и глубокому, как Марианская впадина. Как же я была наивна! Беспредельно наивна...

С Володей я на улице познакомилась, шел девятый день со дня смерти мамы. Она долго болела, после ухода отца быстро сдала. В один год я родителей лишилась. Близких людей у меня не было, я сначала на кладбище съездила, потом решила купить в кондитерской пирожное и съесть его на помин маминой души. Когда с пакетом к метро шла, откуда ни возьмись мужчина возник, налетел на меня, я упала. Коробочка с безе из пакета на тротуар вывалилась, открылась. Я смотрю: содержимое превратилось в крошево. Тут на меня накатило... В общем, я заплакала, сижу на асфальте, слезы по щекам размазываю. Мужчина давай извиняться: сбегал в кондитерскую, принес упаковку с набором свежих пирожных, очень переживал. Сама не знаю, что на меня нашло, но я ему вдруг сказала:

— Давайте выпьем чаю. У меня мама недавно умерла, сегодня девятый день.

Только эта фраза изо рта вылетела, как я о ней пожалела. Захочет ли симпатичный парень со страшненькой девушкой, да еще плаксой, время проводить? Около него должны красавицы крутиться, не чета мне. А он обрадовался.

— Сам хотел вас в кафе позвать, да испугался, подумал: сейчас очаровательная женщина меня, урода неуклюжего, вон пошлет.

Вот так и встретились два одиночества. Володя о себе охотно рассказал: юрист, холост, семью никогда не создавал, детей нет, любимой девушки тоже, живет с мамой-пенсионеркой. И я свою вкратце изложила. Полгода мы встречались: сначала в кино-кафе ходили, потом Чернов стал ко мне домой приезжать, оставался ночевать. Дальше банально: я забеременела. Володя подарил мне кольцо, через несколько месяцев сыграли свадьбу.

Я была оглушена упавшим на меня огромным счастьем — у меня самый прекрасный и самый любящий муж на свете, скоро у нас появится ребенок. Ангелина Сергеевна меня как родную встретила, назвала дочкой, вручила медальон с гравировкой «Моей лучшей девочке» — старинная вещь, очень красивая. Я стала носить ее подарок вместе с презентом папы.

Рассказчица, не переставая говорить, потрогала голую шею.

— С ожерельем, которое мне папочка на восемнадцатилетие преподнес, я не расставалась. Эксклюзивная вещица. Михаил Ильич, мой отец, специально для меня заказал ювелиру сделать копию украшения, какое граф Разумов некогда подарил своей матери, — цепь в виде ракушек. А если нажать на малюсенькую кнопочку у застежки, верхние створки открываются и внутри видны жемчужины. Собственность графини была золотой, жемчуг натуральным, ракушки украшала бриллиантовая россыпь, а у меня блестящий желтый сплав, белые бусинки и какие-то стекляшки вместо алмазов. Но смотрелось очень эффектно. Медальон Ангелины Сергеевны сильно на фоне этого ожерелья проигрывал, но все равно имел для меня огромное значение. Понимаете, моя мама ушла, но вместо нее у меня появилась Лина. Я занималась только ребенком, денег в дом не приносила, муж очень мало зарабатывал, все пытался где-то средства найти. Мне было так его жаль! Но что делать, я не знала. На помощь нам господь пришел...

Вера махнула рукой.

— Вам будет неинтересно, почему я риелторством занялась. Важно, что я начала работать, неожиданно преуспела. Набрала денег, чтобы купить офис, нанять пару сотрудников. И тут! Володя вдруг попросил отдать ему всю сумму, отложенную на открытие бизнеса.

Вера подперла подбородок кулаком.

— Трудный разговор завязался, и муж рассказал правду. Он давно нигде не работает, трудовая книжка лежит в какой-то конторе, где Вова просто числится, и только. Зарплату получает другой человек, и он же все обязанности Вовы выполняет. Откуда же тогда деньги, которые иногда у мужа появляются? Их ему приносили, оказалось, тараканьи бега.

— Что? — не поняла я.

— Тараканьи бега, — повторила Вера. — Володя увлекался насекомыми, у него жили такие большие таракашки.

— Бегали по дому? — передернулась я.

— Нет, — засмеялась мать Леры, — в аквариуме сидели. Володя их часто в контейнер сажал и увозил. Мне он объяснял, что состоит в клубе «Blatta»[1], у них там часто собрания бывают. Я всякую тварь с лапками не боюсь, свекровь тоже к увлечению сына без брезгливости относилась. Порой я видела, что Володя своих усатых питомцев бегать в специальном ящике выпускает, говорил, это для их здоровья полезно. А потом выяснилось, что его слова не полная правда. На самом деле он участник тараканьих бегов, которые весьма популярны, там можно выиграть неплохие деньги. Но «спортсмены» Чернова постоянно оказывались последними. Кстати, неправильно мужа «любителем» называть: он обожатель, фанат, начисто свихнувшийся на тараканах человек. Владимир постоянно новых насекомых покупал, а они дорогие, и большие суммы проигрывал. Откуда деньги брались? У ростовщиков. У одного возьмет, поставит на кон, ожидает хороший куш получить, но теряет все. Потом бежит к другому барыге, берет у него в долг, чтобы первому отдать. И так по кругу. Иногда он оказывался в выигрыше, но чаще всего с вывернутыми карманами уходил. Хорошо, ума хватало от каждой ссуды крошку отламывать и

---

[1] Таракан по-латыни — blatta.

мне на расходы давать... Как-то он выкручивался, но ведь вечно так длиться не могло. Случился крах: на Вову девять кредиторов из десяти наехали, и если он в ближайшее время деньги не вернет, его убьют. Суммы, собранной на бизнес, полностью для погашения долгов не хватит, но она даст ему передышку. А вот если я продам ожерелье, которое ношу, тогда все плохое закончится: за драгоценность ведь можно гору валюты получить. Очень тяжелая беседа состоялась, но мне, когда Володя про колье заговорил, смешно стало. Украшение красивое, хорошая копия, для бижутерии стоит дорого, но ведь не золото с жемчугами и бриллиантами. А Чернов на колени упал.

— Веруша, спаси, моя жизнь в твоих руках! Поехали к одному мужику, он драгоценность давно купить хочет, видел ее у тебя на шее.

Глава 21

Вера открыла сахарницу и начала перемешивать сахарный песок ложечкой.

— Исключительно ради того, чтобы супруг понял, что он ошибается, я села в машину. Ехали мы меньше пяти минут, оказались в офисе, там сидели двое мужчин. Один колье взял и ушел, потом вернулся, кивнул. Другой сейф открыл, начал пачки долларов на стол кидать. Володя сидит молча, только лицо его краснеет, а я выпалила:

— Вы ошибаетесь, мое украшение копия!

Тот, что ожерелье унес, ко мне подошел.

— Обижаете, Вера Михайловна. Ваш папенька лучший оценщик был. Специального образования не имел, сам обучился, да так ловко, что Николай Павлович с Эмилией Феликсовной рядом с ним и не стояли.

И психолог отменный в придачу. Эта вещь из коллекции Леденева. Слышали о нем?

А у меня от неожиданности голос пропал. Мужчина мне визитку протянул.

— Разрешите представиться: Яков Аронович Шпиц. Знавал вашего батюшку, могу много примечательного про него сообщить. Заглядывайте, ежели что. А-а-а, вижу, дочка совсем не в курсе...

Когда мы на улицу вышли, Володя в машину сел и уехал — помчался деньги отдавать, ведь каждые сутки к долгу суровый процент прирастал. А я домой пошла. Но на полдороге притормозила и назад в офис вернулась. Нашла того мужчину, начала ему вопросы задавать. Шпиц рассказал, что мой отец состоял в контакте с несколькими скупщиками антиквариата, в том числе с ним. Аферы с жильем одиноких покойников проворачивали часто: домоуправы сдавали их, кладя прибыль в свой карман, иногда продавали комнаты, периодически попадались, отправлялись за решетку. Но ни один из мошенников не интересовался обстановкой квартир. Да что в ней хорошего? У мертвецов была старая, немодная мебель, висели глупые картины с голыми бабами, книги у многих стариков оказывались сильно потрепанными. Нет бы увидеть на полках новенькие тома «Библиотеки приключений» — вот их рублей за пятьдесят сбыть можно.

Михаил Ильич Мамаев оказался единственным, кто додумался до в общем-то простой мысли: вещи умерших стариков могут представлять ценность. Мой отец обложился энциклопедиями и каталогами старинной одежды, посуды, начал изучать литературу по истории, договорился о сотрудничестве с профессором Эмилией Феликсовной. А чуть позже познакомился с мастером на все руки Николаем Павловичем, который мог с ходу назвать стоимость хрипящих часов, а потом починить их так, что механизм начинал идеально работать. Кроме того, он знал толк в пианино, роялях, фисгармониях, скрипках, граммофонах-патефонах, виниловых пластинках и почти сразу мог вспомнить имя покупателя, который согласится взять такой товар задорого. Затем в команду еще вошли Леонид и Анна Воронины. Дядя Леня был начальником милиции и обеспечивал группе прикрытие, а его жена снимала дверные ручки, оконные шпингалеты, замки, чугунные батареи с узорами. Одним словом, отличная у Михаила Ильича собралась бригада.

Апартаменты попадались разные. В некоторых, недавно отремонтированных, не находилось ничего интересного, в других отыскивались единичные экземпляры. У одной бабушки в прикроватной тумбочке нашлось древнее Евангелие стоимостью с хорошую дачу. А у молодого парня, разбившегося на мотоцикле, среди мебели на гнутых ножках прямо на полу лежали виниловые пластинки, о которых мечтали многие меломаны. Но иногда Михаил Ильич, который по долгу службы первым входил в квартиры одиноких покойников, натыкался на клондайк. Например, апартаменты генерала Леденева, храброго военачальника, бравшего Берлин, оказались воистину золотой жилой.

Михаил Ильич приехал поздним вечером к Якову Ароновичу и предложил:

— Яша, хочешь увидеть музей?

Шпиц, страстный любитель антиквариата, мигом согласился. И вскоре ахнул от восторга, войдя в огромное помещение.

— Да тут чего только нет! Возьму все, созывай своих.

— Нет, — возразил Мамаев. — Такое богатство раз в жизни попадается, я моей бригаде о доме Леденева ничего не скажу, мы с тобой вдвоем разборкой займемся и все пополам поделим. Время есть, справимся. Понял? Работаем только ты и я. Но давай сразу договоримся, кому что достанется.

Среди добычи Михаила Ильича оказалось много украшений, в том числе колье, которое он подарил дочери Вере, картины пятнадцатого века, потрясающие гобелены, люстры. Живопись Леденев заботливо упаковал для сохранности в особые стеклянные ящики. Статуэтки, столовые приборы... всего и не перечислить. Когда самое дорогое было вынесено, Михаил Ильич сказал:

— Вот теперь я позову свою банду. Яша, мы тебе попозже принесем фурнитуру и все остальное. По сравнению с тем, что нам с тобой досталось, это уже ерунда. И картины — жалкая мазня, но датированы девятнадцатым веком, кому-то пригодятся.

Спустя пару недель мастер на все руки, член бригады Мамаева Николай Павлович приволок Якову Ароновичу пейзаж с тремя коровами. Шпиц сразу узнал одну из не очень ценных картин, бывших в собрании Леденева, и потом продал холст любителю подобных произведений.

— Жаль, дядька, который помер, почти всю свою коллекцию уже распылил, — сказал Николай Павлович, — на стенах полно следов от висевших там полотен. Сейчас в квартире мало что осталось, но понятно: дед любил красиво пожить, поэтому на старости лет сбывал свои вещи. Не тебе ли он их притаскивал?

Яков Аронович, похлопав Николая по плечу, хитро улыбнулся и как бы невзначай произнес:

— Я давно усвоил золотое правило: язык мой — враг мой. Ты же знаешь, я никогда о продавцах не сплетничаю.

Через два года, когда о генерале Леденеве и его квартире все давно забыли, пейзаж с коровами всплыл на одном международном аукционе. Там вспыхнул настоящий пожар.

Курт Розенберг, один из тех, кто пришел торговаться за произведение искусства, увидел картину и объявил, что она принадлежала его деду Моисею, иудею, банкиру, который собирал произведения искусства. В сороковом году Моисей, как и большинство евреев, граждан Германии, был отправлен фашистами в концлагерь, но, о чудо, он там не погиб. Розенберга освободили советские войска. Моисей стал одним из свидетелей на Нюрнбергском процессе, банкиру вернули его квартиру, и он захотел найти свою коллекцию.

У педантичных немцев ничего не пропадало бесследно: на каждый гвоздь, конфискованный у евреев, имелось десять аккуратно подшитых в папку бумажек. Адвокат Розенберга долго рылся в архивах и в конце концов выяснил: коллекция была вывезена по распоряжению генерала Леденева. Военачальник отправил из Берлина товарный вагон, набитый сокровищами, которые ранее отняли у Розенберга.

Юрист отыскал начальника склада, где хранились вещи, собранные Моисеем. Тот объяснил, что к помещению подъехали военные машины, из одной вышел парень в форме советских войск, показал разрешение, подписанное Леденевым, и забрал все, что ранее принадлежало Розенбергу. Вещи испарились в сорок пятом году, в декабре. Спорить с представителем Красной Армии кладовщик, естественно, не стал.

Адвокат узнал фамилию «Леденев» в начале пятидесятых. СССР тогда находился за железным занавесом. Получить собрание раритетов назад не представлялось реальным. Моисею пришлось сдаться. До самой своей смерти он показывал внуку каталоги украденного, фотографии полотен, скульптур, статуэток, посуды. И вот вам, пейзаж с коровами выплыл из мрака!

Картину сняли с аукциона, ее новый владелец, россиянин, в полном негодовании потребовал ответа от Якова Ароновича, у которого приобрел полотно. А когда Шпиц начал мямлить о тайне клиента, ничтоже сумняшеся кинулся в милицию с жалобой на антиквара. Шпицу фатально не повезло — времена изменились, россияне теперь легально принимали участие в международных торгах. К тому же картину с плохой историей купил у него известный артист, легенда кино, получавший хорошую зарплату и так называемые «потиражные» за каждый свой фильм. Снимался он охотно, много и не опасался говорить о гонорарах. То есть в его случае все было чисто, не подкопаться. Западная пресса подняла шум, народный кумир «нажал» на милицию, использовал свои связи. Шпица вызвали на допрос, и ему пришлось честно сказать:

— Пейзаж в свое время я приобрел у Михаила Ильича Мамаева.

К Якову Ароновичу претензий не было. Его версия выглядела вполне прилично: он, легальный антиквар, давным-давно взял официально на комиссию картину, та долго висела в его магазине и вот наконец нашла покупателя, который, в свою очередь, через годы решил от нее избавиться, продав за границей, уплатил все налоги. В чем криминал?

Выйдя из отделения, Шпиц позвонил Мамаеву и предупредил его:

— Миша, я вынужден был тебя сдать. Теперь выкручивайся ты. Сегодня-то к тебе не придут, а вот завтра могут.

Яков Аронович понимал, что Михаила начнут таскать по допросам, возможно, задержат. Но извините, в такой ситуации каждый сам за себя. Когда речь идет о спасении своей шкуры, о дружеских отношениях не думают. Яков Аронович ожидал, что у Михаила Ильича начнутся неприятности, но судьба Мамаева его совершенно не волновала, главное — самому выскочить из лужи грязи, не запачкав пятки.

Шпиц хотел быть в курсе того, как развивается дело с украденной картиной. Он нашел в милиции жадного до денег парня, который, в конце концов, сообщил Якову Ароновичу, что лично ему беспокоиться не о чем, а вот Михаилу Мамаеву придется несладко — он пойдет под суд.

Но все получилось иначе. Отец Веры почему-то остался на свободе. Он ушел со службы по собственному желанию, короткое время работал в какой-то конторе мелким клерком, потом тихо отправился на пенсию. Старшие Мамаевы продали свою квартиру, купили дочке однушку, себе небольшую, но благоустроенную дачу и начали вести на природе спокойный образ жизни: огород, сад, чаепитие на веранде у самовара, собственноручно сваренное варенье, два кота, собака...

У всех остальных членов бригады Мамаева жизнь сложилась намного хуже. Начальник милиции, Леонид Воронин, покончил с собой после первого допроса. Его жена, узнав о самоубийстве мужа, скончалась от сердечного приступа. Девочка Таня, которой на тот момент исполнилось то ли двенадцать, то ли тринадцать лет, очутилась в детдоме. Мастер на все руки

Николай Павлович, выйдя после первой беседы из участка, попал под машину и умер на месте. Нет, он не собирался, как Леонид, сводить счеты с жизнью, просто, наверное, сильно нервничал, поэтому вышел на оживленную магистраль на красный свет и был сбит грузовиком. Эмилия Феликсовна заработала инсульт, несколько лет пролежала без движения, потом умерла. Отвечать за всех пришлось Валерию Федорову, водителю фургона, который увозил вещи из опустошаемых квартир. Вот он угодил за решетку и умер потом от туберкулеза, который заработал на зоне...

Вера посмотрела на меня.

— Вам трудно понять эмоции, которые я испытала, слушая рассказ Шпица, а тот все не мог остановиться, говорил и говорил. «Ваш папенька, дорогая, купил себе свободную старость у самовара с вареньицем, заложив своих друзей». Я не выдержала и парировала: «А вы сами-то как поступили? Мигом фамилию «Мамаев» в милиции назвали. Мои родители были самые лучшие люди на свете! Между прочим, благодаря папе и маме сохранились многие культурные ценности. Куда малограмотные рабочие отправили бы картины, книги и мебель из квартир одиноких покойников? Да на помойку!» Антиквара от моих слов прямо передернуло. «Экая вы колючая! Но ведь не в музей Михаил Ильич ценности сдавал, а себе оставлял. Дочке вот ожерелье подарил, не поместил его в какую-нибудь экспозицию на всеобщее обозрение. Однако вы храбрая! Открыто носили вещь баснословной стоимости. Странно, что папенька ваш не побоялся такую ценность на девичью шейку повесить — она же свидетельство его воровства».

Вера схватила чашку и разом осушила ее.

— Представляете наглость Шпица? Сам по уши в грязи, а моих родителей пачкает!

Глава 22

— Значит, картины, которые ваша мать просила перенести из дома в здание у церкви, тоже из коллекции Розенберга? — спросила я. — Их взяли в квартире покойного генерала?

Вера прищурилась.

— Понятия не имею. Ох, простите!

Хозяйка, резко побледнев, вскочила и выбежала в коридор. Через секунду до моего слуха донеслись булькающие звуки. Похоже, Веру тошнило в туалете. Минут через пять она опять появилась передо мной, ее лицо было бледным до синевы.

— Вам плохо? — насторожилась я.

— Вчера так захотелось суши, — призналась Вера, — прямо до дрожи. Заказала на дом набор, и, похоже, рыба оказалась несвежей. Выворачивало наизнанку всю ночь и все утро. И вот опять.

— Нельзя есть японские блюда, которые доставляют на дом, — посоветовала я. — Если уж очень хочется, лучше самой в хороший ресторан заехать. Вы к врачу обращались?

— Нет, сама справилась, — махнула рукой Вера Михайловна. — Ерунда, уже нормально себя чувствую. Не знаю, куда делась живопись из коллекции.

Меня охватило неприличное любопытство.

— Вы не поехали после беседы со Шпицем в ту деревню? Я бы не удержалась.

Хозяйка ответила не сразу.

— Скаталась туда. На месте села шло строительство коттеджного поселка, ни одна изба не сохранилась. Приходской дом тоже снесли. Куда подевались картины? Думаю, папа отдал все, что имел, за свою свободу, осталось лишь мое колье. Оно чудом уцелело, а потом денег, вырученных от продажи ожерелья, хватило, чтобы Владимир заплатил все свои долги. Я тогда, наивная, взяла с мужа обещание, что он больше никогда не посетит тараканьи бега, приказала выбросить насекомых. Супруг вроде послушался, начал работать в нашей риелторской фирме, стал проявлять несвойственную ему активность. А примерно через полгода после продажи ожерелья заболела Ангелина Сергеевна, понадобились деньги на ее лечение.

Вера оперлась ладонями о стол.

— Свекрови поставили диагноз, который даже вслух страшно произнести. Речь о том, что она выздоровеет, не шла. Другая проблема возникла: как продлить ей жизнь? Хоть на год. Владимир впал в истерику, а Лина держалась, но было понятно: она бодрится ради сына. И вдруг! Нашлось лекарство, уколы. Новейшее средство. В России не продается, но есть в Америке. Володя снова передо мной на колени упал: «Верочка, спаси маму! Давай продадим фирму!» Но я-то понимала: если сейчас распрощаюсь с агентством, никогда новое не организую. Где средства потом взять? И конкуренция на рынке огромная. Когда я риелторством занялась, не было еще такого количества контор. Свекровь получит ампулы, но неизвестно, помогут ли они ей. А я лишусь всего, и до конца жизни мне придется на чужого дядю за маленькие деньги пахать и постоянно бояться, что выгонят. «Дом твоей мечты» создавался на средства, вырученные от продажи моей личной однушки. И то, что бизнес не умер, поднялся, исключительно моя заслуга. А теперь лишиться всего, чтобы Ангелине инъекции купить?! А если они не подействуют? У меня ведь еще есть ребенок, я должна обеспечить Валерию. Володя-то о материальном благополучии дочери не заботился...

— Ангелина Сергеевна до сих пор в добром здравии, — отметила я.

Моя собеседница усмехнулась.

— Да. Я продала дачу, которая досталась мне от родителей, вырученных средств хватило на один курс. Через три месяца понадобился второй, и Володя опять пристал ко мне: «Продай бизнес». Тут я мужу наконец правду в лицо выложила: «Я хорошо отношусь к свекрови, да только ампулы придется приобретать постоянно, но Ангелина все равно умрет. Я весь Интернет прочесала, разбираюсь теперь в ее недуге. Спасения от него нет. Заморские инъекции болезнь не лечат, просто поддерживают состояние больного, не дают ему ухудшаться. Я квартиры ради создания бизнеса лишилась, дачу за лекарства отдала, ожерелье ты с моей шеи снял, чтобы свои долги заплатить. Больше у меня ничего нет, только фирма. Но ее я не отдам, наша семья благодаря агентству благополучно живет. Точка».

И тут он как заорет:

— Врешь! Сволочь, гадина! Где награбленные твоим отцом сокровища спрятаны? Говори! Сидишь на валютных миллионах и жалеешь копейку на лечение моей матери? Мразь жадная!

Дверью хлопнул и убежал. Я на кровати сидела, хотела встать, а не смогла — колени подгибались. Свекровь в комнату заглянула.

— Деточка, что случилось? Вы с Вовой поругались?

И я ей честно заявила: «Прости, Ангелина, я люблю тебя, но дочь мне дороже, чем свекровь, не могу Леру нищей оставить». Она на кровать села, обняла меня: «Детонька, я очень благодарна тебе. Я все про свою болячку знаю и понимаю: жизнь завершается. Конечно, страшно очень, да что делать, надо смириться. Ты права, нельзя бизнеса лишаться, я поговорю с Володей. Ты уж прости его, сын за меня испереживался».

На следующий день Володя мне сказал:

— Прости. Вчера я просто с катушек слетел.

Я поинтересовалась:

— Откуда ты знаешь, что у моего отца были антикварные ценности?

Супруг ответил:

— От Шпица. Он мне сам позвонил и предложил: «Могу помочь решить вашу проблему с кредитом». А при первой нашей встрече заявил: «У Веры Михайловны на шее ожерелье баснословной цены, уговорите жену продать его, дам вам немалые деньги». Мне смешно стало, я не поверил его словам. Вот тут Яков Аронович и рассказал, чем Михаил Ильич занимался. Потом добавил, что наверняка у тебя еще раритеты спрятаны. Но я тебе ничего не говорил, не хотел, чтобы ты меня считала алчным. Лишь один раз, когда меня чуть за долги не убили, про колье сказал. И теперь помощи попросил, только чтобы маму спасти. Веруша, умоляю! Ты не хочешь фирму продавать — я это понимаю и более не настаиваю. Но, может, возьмешь из укромного места какую-нибудь картину или украшение, которое не жаль? Ведь речь идет о жизни моей мамы, а она и тебе родительницу заменила. Пожалуйста! Умоляю!

Я мужу сказала:

— Вова, отца оставили на свободе, а забесплатно такого не бывает. Абсолютно уверена, он все отдал. Почему мое колье сохранилось, понятия не имею. Просто повезло.

Супруг встал, пошел к двери. На пороге обернулся.

— Я тебя люблю. Но мне так жалко, что ты не хочешь свекрови помочь. Буду молиться, чтобы дни жизни мамы хоть немного продлились.

И Ангелине неожиданно стало лучше. Я воспрянула духом, подумала, что черная полоса миновала. А тут — бац! Меня арестовали...

Мать Леры закрыла лицо ладонями.

— Муж и свекровь вас в СИЗО не посещали? — осведомилась я.

Вера схватила со стола бумажную салфетку.

— Нет.

С минуту она сидела молча. Затем снова заговорила:

— ...Когда меня увозили, супруг попросил милиционеров:

— Разрешите с женой попрощаться? Наедине.

Один из парней замялся, потом сказал:

— О'кей. Сейчас осмотрю туалет, там и поговорите. Но если в санузле есть окно, разрешение отменяется.

У нас самая обычная квартира, поэтому вскоре мы с мужем в сортире оказались. Володя меня к себе прижал:

— Родная, понадобятся деньги на хорошего адвоката. Может, продать все же фирму?

Я возмутилась:

— Произошла какая-то ошибка, скоро во всем разберутся и меня отпустят. Ты лучше делами усердно займись, ищи клиентов, оформляй сделки.

Он кивнул:

— Хорошо. Дорогая, сейчас тот самый момент, когда ты должна открыть мне, где ценности, собранные Михаилом Ильичом, хранятся. Поеду, достану из нычки одну картину или что там еще есть, продам и найму для тебя защитника, лучшего из лучших. Ради своего спасения расскажи.

Я заплакала.

— Ну как ты не поймешь, что Шпиц наврал? Никаких сокровищ у моих родителей не было.

В наследство от них мне остались скромная дачка да старые вещи.

Владимир вдруг меня сильно толкнул. Я не ожидала, что он это сделает, качнулась, больно ударилась головой о стену и вскрикнула. А муж прошипел:

— Ушиблась? Дальше-то страшнее будет. Не хочешь про тайник даже сейчас рассказать? Ну так сгниешь в тюрьме!

Открыл дверь и ушел. Более я никогда его не видела.

Вера сжала ладонями виски.

— Потом были изолятор, суд, психушка... Время текло как в тумане, я плохо помню, что было. Сначала мною занимался врач Игорь Семенович Кравцов, но он со мной почти не общался, я бревном на кровати лежала, в меня постоянно медсестры иглой тыкали. Как в кино: «Что воля, что неволя, все равно»[1]. Потом вдруг Драпкин появился и уколы отменил. Я как будто проснулась.

Мамаева прижала руки к груди.

— Кирилл Павлович со мной часто и подолгу беседовал, я начала к нему доверие испытывать. Рассказала всю свою жизнь в подробностях. Один раз доктор мне сообщил: «Вера, я навел справки о вашей семье. Владимир Николаевич оформил развод с вами сразу после вашего задержания. Фирма теперь на него оформлена. У него новая супруга, весьма обеспеченная дама. Ангелина Сергеевна жива. Что, учитывая диагноз вашей свекрови, более чем удивительно. Вы как-то проверяли рассказ мужа о неизлечимой болезни его матери?» А мне это и в голову не пришло. Да и как такие све-

---

[1] Фраза из кинофильма «Марья-искусница». 1960 г.

дения выяснить? Зачем, собственно? Неужели кто-то способен соврать, что вот-вот умрет?

— Есть такие люди, — вмешалась я в рассказ Веры Михайловны. — Некоторые из моих клиентов-звезд помогают больным детям, откликаются на мольбы их родителей о деньгах. Могу назвать несколько случаев, когда после проверки выяснялось, что ребенок-инвалид в реальности не существует, его вместе с недугом придумали мошенники.

— Отвратительно! — возмутилась Вера. — Но я не о том. Аферисты всегда были, есть и будут, да только они же не о своих детях врут. И не о своем здоровье. Слушайте дальше...

Драпкин меня огорошил заявлением:

— Владимир и его мать придумали недуг для того, чтобы из тебя деньги вытянуть. Свекровь и муж прекрасно знали: ты не продашь бизнес, ты им не один раз говорила — фирму не отдам. Да они на это и не рассчитывали, хотели заполучить ценности, которые собрал Михаил Ильич.

Я зарыдала.

— Но нет же ничего!

Драпкин кивнул.

— Я-то тебе верю. И понял: ты никого не убивала. Думаю, именно Владимир и Ангелина Сергеевна тебя подставили. Наняли кого-то убить Каретникову и Голубеву, снабдили киллера уликами против тебя, он их и подкинул в квартиры жертвам. И в СИЗО тебя в покое не оставляли. История с появлением привидения совсем странная. Зэчки на любой спектакль готовы, чтобы им послабление дали, так что Елена с Екатериной легко могли спектакль разыграть. Встречались мне такие самодеятельные актрисы: Голливуд по ним рыдает.

Я обомлела.

— Зачем моим близким так со мной поступать?

Драпкин пожал плечами.

— Чернов уверен, что у супруги спрятаны баснословные ценности. Его мамаша от сыночка все знает. Они и так, и эдак пытались заполучить желаемое, в конце концов придумали болезнь Ангелины. Но ты продала дачу, а потом отказала свекрови в помощи. Тогда сладкой парочке пришла в голову новая идея: невестка не пожалела свекровь, но себе-то самой погибнуть не даст. Если Веру обвинят в тяжком преступлении, ей придется залезть в запас, чтобы оплатить адвоката, способного спасти ее от суда и следствия. Она сидит за решеткой. Кого «преступница» отправит к месту, где золото зарыто? Конечно, любимого супруга Владимира. И тот наконец-то выяснит, где спрятан клад... Мне все в этой схеме понятно, и я постараюсь помочь тебе выйти на свободу. Твой случай у меня не первый, когда человека подставляют, психом сделать пытаются. Глаз у меня наметан.

Я вернулась в палату и стала размышлять. Владимир со мной вроде случайно познакомился на улице... Обе жертвы, Каретникова и Голубева, ко мне от Ангелины Сергеевны пришли...

— К вам этих женщин свекровь прислала? — уточнила я.

Вера сцепила пальцы рук в замок и кивнула:

— Да. Где-то она с ними познакомилась, я не стала уточнять.

— Свекровь часто клиентов вам находила? — спросила я.

— Только тех, кого якобы я убила, — прошептала Мамаева. — Вот такая петрушка.

— И вы не пытались доказать свою невиновность? — удивилась я. — Не побежали в милицию после того, как из лечебницы освободились? Не обратились к следователю, который вас допрашивал?

Вера рассмеялась.

— Степанида, вы такая наивная! Прямо как я когда-то! Я же для всех сумасшедшая, которую за два убийства в дурку отправили. Спасибо Драпкину, благодаря его стараниям меня только недавно с учета сняли. Но если возникнут хоть маленькие, крошечные, размером с рисовое зернышко сомнения в адекватности Мамаевой... Будь я теткой, которая в коллегу с воплем «Зомби идут» шариковыми ручками бросаться стала, меня бы подлечили и вытурили с чистой совестью. А я-то числюсь убийцей. Кто мне поверит? Если я сейчас заговорю о подставе, это воспримут как приступ бреда. Ну уж нет! Совершенно не хочу опять оказаться в здании с кафельными стенами, прикрученной к полу мебелью и вечно горящей под потолком лампой в решетчатом коконе. Там очень плохо! Вы и не представляете, как плохо. Бог Владимиру судья, пусть они с Ангелиной Сергеевной живут счастливо, если могут.

— А как же Лера? — спросила я. — Девочка вас помнит, очень скучает.

Вера опустила голову.

— Я лишена родительских прав, мне Валерию не отдадут. Вернуть звание матери убийце и психиатрической больной, пусть и со снятым диагнозом, невозможно. И оцените травму, которую получит девочка, если я сейчас появлюсь в ее жизни. Первый шок: мама и правда жива. Второй: отец и бабушка врали. Третий: мать сумасшедшая, убийца. Пусть уж я останусь для ребенка покойницей. Скажите Валерии, что она ошиблась, что набор в магазине «Бак» приобрела женщина, просто очень похожая на ее мамочку.

Глава 23

Не успела я подойти к подъезду своего дома, как меня схватила за рукав платья полная тетушка лет сорока с виду.

— Вы Степанида Козлова?

— Да, — удивленно ответила я.

— Пожалуйста, возьмите кексик, — забормотала незнакомка, — сама пекла, творожный с изюмом. По рецепту из журнала «Звезда без правил», один в один.

Выдав все это без остановки, толстушка сунула мне пакет, и я машинально взяла его. Удивленная, заглянула внутрь, увидела картонную коробку с надписью «Кекс для любимых своими руками», хотела спросить у незнакомки, почему она решила угостить меня, подняла глаза и увидела, что стою в одиночестве.

В полном недоумении я поднялась в квартиру к Несси, прошла в столовую и там застала милую компанию: Агнессу Эдуардовну, Гаврюшу и Андрея Маркина, мирно пьющих чай.

— Степа! — обрадовался толстяк. — А почему такой растерянный вид?

Я вынула из пакета презент, рассказала о своей встрече со странной особой и завершила повествование фразой:

— Она знает мое имя, а я не могу вспомнить, где мы встречались. И с какой стати посторонний человек решил меня домашней выпечкой угощать?

— Обожаю кексики! — затараторила Несси, развязывая розовую ленточку. — Выглядят мило и пахнут приятно.

Гаврюша подмигнул Маркину.

— Журнал «Звезда без правил». Ты понял?

— О нет! — простонал Андрей. — Господи, пусть это будет баба, которую Степанида из горящего небоскреба в зубах вынесла и об этом забыла!

Доктор повернулся ко мне.

— Степашка совершила недавно подвиг?

— Не отличаюсь геройством, — призналась я.

— Милый маффин, — радовалась Несси, доставая из буфета овальное блюдо, — сейчас попробуем.

— Агнесса Эдуардовна, лучше выбросить презент, — мягко посоветовал врач.

— Почему? — изумилась Захарьина. — Все домашнее вкусное.

— Во-первых, кекс смахивает на покупной, — продолжал Гаврюша, — смотрите, упаковка-то фирменная.

— Такие коробки продают в магазинах, — заспорила Несси, — специально для тех, кто любит делать лично созданные подарки. Есть баночки под варенье, огурчики... Смотрите, сверху написано: «Кекс своими руками».

— Я полагал, что фраза эта — название фирмы, — объяснил Гаврюша. — Но тогда тем более нельзя лакомиться подношением.

— Да почему же? — опять удивилась Несси, снимая с крючков на стене две лопатки.

— Думаю, там плохая начинка, — пояснил доктор. — Женщина, которая его испекла, определенно с левой резьбой.

— Стоматологи считают, что у всех людей больные клыки, ортопеды полагают, что у каждого человека спина кривая, — пробормотала Агнесса Эдуардовна, вытаскивая с помощью лопаток кекс, — а психиатры думают, что по Москве ходят исключительно ненормальные, готовые вас убить индивиды.

— Встречали человека, у которого никогда не ныли зубы? — улыбнулся Гаврюша. — Видели хоть кого-нибудь с правильной осанкой? Только не вспоминайте спортсменов, военных и балетных: то, что вам кажется идеально ровным позвоночником, является особым искривлением, в медицине оно именуется «поза гордеца». Хотя я могу и перепутать, подрастерял общие знания, полученные в вузе, все-таки моя область не кости-суставы-связки-мышцы, а более тонкая субстанция. К сожалению, должен признать, что разные отклонения в психике нынче столь же часты, как пульпиты.

Но заставить Несси изменить точку зрения очень трудно.

— Иногда кекс — это просто кекс, — отрезала она. Гаврюша не сдался.

— Ну-ну... Андрей, как ты думаешь, что там внутри? Открытка с поцелуем?

— Нет, — помотал головой актер, — выпечка-то адресована Степаниде.

— Ой, что это? — удивилась Несси, которая успела положить угощение на блюдо.

— Где? — спросила я.

— В коробке, — уточнила соседка. — Вроде фотография. На ней кексик стоял.

— Наверное, визитка пекарни, — предположила я.

Гаврюша взял упаковку, вынул из нее открытку, положил на стол и расхохотался.

— Андрей! Вуаля, любуйся!

Я уставилась на изображение. Снимок сделали в комнате, обставленной, как во времена моего раннего детства. Маленькая Степа иногда забегала в гости к деревенским старухам и видела у них точь-в-точь такой диван-книжку, накрытый гобеленовой накидкой, кресло ему в пару, буфет немецкого производства, кажется, он назывался «Хельга», бордовый ковер на стене за софой и темно-коричневый палас на полу. На фото, которое Гаврюша бросил на скатерть, была еще и мясистая дама с рубенсовскими формами. Но сия особа, в отличие от натурщиц великого голландца, оказалась не обнаженной, а в нижнем белье красного цвета с черным кружевом, которое угрожающе топорщилось в разные стороны, и в сетчатых чулках с широкими резинками. В зубах далеко не юная прелестница держала слегка увядшую розу.

— Странная визитка для кондитерской, — удивилась Несси. — Этакое страшилище, да еще полураздетое. Изображение отпугнет покупателей, они подумают, что, поев кекс, такими же станут.

Гаврюша перевернул карточку.

— Ну, что я говорил? Вот и след от ярко-красной губной помады, а также вполне ожидаемый текст: «Любимый Андрюшенька! Это твой любименький кексик, сделан моими ручками для тебя, любимого, чтобы любименькая вкусняшка тебе, любимому, обо мне, любящей, напомнила. Люблю, люблю, люблю тебя вечно! Всегда твоя, твоя, твоя Аннадио Белиссимо из Инстаграма. Для тебя, любименький, просто Валя Кузнецова».

— И как она адрес Несси узнала? — взвыл Андрей. — Кто ей рассказал, куда я переехал?

— Так это послание от фанатки? — дошло наконец до меня. — А при чем тут журнал «Звезда без правил»?

— Я постоянно раздаю интервью, но сам с журналистами не общаюсь, — скривился Маркин, — ни времени, ни желания нет. К тому же все корреспонденты одинаковые вопросы задают. Мой пресс-секретарь просит присылать их на электронную почту,

вставляет заранее заготовленные ответы и отправляет
назад репортеру. Как правило, большинство «золотых
перьев» хотят узнать рецепт моего любимого блюда.
Его Юрий из Интернета берет. Наивная публика считает, что я тащусь от шашлыка, оливье, кексов, мяса
под майонезом, салата из крабовых палочек. На самом
же деле я предпочитаю устрицы, выдержанный сыр,
мраморную говядину, спагетти с трюфельным соусом.
Но надо поддерживать имидж простого парня, своего
в доску. А потом меня у подъезда бабы всех возрастов
и мастей караулят, чтобы кумира любимыми блюдами
собственного изготовления угостить. На двери квартиры признания в любви пишут, в почтовый ящик
письма со своими снимками голышом кидают, а некоторые ночуют в подъезде и, когда я пытаюсь утром на
улицу выйти, кричат: «Андрюша, женись на мне, я вся
твоя!» И как им объяснить, что они мне ни все целиком, ни на кусочки порезанные в спутницы жизни не
нужны? Что делать-то?

— Это слава, — вздохнула Несси. — Зато с ней приходят и деньги.

— Меня бы устроили одни купюры без сумасшедших теток, — заныл Андрей, разрывая фотографию на
мелкие кусочки. — Ладно, хватит о грустном. Давайте
лучше выпьем. У меня сегодня прекрасный день.
В сериале, где я снимаюсь, было два положительных
героя. Одного я играю, другого Никита Храпин. Про-
дюсеры решили, что для оживления сюжета один из нас
должен умереть. Сняли серию с двумя вариантами — в
первом моего партнера топят, во втором меня из окна
выбрасывают. И только сегодня стало известно, какой
выбрали — только что показали фильм, где Храпин в
реке захлебывается. Значит, я остался еще на тысячу
серий, чему очень рад, потому что мне деньги нужны.

— Даже актерам не сообщили, какой герой выживет? — удивился Гаврюша.

— В длинных проектах так часто поступают, — пояснил Андрей, — держат зрителя в напряжении до последнего момента. Если предупредить исполнителя заранее, то он, обиженный тем, что выбрали другого, мигом выдаст тайну прессе. Кстати, в такие «знаковые» серии наибольшее количество рекламы продают. Ну, давайте за удачу поднимем чашечку чая. Кекс надо выбросить, есть его нельзя.

— А где он? — заморгала Несси. — Блюдо-то пустое.

— Магда! — догадалась я. — Собака воспользовалась тем, что все отвернулись от сладкого, и сожрала его.

— Дорогая, иди сюда, — строго позвала Агнесса Эдуардовна, — хочу посмотреть на твою морду.

— Магдюша мастер тыринга, а потом быстрого драпинга, — развеселилась я. — Через полчаса, когда Несси перестанет кипеть от негодования, псина появится в комнате с видом оскорбленной невинности. На ее морде крупными буквами будет написано недоумение. Кекс? Какой кекс? Впервые о нем слышу. Почему у меня усы в крошках? Так ваш маффин сам со стола спрыгнул и побежал, а я его изо всех сил зубами останавливала.

— Ну, пройда! — покачал головой Андрей. — А зубную пасту она ест?

— С восторгом, — подтвердила я. — Любую, даже лечебную, с резким запахом.

— У меня в ванной утром стакан оказался пуст, — протянул Маркин. — Сомневаюсь, однако, что псина умудрилась туда залезть.

— Запросто могла, — продолжала веселиться я. — А разве в подвале есть санузел? И как вы смогли столь быстро цоколь в порядок привести? Там же столько хлама. Правда, после того как мы обнаружили в нем вход в подземелье, вещей в разы меньше стало, тогда много всего выкинули.

— Вход в подземелье? — сделал стойку Гаврюша.

— Как-нибудь расскажем про него[1], — пообещала я.

— Я поселила Андрюшу в комнате Базиля, — пояснила Несси. — Все равно ребенок на лето к моей подруге на море улетел, устал за зиму.

— Конечно-конечно, ведь бедный мальчик осень-зиму-весну не покладая спины трудился на диване, ему просто необходимы с мая по сентябрь морские купания, солнечные ванны и калорийное питание по меню стокилограммового рахита, — не удержалась я от ехидного замечания.

— Отправили внука в лагерь? — предположил Маркин. — Меня, маленького, тоже на три смены сдавали. Вначале было весело, а потом так домой хотелось! Ваш, наверное, тоже скучать будет.

Я намеревалась сказать, что внук Несси отнюдь не початок молочно-восковой спелости, а взрослый мужик, но тут стали доноситься звуки, напоминающие стоны больной волынки.

— Магда! — испугалась Несси. — Девочка, что с тобой? Скажи скорее маме, в чем дело?

Глава 24

Агнесса Эдуардовна встала на колени и заглянула под стол.

— Магдуся, что случилось? О, она молчит, ничего не говорит... Боже, кекс отравили!

---

[1] История, о которой сейчас вспомнила Степанида, описана в книге Дарьи Донцовой «Бизнес-план трех богатырей».

Гаврюша присел рядом с Несси.

— Да нет, собака просто кашляет. Поперхнулась кексом, проглотила его целиком, не жуя.

— Тогда почему Магда со мной не разговаривает? — всхлипнула Агнесса Эдуардовна.

— Потому что она псина, — терпеливо пояснил психиатр, — животные не могут...

— Ошибаешься! — перебила его я. — Несси, думаю, Магде надо поставить клизму.

Наша собакопони вылетела из укрытия и, воя: «Мама!» — испарилась, скрывшись в недрах квартиры.

— Фу, — выдохнула Агнесса, — слава богу!

— Когда она целый торт сожрала на мой день рождения, то же самое случилось, — напомнила я.

— Псина умеет разговаривать? — изумился Андрей.

— Словарный запас Магды нельзя назвать обширным, — стараясь сохранять серьезный вид, ответила я, — но она умеет произносить «ма-ма» и «гав-гав». Ну, раз все хорошо, пойду спать.

Гаврюша встал.

— Провожу тебя и уеду.

— Идти недалеко, — парировала я, выходя на лестницу, — несколько ступенек вверх.

— Вдруг из стены вылезет привидение и слопает тебя? — загудел врач.

— Не верю в существование призраков, — улыбнулась я, — а то, чего человек не боится, не может ему навредить.

— Чисто теоретически я не опасаюсь падения мне на голову кирпича, но он же может свалиться, — возразил доктор.

Я остановилась у своей двери.

— Спасибо. Мы пришли.

— Угостишь чайком? — спросил Гаврюша.

— Завтра мне рано вставать, — вежливо отказала я.

— Понял, — кивнул врач. — Можешь подобрать мне хороший одеколон?

— Конечно, — заверила я.

Гаврюша решил действовать решительно.

— Когда?

— Давай завтра, — после небольшой паузы уточнила я. — Но позвони заранее, чтобы я никуда не убежала.

— Конечно, — кивнул Гаврюша. — Ты читать любишь?

Вообще-то у меня нет времени на беллетристику, но в глазах нового знакомого мне не хотелось выглядеть девушкой, которая не интересуется ничем, кроме работы.

— О да! — с готовностью ответила я.

— Я тоже слежу за литературными новинками, — обрадовался Гаврюша. — Люблю мемуары. Не так давно мне в руки попался том «Десять подлых адвокатов».

— Впечатляющее название, — хихикнула я и зевнула.

Гаврюша начал рассказывать о книге, а я боролась с накатывающим сном и перестала слушать, что говорит врач. В конце концов, поняв, что сейчас просто лягу на пол и захраплю, я остановила Гаврюшу:

— Спасибо, непременно почитаю это произведение.

— Его уже нет в продаже, привезу тебе томик, — пообещал собеседник.

— Да, да, да, буду очень тебе благодарна, — пробормотала я, снова зевнула и попыталась юркнуть в свою квартиру. Но...

— Степа! — окликнул меня Гаврюша. — Могу подсказать адрес Мамаевой. Один приятель из МВД, которого я просил узнать, где она теперь живет, только что мне его сообщил.

— Спасибо, я уже съездила к ней, — ответила я и наконец-то улизнула в свои апартаменты.

Дома я быстро приняла душ, упала в кровать, хотела полистать журнал и тут услышала звук прилетевшей эсэмэски. Я посмотрела на экран и встревожилась — сообщение пришло от Нади, заведующей складом. У Строевой злой язык, под горячую руку она может высказать в лицо все, что о тебе думает, не стесняясь в выражениях, но за глаза никогда сплетничать не станет. И ей не придет в голову трезвонить мне за полночь, чтобы поболтать о ерунде — за все годы нашей совместной работы она ни разу не позвонила и не прислала мне никаких посланий после восьми вечера.

Я нажала на экран и увидела три слова: «Умер Роман Звягин». Я прочитала их несколько раз, прежде чем мозг осознал смысл. Умер Роман Звягин? Владелец фирмы «Бак»? Мой лучший друг? Человек, с которым связано все самое прекрасное, что со мной случилось в моей жизни? Мужчина, в которого я долгое время была безответно влюблена и которого сейчас люблю уже как друга? Умер Роман? Невозможно! Он молодой! Совсем здоровый!

Не так давно мы со Звягиным вместе со многими представителями фэшн-бизнеса участвовали в парижском марафоне. Так вот, я сошла с дистанции через пятнадцать минут и потом долго пила в ближайшем кафе воду под аккомпанемент восклицаний хозяина: «О, мадам, вы зеленая, как спаржа, которую нельзя резать в салат». Роман же добежал до конца дистанции, а потом долго смеялся надо мной, повторяя, что я мастер спорта по испиванию капучино.

Телефон зазвонил.

— Алло! — закричала я.

В ответ раздались рыдания.

— Степа! Роман... он...

— Это правда? — пролепетала я.

— Да-а-а-а... — простонала Надя.

Я попыталась не завыть в голос.

— Что случилось?

— Не знаю-ю-ю!

— Где он? В больнице? Авария?

— Он дома-а-а-а! Степа, я никогда не сплетничала о том, что ты спишь со Звягиным.

— Знаю, — тихо сказала я, — ты не из тех людей.

— Но все давно в курсе, что вы с Романом Глебовичем пара, — продолжала Надя. — У тебя же есть ключи от его апартаментов?

— Да, — ответила я, хорошо понимая, что этим признанием как бы подтверждаю глупые сплетни о моей связи со Звягиным.

Мы с Романом никогда не состояли в любовной связи. Не скрою, было время, когда я мечтала об этом, но оно прошло. Мы просто очень близкие друзья, и запасные ключи от наших квартир хранятся у нас обоих дома. То есть Роман при необходимости может открыть «норку» Козловой, а я войти к Звягину в его отсутствие.

— Надо туда поехать, — плакала Надя, — нельзя, чтобы он... там... лежал.

— Ты права, — прошептала я, — но мне страшно одной ехать.

— Мы с Катей, Аней и Витей прикатим, — всхлипнула Надя.

Я натянула джинсы и кинулась к машине.

Глава 25

Дверь в пентхаус Романа открылась бесшумно, в нос мне ударил хорошо знакомый женский аромат «Лунная ночь» от «Бака». В просторном холле над зеркалом горела крошечная лампочка.

— Господи... — прошептала за спиной Надя.

Послышался тихий шепот — воцерковленная Аня читала молитву.

— Где он? — прошелестела Катя. — Степа, ты же хорошо в апартаментах ориентируешься?

— Да, — еле слышно ответила я, — внизу столовая, гостиная, комнаты для приятелей, бильярдная, баня, всякие кладовки, три санузла. Хозяйская часть наверху. Думаю, Роман там. Лестница за поворотом коридора.

На цыпочках мы поднялись по мраморным ступенькам, прошли по широкому коридору до спальни хозяина и вошли туда. Люстры не были включены, но дверь в ванную оказалась чуть приоткрыта, там горел свет, и поэтому в самой комнате царил полумрак.

— Степа, посмотри, он в кровати? — чуть слышно попросила Аня.

Я собрала в кулак все свое мужество, на полусогнутых ногах приблизилась к постели...

— Да, — прошептал Витя, муж Ани, подходя ко мне. — Тут.

Я кивнула.

— Боже! — прошелестел чей-то голос. — Надо вызвать «Скорую».

— Она не поможет, — откликнулась Аня, — нужно обратиться в полицию. Но прежде надо душу Романа Глебовича упокоить. Степа, иди к нам.

Я вернулась к группе сотрудников склада. Аня сунула мне в руки тонкую, пахнущую медом свечку, на которой белела бумажная юбочка.

— Буду читать Псалтирь, — тихо объяснила Аня, — а вы говорите, когда я рукой махну.

— Что говорить? — не поняла Надя.

— Слава Отцу, и Сыну, и Святому Духу, — объяснила Аня.

— Лучше врача вызвать, — возразила Катя. — Вдруг его еще спасти можно?

— Нет! — воскликнула я. — У Романа на лице... пятна...

— Ужас, — всхлипнула Надя.

— Витя, зажги свечи, — попросила Аня мужа.

Виктор защелкал зажигалкой, крохотные язычки пламени чуть-чуть осветили полутемную комнату.

— Хорошо, — произнесла Анна.

Потом она раскрыла книгу, которую держала в руке, и начала говорить на языке, который был мне совершенно непонятен. Вроде он походил на русский. Я закрыла глаза и попыталась справиться с полуобморочным состоянием.

— Эй! Что вы тут делаете? — вдруг громко спросил знакомый голос.

Мои глаза открылись, я увидела сидящего в постели Романа и с воплем: «Ты жив!» — бросилась к нему на кровать, начала обнимать и целовать его.

— Да что происходит? — спрашивал Роман.

— Дорогой, ты меня зовешь? — крикнули из ванной. Дверь санузла распахнулась...

Именно в этот момент Звягину удалось вывернуться из моих цепких объятий, избежать очередного чмока и нажать на выключатель у изголовья аэродромоподобного ложа. Вспыхнул яркий свет, и я увидела абсолютно голую модель Наташу Кравкину, которая пару месяцев назад снималась для рекламы фирмы «Бак». Наталья узрела нашу группу, завизжала и бросилась назад в ванную. Надя уронила свечку.

— Ух ты... — протянула Катя. — Ну ваще... Степа, иди выцарапай этой тупой дворняжке глаза! Дай ей по морде!

Аня со всего размаху стукнула мужа книгой по голове.

— За что? — подпрыгнул Витя. — Грех Псалтирем-то драться.

— Очень даже правильно супруга божественной литературой офигачить, если он рот на постороннюю голую бабу разинул, тебе только мной любоваться положено, — возразила жена. — Зажмурься, пока еще не получил. Ты меня знаешь, я, когда злая, с божьей помощью и христианским милосердием так вмазать могу, что потом никакой хирург не спасет.

Испуганный Витя быстро закрыл лицо руками.

— Что вы тут делаете? — повторил ошарашенный Роман. — Люди, откуда вы взялись?

— Нас Степа привела, — пропищала Надя, — только у нее ключи есть.

Роман посмотрел на меня, по-прежнему сидевшую у него на одеяле.

— Степашка, в чем смысл сего перформанса?

Я проблеяла:

— Э... о... а...

— Мы хотели как лучше, — принялась оправдываться Аня. — Псалтирь почитать, помолиться...

— С уважением отношусь к твоей воцерковленности, Анна, — вздохнул Звягин, — ты верная сотрудница фирмы, стояла у истоков «Бака», я ценю тебя и уважаю. Но, согласись, устраивать ночью в моей спальне молебен немного странно.

— Мы за упокой вашей души молились, — заплакала Аня.

— Супер! — удивился ее последним словам Роман. — Но я, как видишь, вполне жив. Витя, кинь мне халат. Дамы, отвернитесь. Сейчас оденусь, и вы мне объясните, что происходит.

— Ой, ковер горит! — завопила вдруг Катя. — От упавшей свечи занялся!

Витя, который успел взять в руки халат, швырнул его на пламя и начал топтать ткань ногами.

— Та-ак, подарок на день рождения, который владельцу «Бака» сделал великий модельер Том Форд, пал смертью храбрых, — констатировал Роман. — Степа, сходи в ванную, притащи махровую простыню.

— Ой, не надо ей туда, — испугался Витя.

— Почему? — удивился Роман.

— Там ваша вторая баба спряталась, — бесхитростно пояснил Виктор, — Степашка Наталье весь причесон выдерет. Один раз я помог Светке из отдела бижутерии коробки с колье до лифта дотащить, а жена увидела, — Витя поежился, — схватила со стены огнетушитель, да как швырнет его в Светку... Хорошо, в нее не попала. Но подъемник как раз двери открыл, баллон в него влетел и в зеркало угодил. Бумс! Одни осколки. Так я же просто коробки нес, а Наташка у вас в спальне голая стояла. Тут уж не соврать, что мимо шла...

— Как же вы мне надоели! — воскликнул в сердцах Роман и откинул одеяло.

Женщины завизжали и зажмурились, я попыталась встать, но у меня очень сильно закружилась голова, и я рухнула на постель. Звуки чужих голосов начали удаляться, стало темно...

Внезапно я ощутила запах кофе, открыла глаза и сразу зажмурилась — в лицо било солнце.

— Ох, прости, — сказал знакомый голос, — сейчас рулонку опущу.

Послышалось шуршание, я опять стала зрячей и сообразила, что лежу в постели Звягина. И вот уж удивление, на мне моя любимая ночная рубашка.

— Я спала в твоей кровати? — уточнила я.

— Ага, — весело подтвердил Роман, который сидел около меня, держа в руке чашку. — А ты, оказывается, храпишь.

— Вранье! — возмутилась я. — Ни один человек до сих пор мне об этом не говорил.

— Наверное, эти люди дрыхли пьяными, — хмыкнул Звягин и сделал большой глоток.

— Эй, это мой кофе, — высказалась я.

— Нет, — возразил Роман, — твой в столовой.

Я с запозданием обиделась:

— По-твоему, человек, с которым я лежу в одной постели, непременно должен быть подшофе?

— Необязательно, — усмехнулся Роман. — Я-то вчера совершенно трезвым был и прекрасно слышал, как ты храпела. Прямо рулады выводила: хр-р-р... хр-р-р... А еще ты пиналась. Отняла у меня одеяло, отобрала все подушки, а в конце концов столкнула законного владельца ложа на пол. Козлова, ты, оказывается, агрессивная. Днем скрываешь свою сущность, а ночью она наружу выкарабкивается.

— Извини, — смутилась я, — прямо унесло меня, я очень перенервничала... Понимаешь, я получила...

— Эсэмэску «Роман Звягин умер»? — перебил меня хозяин пентхауса. — Его отправила Надя Строева.

— С ума сойти! — закричала я. — Что за идиотские шутки? Прямо сейчас позвоню Надежде и потребую объяснений!

— Она просто поделилась с тобой новостью, которая от Лидии пришла, — объяснил Роман.

Я не поверила своим ушам.

— От завотделом персонала?

— Да, — кивнул Звягин.

— Корякина человек серьезный, — изумилась я, — подобные глупости не в ее духе.

— В последнее время она все путает, — вздохнул Роман, — не понимаю, что с ней. В восемь утра я попытался до Лидии дозвониться, мобильный был отключен. И до сих пор вне зоны доступа.

— Бред какой-то... — протянула я. — А почему на мне моя ночная рубашка? Как она у тебя дома оказалась?

— Никак, — усмехнулся Роман, — ты в ней приехала. Сверху сорочка, снизу джинсы, я их с тебя стащил. И почему девушки штаны на размер меньше покупают? Как ты их снимаешь?

Я села.

— Легко. А где Наташа?

— Ее нет и не будет, — коротко сказал Роман. — У нас с ней ничего серьезного, просто одноразовая встреча...

— Ты не мой мужчина или любовник, — остановила я Звягина, — ничего объяснять не надо.

— Ладно, тогда ты ответь на мои вопросы. С чего ты вдруг примчалась-то? — хихикнул Роман.

— Не понял? — удивилась я. — Была же эсэмэска от Нади.

— Это я уяснил, — кивнул Звягин. — Но почему ты не включила голову, не спросила: «Минуточку, откуда известие, что босс ботинки откинул и труп дома лежит? Кто про смерть шефа инфу запустил?» И уж совсем изумительно, что ты, наклонясь надо мной, не поняла, что я просто дрыхну!

— Ну... Понимаешь, я ни о чем вообще не могла думать, — призналась я, — в мозгу одна мысль колотилась: «Звягина больше нет». Так страшно стало, так тебя жаль... И на лице пятна... бордовые и... Ну дура я ужасная...

Я расплакалась, Роман обнял меня.

— Перестань. Я проживу еще сто лет. Пятна, говоришь? Да это же губная помада была!

— А еще духи! — воскликнула я, начиная соображать. — В холле витал аромат парфюма «Лунная ночь», а он женский. Непонятно, как я не догадалась, что у тебя в гостях дама!

— Все, прекрати сырость разводить, — велел Звягин. — Посмотри лучше, что тут у меня...

Я вытерла нос краем пододеяльника.

— Отлично, — рассмеялся Роман, — мало того что плюхнулась без приглашения спать в мою койку, так еще сморкается в постельное белье... Успокойся и оцени приобретение.

Теперь я промокнула пододеяльником глаза.

— Хм, собака едет в старинном автомобиле... Милая фигурка. Надо же, не замечала у тебя ранее страсти к зверушкам из фарфора.

Роман поднял голову пса.

— Перед тобой старинный флакон, на нем есть дата — тысяча восемьсот десятый год. В то время духи продавались не в пузырьках, а разливались в большие бутылки, из которых аптекарь, а именно они чаще всего были заодно и парфюмерами, отмерял дозу в тару, которую покупатель приносил с собой. Если понюхаешь, из флакона еще пахнет.

Я поднесла фигурку к носу.

— Шанель номер пять. Аромат впервые появился в продаже в тысяча девятьсот двадцать первом году.

Роман забрал у меня фарфорового пса.

— Вещицу вчера подарил мне Иосиф Фукс, он хочет у нас своими сумками торговать. Вручая подарок, сказал: «Вот экспонат для вашего музея косметики».

— У нас такого нет, — возразила я.

— Я так же отреагировал, — улыбнулся Звягин. — А Фукс добавил: «Значит, надо его создать». Мне идея показалась стоящей. Займешься?

Я не очень обрадовалась.

— Подумаю.

— Да, да, поразмысли, — кивнул Роман.

— Пора вставать, — вздохнула я, — в четыре часа ко мне в офис люди придут.

Звягин глянул на будильник.

— Сейчас только десять.

— Есть еще одно дело, — пробормотала я. — Брось мне халат.

Роман развел руками.

— Он сгорел.

— Принеси из гостевой, — потребовала я.

Звягин пошел к двери. Но на пороге обернулся.

— После того как ты провела ночь в моей постели, как приличный человек, я обязан на тебе жениться.

Я рассмеялась.

— Отлично! Жду тебя, мой принц, восседающим на белом коне и гарцующим у меня под окном. В руках держи букет роз и коробочку с кольцом. Бриллиант не менее двух карат. Позвони Наташе Эрвэ в Париж, скажи, что ты от меня: она мой вкус знает, нужное подберет.

Глава 26

Принято считать, что свинья — очень грязное животное. Ан нет, самый неаккуратный зверь — человек. Я бочком протиснулась в прихожую и постаралась не дышать носом.

— Че надо? — спросила стоявшая передо мной растрепанная старуха.

— Бабушка, здесь живет Екатерина Петрова? — спросила я.

Пенсионерка засмеялась, и стало видно, что у нее нет половины зубов.

— На хрена она тебе?

— Хотела Кате работу предложить, — соврала я.

Бабка громко икнула. По крохотному помещению, где на вбитых в стену гвоздях висели зимняя куртка и шапка, а на полу валялись разношенные угги и босоножки, поплыл запах перегара.

— Че делать надо? Если с лотка торговать, то не пойду. Не творческая это работа.

Было странно слышать последнюю фразу из уст престарелой профессиональной алкоголички.

— Бабушка, Катю позовите, я все ей объясню, — попросила я.

Старуха чихнула.

— Это я.

— Мне нужна Екатерина Игоревна Петрова, сорока лет, — терпеливо повторила я. — Она владелица квартиры, в которой мы сейчас находимся.

— Задудела дятлом... — пробурчала пенсионерка. — Сказала уже: Екатерина Игоревна рядом с тобой стоит, на тебя глядит.

— Вы — Петрова? — не поверила я.

— Вот блин! — всплеснула руками собеседница. — С тобой прям умом поедешь. Да, я Катя. Чего надо?

Какая работа? Не за всякую берусь. У меня ква... квали... фи... ква... фис...

— Квалификация, — подсказала я слово, которое тетка никак не могла выговорить.

— Во! — кивнула Петрова. — Стопудово угадала. Делаю евроуборку. Мою полы, как в Нью-Йорке, столице Америки.

Объяснять алкоголичке, что главным городом США является Вашингтон, а заокеанская страна не относится к Европе, я не стала, просто вынула из кошелька тысячу.

— Хотите денег?

— Давай сюда! — обрадовалась Екатерина и протянула руку.

Я быстро спрятала купюру.

— Сначала ответьте на мои вопросы.

— О, блин! Ладно, задавай.

Катя привалилась к стене и уставилась на меня опухшими красными глазами. Я машинально сделала вдох носом и чуть не скончалась от вони.

— Пойдемте во двор.

Петрова погрозила мне пальцем.

— Ни фига! Здесь говорим.

— Куплю пива, — нашла я подходящую мотивацию.

Екатерина сунула босые ступни с черными ногтями в зимние сапоги и резво выскочила за дверь.

— Заприте квартиру, — напомнила я ей, выходя на лестницу.

— У меня спереть нечего, — отмахнулась она, побежала вниз и раньше меня очутилась на скамейке, которая стояла на детской площадке.

— Медленно ходишь, блин, — буркнула она и велела: — Неси пивасик. Супермаркет видишь? Вон он!

Я направилась в сторону стеклянного павильона.

— Живее шевелись, а то трубы горят! — заорала мне в спину Екатерина.

В крохотном магазинчике покупателей не оказалось, к скамейке я вернулась минут через пять, но алкоголичка все равно была недовольна, встретила меня ласковой фразой:

— Тебя только за холерой посылать.

— Открывалки нет, — сказала я, протягивая ей бутылку.

— Со мной на необитаемом острове не пропадешь, — хохотнула Катя, ловко сдергивая пробку о край лавки. — Хочешь? Глотай, не жалко.

— Спасибо, не люблю пиво, — отказалась я.

— А ты тока коньяковский и висковский жрешь? — заржала Петрова. Затем в один глоток осушила емкость и с сожалением отметила: — Закончилось. Неси еще.

— Сначала разговор, — возразила я. — Помните Веру Чернову?

— Она кто? — заморгала алкоголичка.

Я попыталась реанимировать память фанатки спиртного:

— Тюрьма. Камера в подвале. В ней вы и еще одна заключенная, Елена. К вам приводят Веру Михайловну Чернову, убийцу двух женщин. Откуда ни возьмись появляется привидение...

— А-а-а... — протянула Екатерина. — Ваще прикол был!

— Расскажите, что случилось, — потребовала я.

— Дура опсихела, лоб о стену разбила, ее в дурку свезли, — живо ответила тетка. И зачастила: — Ничего не знаю, Колян ни о чем не просил, кровь не давал, если Ленка так говорит, то брешет. И ваще, ее слово против моего. Вот так! Неси пивасик, я все рассказала.

— Елена умерла, — объяснила я.

— Да ты че? Правда? — Катя потерла руки. — Надо за упокой выпить. И закусить. Тащи водочку и колбасятину.

— Обязательно, — пообещала я. — Но сначала информация. Николай дал вам кровь?

— Бутылочку, — кивнула Катя. — Стеклянную, пузатенькую. И таблетки, две штуки.

— Лекарство зачем? — живо поинтересовалась я.

Алкоголичка противно засмеялась.

— От него глючит не по-детски. И чего нет, с ним покажется. Человек задрыхнет, потом очнется... У Веры такой вид был! Как у дуры. Села и давай крякать: «Кто? Где? Что? Хочу домой!» Ваще анекдот. Смешнее ничего не слышала.

Катерина захохотала, схватившись за живот и сгибаясь пополам.

— Ой, не могу! Домой она запросилась! Ой, стебно!

Я молча ждала, пока пьяница перестанет веселиться.

Следующие два часа мы провели на скамейке, и мне в конце концов удалось узнать, что произошло.

...Екатерина и Елена находились в камере, где было еще более двадцати женщин. Потом туда же привели Веру. Сколько суток Чернова провела в этом помещении, Екатерина не помнит. Может, неделю. У новенькой не было при себе ничего, даже сменного белья. Катя и Лена, успевшие сдружиться, подсмеивались над ней — Вера не понимала, как себя вести, постоянно получала тычки как от охраны, так и от сокамерниц, спала под шконками на голом полу.

Через какое-то время Катю вызвал охранник по имени Николай, отвел в небольшую каморку и сделал предложение, от которого было трудно отказаться.

Петрову переселят в камеру на троих, там окажется и Лена, а чуть позднее к ним присоединится новенькая, которую надо хорошенько напугать. Сначала рассказать ей, насколько плохо и страшно в изоляторе, далее сообщить, что на зоне вообще невыносимо, довести ее до истерики. Затем угостить чаем, бросив в кружку одну таблетку, от которой Чернова заснет. А когда она очнется, необходимо изобразить привидение. Для этой цели выдал Петровой плащ с капюшоном и маску в виде черепа.

— Ваще жуть! — ржала сейчас Катя, вспоминая свой «подвиг». — Стояла я перед Веркой, на голове капюшон, который мне лицо с надетой маской закрывал, и выла: «Я Салтычиха...» Жесть! А потом капюшон с башки сдернула, Чернова как заорет и — бумс! В обморок свалилась. Ну да, я круто выглядела! Николай нам приказал после того, как я привидением поскачу, еще с минуту повыть. Потом «призрак» под койкой прячется, а моя напарница должна опять чаю Верке налить, со второй таблеткой, и когда она задрыхнет, кровью ее из бутылки обрызгать. Но Чернова без чувств на пол свалилась. Я ей рот открыла, лекарство под язык сунула, чуть приподняла и, как Николай велел, поводила по стене ее руками и лицом. Крепко так приложила, даже кожу ободрала. Затем облила кровушкой и охрану вызвала.

За удачный спектакль Екатерину и Елену до конца следствия оставили в комфортной камере вдвоем. Они получили полные карманы сигарет, чая и сахара. А Чернову в невменяемом состоянии унесли в местный лазарет.

— Как звали охранника, который вас нанял? — спросила я.

— Ха! Его забудешь! — мечтательно пропела Катя. — Говорила же — Николай.

— А отчество? Фамилия? — уточнила я.

— Вот это запамятовала, — вздохнула Екатерина. — Ваще приятный такой, ласковый, щедрый. Я ему больше Ленки нравилась. Он ее всем парням продавал, а я его личной девушкой считалась. Колян завсегда с подарком ко мне приходил. То конфеты притянет, то мыло, то шампуньку. Джентельмен. А к Ленке уроды таскались, ничего хорошего от них, кроме ругани.

Я растерялась.

— Вы работали там проститутками?

— Пользовались успехом, — кокетливо сказала пьяница, — есть что вспомнить. Сейчас уж задор не тот, отсырела взрывчатка, а раньше я была ого-го! Фейерверк! Трое за ночь — пустяк!

— Думала, в тюрьме это невозможно, — пробормотала я.

— В изоляторе, — поправила Катя. — Всюду жизнь!

На этой философской фразе беседа завершилась. Я отдала Петровой тысячу, села в машину и поехала в свой офис, по дороге разговаривая с Кудриным.

Глава 27

По первому этажу я продефилировала под перешептывание продавцов. Увидев меня, все моментально расплывались в широких улыбках и медовыми голосами пели:

— Привет, Степашечка!

Особо подхалимистые добавляли:

— Роскошно сегодня выглядишь.

Я отвечала на приветствия и двигалась дальше, слыша за своей спиной тихое шу-шу-шу... Весть о том, что Козлова ночью открыла своим ключом квартиру хозяина «Бака», а потом осталась там спать, когда остальные ушли, уже ползла змеей по всем залам торгового центра. Если кто и не верил раньше в то, что я любовница Романа, то теперь перестал сомневаться в нашей связи.

В свой кабинет я вошла с горящими щеками. Туда же через секунду ворвалась Лидия с папкой в руке.

Я сердито спросила:

— Корякина, почему...

— Вы мне надоели! — завопила всегда сдержанная заведующая отделом персонала. — Что пристали с утра? Сто раз уже одно и то же объяснила: у меня горе — Роман Звягин умер! Больше его никогда не увижу! Ах я дурочка... Надеялась на сочувствие, на эсэмэски: «Лидочка, мы с тобой, не расстраивайся, может, он еще оживет. Проголосуем обязательно». А они... Вместо поддержки упреки, укоры! Ночь они, видите ли, не спали... Да я вообще со вчерашнего вечера рыдаю!

— Лида, успокойся, Роман Глебович жив. — Я попыталась остановить истерику. — Недавно пила с ним кофе. Кто тебе сказал, что Звягин на тот свет отправился?

— Нечего хвастаться тем, что с шефом спишь, об этом и так всем известно! — взвизгнула наша главная по кадрам. — По какой бы еще причине тебя в Совет директоров включили?

Дверь в комнату открылась, внутрь влетела Кристина, она легко переорала Корякину:

— Не смей, жаба, моего босса ругать! Она талант! Гений кистей и румян! Мировая знаменитость! Ты — толстая, старая, завистливая карга — сама, наверное, хотела к Звягину в койку забраться, да он на такую и не посмотрит! И я бы с Романом не отказалась встречаться, и вообще любая к нему в объятия прыгнет — молодой, богатый... Но только ему одна Степа нужна! Вот теперь от злости лопни!

Лида швырнула на пол папку с документами и убежала.

— Фу-у... — выдохнула моя помощница. — Прямо укусить ее хотелось!

— Не надо, — сказала я, — успокойся.

— Шла мимо по коридору, — уже чуть тише продолжила Светкина, — слышу, Корякина вопит. Как она смеет на вас визжать?

Я села на табуретку.

— Крися, людям нельзя запретить сплетничать. Не стоит нервно реагировать на все глупости. Ты сейчас наслушаешься про меня всякого-разного, в женском коллективе любят посудачить. Не реагируй так остро.

— Какое их дело, с кем вы спите? — продолжала негодовать Кристина. — Да хоть с вождем племени Тумбо-Бумбо!

Я перевела разговор в иную степь:

— Понять не могу, почему Лида отправила эту дурацкую эсэмэску.

— Так она всем ее разослала, — расхохоталась помощница, — рассылкой по телефонной книжке. Кто у нее в контактах, тому и прилетело. Вот я известие не получила, потому что недавно тут работаю. Вау! Вы ничего не понимаете?

— Нет, — вздохнула я.

У Кристины загорелись глаза.

— Корякина фанатка телесериала. В нем задействовано два главных героя. Одного играет Андрей Маркин, другого Никита, забыла его фамилию. Лида второго актера обожает до жути. А вчера...

— Его убили! — воскликнула я.

— Точно! — подпрыгнула помощница. — Вы тоже кино смотрите?

— Нет, — улыбнулась я, — просто живу с Андреем Маркиным в...

— Ух ты! — взвизгнул женский голос. — Степашка! Ну ты даешь! Еще и с Андреем Маркиным живешь?

Я обернулась. На пороге моего кабинета стояла старший кассир Виолетта Толкина. У нее болят ноги, поэтому она ходит по зданию в мягких домашних тапочках.

Вообще-то все наши служащие обязаны соблюдать дресс-код и иметь соответствующий внешний вид. Ну согласитесь, если вы, решив приобрести новое платье или что-нибудь из парфюмерии-косметики, зашли в магазин и увидели там консультанта с грязными волосами, неухоженным лицом, обгрызенными ногтями, одетого в допотопную юбку и потерявшую всякий вид вязаную кофту, то, я совершенно уверена, мигом уйдете в другой торговый центр. И будете абсолютно правы. Нельзя лечить зубы у стоматолога, который сверкает «пеньками» во рту, и использовать диету, если вам ее советует человек, чей объем талии превышает длину его тела. Также не стоит слушать специалиста по косметике, похожего на чучело. Поэтому у нас все продавщицы носят красивую форму, каждая должна быть в элегантных туфельках на небольшом каблуке, непременно, даже летом, носить чулки, иметь аккуратную прическу, невульгарный макияж и маникюр. Еще одно условие — нельзя пользоваться парфюмерией, поскольку активный аромат духов, исходящий от продавщицы, может помешать посетителю сделать покупку.

Единственная, ради кого сделали исключение, — это Виолетта. Вот она рассекает по торговому дому в тапках. Но Толкина — история фирмы «Бак». Она — первая, нанятая когда-то Романом служащая, — помнит еще крохотный павильончик у метро, где Звягин сам предлагал прохожим арабскую парфюмерию, которая старательно прикидывалась французской. Редкие люди имеют сейчас право войти к Роману Глебовичу в кабинет без предварительной записи на прием. Если кто и попытается, то его мигом притормозит Юра, секретарь босса. А Виолетта забегает к шефу, когда пожелает. Юрий при виде госпожи Толкиной вскакивает и начинает кланяться. Она же ему снисходительно кивает. И, улыбаясь, говорит что-то вроде:

— Сиди, сиди, деточка! Негоже тебе, личному помощнику Звягина, передо мной, простой старухой-кассиром, расшаркиваться.

Конечно, на «простую старуху» семидесятилетняя Виолетта похожа как чайник на зебру. А возраст не мешает ей кокетничать.

— И каков Маркин в быту? — продолжала Толкина. — Ходит в сортир в золотой короне?

— Шапки Мономаха на голове артиста я не заметила, — рассмеялась я, — он, похоже, без звездных закидонов, нормальный, спокойный человек. Вчера во время ужина Андрей рассказал, что продюсер сериала решил убить одного из главных героев.

— Во-во, — закивала Кристина. — А того, между прочим, зовут... Роман Звягин.

До меня с большим запозданием дошла суть того, что случилось.

— Наша Корякина ополоумевшая фанатка телемыла? — на всякий случай уточнила я.

— Ну да! — закричала Кристина. — Когда героя повесили, зарезали, утопили... сама-то я эту чушь не гляжу, не знаю, что там с ним случилось... в общем, когда мужик, красиво закатив глаза, отбросил ботинки, Лидия...

— Схватила телефон и разослала сообщение о кончине Романа Звягина, — перебила ее Толкина.

— Хорошо, что у нас эпидемия инфарктов не случилась. Сегодня все с утра к ней бегут, ругаются, — еще быстрее затараторила Кристина, — а она...

Дверь в мою комнатушку приоткрылась, внутрь всунулся букет роз, следом за ним втиснулся Гаврюша.

— Степашка, я приехал, чтобы... — начал он. — Ох, простите, похоже, я помешал. Не хотел.

— Ерунда, — махнула рукой Виолетта, окидывая его оценивающим взглядом, — мы, бабы, сейчас просто сплетничаем. Роскошный букет.

— Красивой девушке — красивые цветы, — заулыбался гость.

Толкина прищурилась.

— Меня зовут Виолетта.

— Очень приятно, я Гаврюша, доктор, — представился посетитель.

— Ой, — закокетничала кассир, — жутко боюсь стоматологов.

— Насчет меня можете не волноваться, — очень серьезно сказал Гаврюша, — я не имею отношения к дантистам. Я врач, который никому из вас никогда не понадобится, моя специальность — психиатрия.

— Ошибаетесь, голубчик, — возразила Толкина, — в нашем сумасшедшем бизнесе человек, который лечит психов, необходим каждой. А учитывая произошедшее этой ночью, вы нам просто небесами посланы.

— Вообще-то Степа обещала меня постричь, — увильнул в сторону Гаврюша, — велела приехать в офис.

— Нет, — возразила я, — попросила сначала позвонить, вдруг я окажусь занята. И сейчас времени нет, я уезжаю, у меня встреча.

— Да? — расстроился врач. — Жаль.

Виолетта взяла его под руку и повела в коридор.

— Сейчас что-нибудь придумаем, голубок. А что у вас со Степашей? Амур? Или просто спите вместе?

Кристина прыснула.

— Не смешно, — вздохнула я. — Пожалуйста, отбей Гаврюшу у Толкиной, отведи его к Марату, пусть тот доктора пострижет. Да поторопись! Не хочу, чтобы Виолетта потом всякую чушь болтала и направо-налево говорила, что это ей сообщил личный психиатр Козловой, у которого она от сумасшествия лечится. Мне на самом деле надо уйти.

— Не переживайте, — кивнула Кристина, — все будет в порядке, Чип и Дейл уже прутся на помощь.

Глава 28

— Милое местечко, — отметил Кудрин, поддевая на вилку большой кусок рыбы. — И готовят вкусно. Ты, наверное, все трактиры в Москве знаешь.

— Нет, — возразила я, — только несколько заведений, куда забегаю кофе попить. Вот в Париже-Милане-Нью-Йорке я больше осведомлена о ресторанчиках, в командировках приходится в них питаться. Во Франции-Италии еда замечательная, Америка же в этом плане нравится мне намного меньше. И там огромные порции. Один раз я заказала маленький кусок яблочного пирога — подчеркиваю: маленький, в меню был еще большой — и получила ломоть размером с блюдо для торта, украшенный метровой башней взбитых сливок, которую засыпали шоколадной крошкой, цукатами, орешками, водрузив туда до кучи полкило пломбира.

— А у нас в кафе «Чаемания» грушевый кекс теперь нарезают толщиной со спичку, — вздохнул мой собеседник. — На один жевок лакомство.

— Зато цена у него не выросла, — развеселилась я, — просто десерт резко похудел.

Алексей отложил вилку.

— Ладно, давай по делу. После того как ты мне позвонила и рассказала, что Катя призналась в обмане, я влез в нужные документы. Чем хороша наша во многом плохая система исполнения наказаний? У них ничего не пропадает. На каждый чих бумага в трех экземплярах составлена, куда надо подшита и хранится аккуратно. Бывают, правда, случаи, когда архивы водой заливает, потому что пожары там вспыхивают, и к тому же крысы любят содержимым папок полакомиться, но мне повезло. В тот день, когда Веру унесли в лазарет, в СИЗО работало много людей, но — оцени удачу! — лишь одного из них звали Николаем. Совсем не редкое мужское имя, однако, я уже говорил, мне просто подфартило. Николай Владимирович Осипов тридцати трех лет — вот кто подбил Катю и Лену устроить спектакль.

— И он далеко не пожилой, — обрадовалась я. — Может, ты заодно адрес его узнал?

— Да, — кивнул Алексей, — узнал. Деревня Бокалово, неподалеку от Карачинска, это за Уралом.

— Осипов покинул Москву? — удивилась я.

Кудрин взял из рук официантки чашку с кофе.

— Вскоре после того, как Вера оказалась в психушке, Николая поймали на взятке: Осипов за хорошие деньги провел ночью в СИЗО любовницу одного авторитета. Парня примерно наказали, чтобы другим неповадно было, — отправили на зону, где он вскоре умер. Инфаркт.

— В тридцать лет с небольшим? — еще больше удивилась я.

Кудрин развел руками.

— Бывает. Антонина Варламовна, его мать, не забрала, не увезла тело сына домой в Москву. Наверное, у нее не было на это денег, она учительница, где ей средства взять, — поэтому Николая похоронили в общей могиле на кладбище в деревне Бокалово, там, где бывший охранник отбывал срок. У Осипова была жена Анна, которая до сих пор прописана вместе со свекровью, похоже, у них хорошие отношения. Спустя некоторое время после кончины Николая женщины продали свою трехкомнатную квартиру в Медведково и переехали на противоположный конец столицы. Что немного странно.

— Вовсе нет, — возразила я. — Наверное, им было неуютно жить в стенах, где все напоминало о покойном. Для нас Осипов преступник, взяточник, а для матери любимый сыночек, супруге родной муж.

— Это-то понятно, — отмахнулся Кудрин, — мне другое показалось необычным. Да, женщины, наверное, тосковали, вот и затеяли переезд, сменили место работы. Антонина Варламовна нынче преподает в простой муниципальной школе, зато недалеко от ее нового дома. До несчастья с сыном она работала в гимназии «Звезда».

— И почему мне это название знакомо? — удивилась я.

— У заведения лозунг «Звездой станет каждый», — поморщился Кудрин, — там есть театральный и музыкальный кружки, а еще такой, где учат моделей. Возможно, поэтому ты про «Звезду» слышала. Осиповастаршая оттуда ушла. Школа, где она сейчас математику ведет, обычная, в ней учится много детей гастарбайтеров, из которых никто манекенщиц делать не собирается. Анна тоже уволилась — она была медсестрой в больнице, выучилась на косметолога, теперь работает неподалеку от нового дома. И вдова вышла замуж. М-да...

— Не стоит осуждать молодую женщину, которая не хочет проводить жизнь в одиночестве, — кинулась я на защиту незнакомой Осиповой, — не в древней Индии находимся, никто в России вдову на погребальном костре вместе с умершим супругом не сжигает.

— Да на здоровье, пусть хоть каждый месяц белое платье натягивает, — кивнул Алексей, — я не про это, ты до конца выслушай. Второго ее супруга тоже зовут Николаем. Николай Юрьевич Юркин. Он на два года старше покойного Осипова, по профессии шофер, трудится на хлебозаводе. Ни в том, ни в другом браке детей у Анны нет.

— И что в этом необычного? — не поняла я. — Вероятно, женщина бесплодна.

— В Медведкове у семьи Осиповых была трешка, — продолжал Алексей, — хорошая, просторная. И район теперь считается чуть ли не центром. Не Арбат, конечно, но, по мне, так лучше жить в зеленом Медведкове рядом с ВДНХ, где гулять можно, чем в кривых переулках, где одни дома и никаких признаков зелени. Осиповы переехали в новостройку, аж в четыре здоровенные комнаты.

— Сыграли на разнице районов, — пожала я плечами, — получили лишнюю площадь. Что-то я тебя не пойму. Осипов интересен нам живой, но он умер и уже ничего не расскажет. Для нас главное, что имени заказчика, который заплатил за издевательство над Верой, от него уже не узнать.

Кудрин почесал подбородок и повторил задумчиво:

— Четыре просторные комнаты... Почему Анна с новым супругом живут вместе с Антониной? Их хоромы легко разбить на отдельные квартиры. Мало найдется мужчин, которые испытывают радость, узнав, что с ним на одной площади будет жить теща.

— Антонина Варламовна не мать Анны, — напомнила я.

— Так то-то и оно! — воскликнул Алексей. — Даже родная, так сказать, теща вызовет у молодожена истерику, а бывшая свекровь жены ему никак не родственница. Почему эти люди не разменяли апартаменты?

— Возможно, Анна считает Антонину Варламовну матерью, — предположила я.

— Неплохая попытка, — улыбнулся Кудрин. — Однако я за свою практику с примерами столь высоких отношений не сталкивался. Все невестки-свекрови, которые бывали в моем кабинете, а их немало через него прошло, самозабвенно ненавидели друг друга.

— Ну не одни же уроды повсюду, — рассердилась я, — встречаются нормальные люди. Просто они полицию не посещают.

Алексей вынул из сумки портсигар.

— Не спорю, свекровь и невестка могут мирно дуэтом варить суп. Верю, что общее горе, смерть Николая, сплотило Анну и Антонину Варламовну. Но потом-то старшая Осипова должна была возненавидеть бывшую невестку — та выскочила снова замуж, не стала хранить верность ее сыну. И какого черта им рядом, бок о бок жить?

Я стала рассуждать вслух:

— Здесь два варианта. Первый: женщин связывают крепкие, прямо отличные отношения, Аня держит Антонину за мать, та обращается с ней, как с любимой доченькой. Второй: троица сейчас постоянно грызется, ругается, дерется, но никак не подберет вариант для разъезда, потому что никто не желает уступать.

У Алексея зазвонил телефон, следователь нажал на экран.

— Говори, Барбося.

— О великий эмир моей души, — полетело из трубки, — рахат-лукум глаз...

— Ты на громкой связи, — привычно остановил девушку Алексей, — со мной Степанида.

— Привет, Степа! — Голос Насти стал радостным.

— Добрый день, — поздоровалась я.

— Степа, думаю, тебе надо встретиться с Анной, — предложила вдруг помощница Кудрина. — А заодно с Антониной Варламовной потолковать.

— Зачем? — удивилась я.

— Мужья часто с женами откровенничают, — пояснила Барбосина. — Вот мой папа вечно маме все докладывает, и если у него вдруг лишние деньги откуда-то появятся... ууу... тут мамуська ему голову отвинтит, а потом задом наперед поставит.

— А что плохого, если муж где-то дополнительно заработает? — удивилась я.

Настя фыркнула.

— Папуська бывший военный, сейчас служит в охране, на проходной стоит. И где он подхалтурить может? Откуда у отца сверхприбыль? Один ответ напрашивается. Можешь сказать какой?

— Он вступил с кем-то в преступный сговор, — мигом сообразил Алексей. — Скажем, с рабочими. Мол, секьюрити закрывает глаза на вынос продукции или материалов. Ну а те ему приятную такую бумажку в карман суют.

— Точно! — подхватила Барбосина. — Очень часто лишний заработок — свидетельство того, что человек преступил закон, вляпался в лужу, а она не из жидкого шоколада, хоть по цвету и похожа.

— Осипов работал в СИЗО, получал оклад... — протянула я.

— Мыслишь в нужном направлении, — одобрил Алексей.

— Минуточку, минуточку, — забормотала Настя, — в огороде моего мозга зацвела идея... надо проверить...

— Если муж вдруг дорогой подарок жене купил или что-то там крупное приобрел, — продолжала я, — то Анна должна была насторожиться. Представим: супруга боялась лезть в дела хозяина семьи, опасалась, что тот ей грубо ответит: «Не твое дело, откуда деньги». Но матери-то сын так не заявит, она добьется от него правды. Моей бабушке Изабелле Константиновне всегда удается из меня любую информацию вытряхнуть. Для этого у нее есть разные методы.

— А! Барбося гений! — завопила Настя. — Я все правильно дотумкала. Что в первую очередь купит мужик, если надыбает мешок с дукатами? Подсказка: у него в гараже ржавые, еле живые от старости «Жигули».

— Машину, — хором ответили мы с Алексеем.

— Браво, Барбося! — продолжала нахваливать себя Анастасия. — Осипов вскоре после того, как Вера угодила в психушку, обзавелся нехилыми по тому времени колесами — новенькую иномарку приобрел. А через неделю его задержали. Ну не идиот ли! На что угодно спорю, Николай прикатил на службу гоголем, не удержался, похвастался. Дальше понятно. Коллеги позавидовали, проследили за парнем, узнали, из какой тучи на сослуживца золотой дождь пролился, и настучали куда следует. Вы там чем занимаетесь?

— Обедаем, — ответил Алексей. — Почему ты интересуешься?

— У меня еще идейка появилась, — радостно сообщила Настя. — Дайте мне минут пятнадцать. О'кей?

— Ладно, — согласился Кудрин. — А мы со Степой пока чай с пирожными попьем.

— О-о-о... — простонала Барбося. — Не говорите мне о десерте, я села на диету.

Глава 29

— У Насти лишний вес? — спросила я.

— Она раз в пять шире тебя, — хмыкнул Кудрин, — вечно без толку на диетах сидит.

— Ей надо щитовидку проверить, — посоветовала я. — У нас есть постоянная клиентка, хирург-эндокринолог Оксана Степановна с очень смешной фамилией Глод. Милая женщина, все ей всегда рады — веселая, приветливая. Ну да, покупки делает небольшие, ведь у докторов, которые в муниципальных больницах служат, деньги в кармане не шуршат, а звенят. Но, несмотря на то, что Оксана Степановна нам кассу мощно не подпитывает, ее после того, что нам Нина Баркина рассказала, в ВИП-клиенты перевели. У этой продавщицы вес зашкаливал, она множество диет перепробовала, но только толще становилась. А потом к ней Глод подошла и тихо сказала: «Простите за бестактность, думаю, вам надо похудеть. Проблема у вас со щитовидной железой. Вот моя визитка, позвоните». Через год Нина стала стройной, как тростинка. Потом Глод прооперировала одну нашу кассиршу, причем шрам у нее на шее почти не виден. Теперь весь «Бак» чуть что к Оксане Степановне бегает. Она всегда помогает. Даже если не по ее части у человека проблема, отправит к другому хорошему врачу. Я тебе дам телефон эндокринолога, а ты его Насте перешли. Если диеты ей не помогают, значит, дело не в еде.

— Как раз в жрачке, — отмахнулся Алексей. — Почему эклер не ешь? Он свежий.

Я смутилась.

— Не сочти меня за снобку, но в Москве выпечка невкусная. Вот в Милане или Париже я не откажусь от пирожного. А у нас крем вечно не заварной, а сливочный. Кроме того, российские кондитеры охотно используют растительные сливки. Но ведь молоко не растет на деревьях! Взбитая белая масса на торте приготовлена обычно на основе кокосового или пальмового масла. Первое вполне себе ничего, а вот второе не самое полезное. Или того хуже — мастера на кухне взяли сухую смесь, а в ней ну очень много сахара, загустителей. И вкус у растительных сливок — фу-у. Поэтому я, несмотря на то, что очень хочу съесть эклерчик, не прикоснусь к нему. В Париже оторвусь, схожу в булочную Муло.

— Ты можешь не сожрать что-то, даже если хочешь этого, — подвел итог Кудрин. — То есть хочешь пирожное, но в рот его не суешь. А Настя бы на твоем месте вмиг эклер схомячила. У нее стоп-сигнал отсутствует. Диета Барбоси просто смех: утром слопает обезжиренный творог, полчаса смотрит на чайник, вздыхает и начинает безостановочно пить кофе. Без сахара — она же на диете. Зато наливает в него сливочки и лопает горстями сухофрукты, орешки. Мол, они очень полезны и вовсе не еда.

— Ничего себе! — воскликнула я. — Курага, финики и иже с ними очень калорийны, про орехи вообще молчу.

— Потом у нее диетический обед, первый полдник, второй полдник... пятый, десятый, — засмеялся Алексей, — ну и так далее. Эндокринолог, даже очень хороший, в ее случае не поможет. Необходим портной.

— Зачем? — не поняла я.

— Рот зашить, — объяснил Кудрин. — Смотри, тебе сообщение пришло, экран мигает.

Я открыла Ватсапп и увидела фото мужчины, лицо которого показалось мне смутно знакомым. Наверное, это один из ВИП-клиентов фирмы «Бак», из тех, у кого есть мой мобильный номер. Под снимком было написано: «Как тебе моя новая стрижка?»

«Прекрасно, — совершенно не покривив душой, ответила я. — Ты был у Стефано?»

Через секунду мне прилетело:

«Кто такой Стефано?»

Я задумалась. Мужчина не знает нашего вице-президента, члена Совета директоров француза Стефано, который родился с ножницами в руках? Стефано — волшебник, способный так постричь Бабу-Ягу, что та станет похожей на фею. Значит, мой абонент не наш ВИП-клиент. А кто? Надо попытаться это выяснить.

«Где тебя стригли? — задала я свой вопрос. — В салоне Альтосенсо?»

«В «Баке» по твоей рекомендации», — ответил незнакомец.

Я удивилась.

«Кто стриг?»

«Угадай».

— У тебя такой озабоченный вид. Что-то случилось? — напрягся Алексей.

Я отложила телефон.

— Мне звонит странный человек. Не знаю его, но определенно где-то видела. Шлет фото, общается так, словно мы друзья. Кто же он такой, а? Нет бы ему подписаться...

— Если он в Ватсаппе, то у тебя его номер определился, — подсказал Алексей.

Я схватила трубку, пробормотав:

— Ну, Степа, ты коза, не догадалась на контакт посмотреть...

И тут же, едва глянув на номер, воскликнула:

— Ой, это же Гаврюша! Врач-психиатр!

— У тебя личный доктор в сумасшедшем доме? — с самым серьезным видом осведомился Кудрин.

— Просто знакомый, — поспешила уточнить я, — я не являюсь его пациенткой.

— А-а-а-а, — протянул следователь, — а то я уж подумал...

Я не отреагировала на слова Кудрина, нажала на экран и спросила:

— Так кто тебя стриг?

— Нравится? — обрадовался доктор.

— Очень. Без идиотской челочки ты совершенно другой человек. Сразу изменился внешне в лучшую сторону. Я даже не узнала тебя.

Гаврюша ухмыльнулся.

— Твоя помощница — супер. Она вокруг меня ножницами щелкала и дудела: «Я всего лишь подмастерье, вот Степанида — гений».

— Твоя стрижка — работа Кристины? — не поверила я своим ушам.

— Фантастическая девушка! — восторгался Гаврюша. — Правда, я моложе стал? Спасибо тебе! Как насчет поужинать вместе?

— Сегодня я занята, — живо отказалась я, — в другой раз.

— Хорошо, — не обиделся Гаврюша.

Мне почему-то захотелось придумать причину, по которой я не смогу посидеть с доктором в кафе.

— С радостью пошла бы с тобой куда угодно, но вечером мне предстоит причесывать одну даму. К ней гости придут.

— Так это ж работы на час всего, — воспрянул духом Гаврюша, — могу подождать, пока ты освободишься.

— У нее еще четыре дочери, три внучки и две собачки, — в порыве вдохновения врала я, — раньше полуночи я не управлюсь.

— Ты и с животными работаешь? — с недоверием спросил Гаврюша.

— Напомни, чтобы рассказала тебе, как мы со Стефано кошачью свадьбу обслуживали, — захихикала я. — Прости, уношусь, на совещание опаздываю.

— Ясно. Ну тогда до завтра, — попрощался доктор.

Я положила телефон на стол.

— Врушка, — улыбнулся Кудрин.

— Так уж получилось, — вздохнула я. — Твоя Кристина сделала очень хорошую мужскую стрижку.

— Говорил же, она мастер, — обрадовался Алексей.

— Когда жених нахваливает невесту, его слова нужно надвое делить, — усмехнулась я, — но, глядя на фото Гаврюши, я понимаю: Светкина — талант. Если она без обучения так стрижет, то когда походит на семинар Стефано, станет прекрасным стилистом. Ей бы еще научиться язык за зубами держать, цены девушке не было бы.

Кудрин взял свой оживший телефон.

— Нельзя требовать от женщины невозможного... Барбося, ты на громкой связи.

— Кто-то еще, кроме тебя и Степы, уши греет? — поинтересовалась Настя.

— Нет, компания прежняя, — заверила я.

— Вот что мне на ум пришло, — затараторила Анастасия. — Одного дежурного ночью в СИЗО ведь не оставят? Так, Леша?

Жених Кристины ухватил двумя пальцами «картошку», посыпанную тертым шоколадом.

— Не знаю точно, как в том изоляторе было заведено, но логично предположить, что нет, не должны оставить.

— Так вот, двое их было в коридоре, где подвальные камеры расположены, — полетела дальше Барбосина, — уже известный вам Осипов и еще Нулин Игорь Николаевич. Что интересно, Осипова редко вниз отправляли, он, как правило, наверху работал. И в личном деле у него есть замечание за грубое обращение — Николай контингенту хамил. А в зал, где передачи принимают, его после драки вообще посылать перестали. Потасовка случилась давно, сейчас-то в этом СИЗО электронная очередь на сдачу харчей. А еще через Интернет можно оформить заказ из их магазина, и его прямо в камеру доставят, у родственников на одну головную боль меньше стало. Но я сейчас про старые времена толкую. Итак, Осипов. Парень демобилизовался после срочной службы, и его в изолятор взяли. Не очень-то туда народ на работу рвался: зарплата маленькая, постоянное общение с асоциальными элементами, график напряженный. Но молодому парню без образования трудно было на лучшие условия устроиться. Полгода он без нареканий кантовался именно в зале приема передач, пока одной посетительнице по шее не вмазал. Из его объяснительной и докладной теток, которые там работали, рисуется картина акварелью. Служащая отказалась брать у гражданки Шиловой какао в жестяной банке. По правилам-то жрачку должны упаковывать в пластик или в бумагу. Шилова начала возмущаться. Кто-то из очереди протянул ей полиэтиленовый пакет. Но бабенка его на пол швырнула. Осипов сделал ей замечание, гражданка Шилова в охранника плюнула, а тот истеричке леща отвесил. Николая перевели к камерам, нотацию ему прочитали. Но лекция о доброте и милосердии впечатления на парня не произвела: Осипов продолжал чморить контингент, за что получал предупреждения и выговоры.

— И почему хама не уволили? — удивилась я.

Алексей сделал глоток из очередной чашки кофе.

— А где другого сотрудника взять? Работаем с тем, кто есть. В СИЗО непрестижно служить. В любом торговом центре зарплата выше и окружение приличное. А в изоляторе надо все время быть начеку, помнить, что спиной к сидельцам поворачиваться нельзя. Текучка там бешеная.

— Вот это меня тоже удивило, — вдруг заявила Настя.

Глава 30

— Ротация сотрудников? — уточнила я.

— Нет, то, что Николай никуда из каземата не рыпался, — объяснила Барбосина. — Сослуживцы постоянно менялись, а Осипов словно корнями в коридор врос. Из его личного дела понятно, что терпением Николай не обладал. Один раз прикажет, и если сиделец сразу указание не выполнит, он ему в морду — бац! Некоторые подследственные жаловались, а сколько их промолчало, неведомо. И Осипов постоянно к местному доктору бегал давление мерить, на головную боль сетовал. У него, похоже, гипертония была. Службу следовало поменять, в тихий угол прибиться. Но Николай оставался в СИЗО. И я задалась вопросом: почему?

— Неправомерные свидания, несанкционированные передачи, левый телефон, лекарства, щипчики для ногтей, — неожиданно перечислил Алексей.

Настя кашлянула.

— Стопудово. Еще тазик и расческа.

— Не поняла, — прервала я их диалог.

Настя заговорила еще быстрее:

— Осипов брал деньги с родственников и адвокатов за незаконные встречи с теми, кто сидел под замком, таскал подследственным лишние передачи, лекарства, давал позвонить по телефону.

— А щипчики при чем? — недоумевала я. — Тазик? Расческа?

— Леша, объясни, — велела Настя, — а я пока пирожок съем, Варька принесла.

— Пирожковая диета — отличная штука, — усмехнулся Кудрин. — Все острые, колющие, режущие предметы в СИЗО под запретом. И как с ногтями быть? Они же растут.

Я налила воды в фужер.

— Самое простое решение проблемы — отгрызть.

— На руках легко. А на ногах? — Кудрин засмеялся. — Тазик, чтобы белье стирать, передать можно, но надо разрешение от начальника изолятора получить, пару месяцев к нему в очереди простоять. А из расчесок умельцы заточки делают, поэтому с ними тоже проблема. Вот на этом нечистые на руку стражники свое материальное благополучие и строят.

Послышалось громкое чавканье.

— Точно! — продолжая жевать, снова заговорила Настя. — Я сообразила: в подвальное помещение, где малые камеры, Осипова не посылали из-за характера.

Там сидят не простые трамвайные воришки, а богатый народ или со связями. Вломит Николай какому-нибудь крутому авторитету по морде, и такие неприятности польются, мама, не горюй. А тут он вдруг очутился внизу. Почему? Нет ответа на сей вопрос. И начала я Нулина Игоря Николаевича изучать. Интересный, между прочим, расклад получился.

— Дожуй пирожок и тогда говори, — приказал Кудрин.

— Уже слопала, теперь салатиком харчусь, — объяснила Настя, — у меня диетический обед. Нулин из старых сотрудников, пришел до Осипова. По возрасту парни почти ровесники, первый на год старше. К Игорю никаких претензий, в деле одни поощрения. Рук никогда не распускал, женат на Ирине Максимовне Гавриловой, после ареста Осипова получил повышение по службе. И вот самое вкусное...

Настя чем-то захрустела.

— Слово «вкусное» относилось к диетическому, абсолютно не калорийному, но сдобному и жирному печенью, которое ты сейчас хрумкаешь, или все же к информации? — осведомился Алексей.

— Вы слышите фанфары в честь моего ума, — хмыкнула Барбосина. — Через несколько месяцев после смерти на зоне Николая Осипова Нулина сбила машина. Насмерть! И какие идеи в голове возникают в связи с данным событием? Может, Нулин и есть тот, кто Колю сдал, настучал на него, за что и получил повышение? И наезд был местью предателю?

Я не удержалась от вопроса:

— И кто же ему отомстил, Осипов из могилы?

— Ну, у Николая же остались жена и мать, они могли кого-то нанять, — застрекотала Настя. — Кроме того, я лелею еще одну идейку. Вроде фантастическую, но мы с подобным уже сталкивались. Лешик, помнишь Олега Змеева?

Кудрин перестал пить кофе.

— Его забудешь.

— Кто такой? — полюбопытствовала я.

Но Барбосина ничего не пояснила и Алексею не дала ответить, затараторила дальше:

— Новый муж Ани Осиповой живет в одной фатерке с ее прежней свекровью. Квартиру и работу поменяли, Леш, глянь на фото Николая Юрьевича Юркина, второго супруга безутешной вдовы...

Телефон следователя мигнул, экран посветлел, на нем появился снимок совершенно лысого человека в больших очках, с усами и аккуратной бородкой.

— М-да... — крякнул Алексей. — Что ж, возможно.

— И имя его Николай, — невесть зачем напомнила Настя.

— Угу, — протянул Кудрин, — но это не доказательство.

— Согласись, штришок.

Я молча слушала диалог, не понимая, о чем идет речь.

А Кудрин и Барбосина продолжали:

— Ну да, штрих. И только.

— ДНК!

— Можно попробовать. С чем сравнить?

— Вдруг у него его брали?

— Сомнительно.

— Проверю.

— Я бы на это не надеялся.

— Все равно посмотрю. Есть мысля!

— Твои мысли меня пугают.

— Тип-топ. Не переживай. Чистильщик.

— Может.

— Если выйти на него, то...

— Барбося, и не мечтай.

— Нулин мог знать про заказчика. Чует мое сердце, они точно в паре с Осиповым работали. Я редко ошибаюсь.

— Экий ты эмоциональный, розовый фламинго.

— Да! И нечего смеяться.

— Я серьезен, как никогда.

Экран телефона погас, помощница Кудрина отключилась.

— Для меня ваш разговор звучал как китайская грамота, — пожаловалась я, когда Алексей перестал общаться с Настей. — Что и кому надо чистить?

Жених Кристины вытащил из кармана сигарету.

— В кафе запрещено курить, — напомнила я.

— Она электронная, — объяснил следователь.

— Такие вреднее настоящих, — не успокоилась я.

Алексей задымил.

— Чистильщиком называют человека, который создает новую личность. Его клиентами становятся непойманные преступники, беглые зэки и те, кто удачно смог прикинуться покойником. Ну, допустим, некий N скончался на зоне от инсульта. Вот ударило ему в мозг, и все! Местный доктор нужные бумаги составил. Но учти, зона на краю цивилизации, родня же почившего сидельца живет в Москве. Причем денег у нее на авиабилеты нет, весь подкожный запас на адвоката и передачи потрачен, а транспортировка тела в столицу — очень дорогая услуга. Что делать? На местном кладбище покойного зарыть. Так и поступили. Гроб в землю, документы оформили, конец истории. Но на погосте в общей могилке трупа нет. Мертвец живехонек. Мужик получил новые документы и свалил куда подальше. Это очень грубая схема. В ней задействованы врач, начальник зоны, еще кто-нибудь, каждый получает свою мзду. Для осуществления этого нужны большие деньги, связи. И непременно нужен Чистильщик. Люди данной профессии бывают разные. Есть мелкие, которые документы на компьютере-принтере стряпают. Вроде с виду настоящий паспорт, но до первой серьезной проверки. А есть мегапрофи. Вот те на вес золота. Денег они стоят немереных, но если берутся за работу, то их клиент реально другим человеком становится, к такому не подкопаться. Настоящий Чистильщик своему «крестнику» и хорошую биографию придумает, и устроиться на службу поможет, и квартиру найдет со всеми необходимыми справками, отыщет женщину, которая при виде клиента будет кричать: «Сыночек, детка, любимый!» У этих мегапрофи разветвленная сеть контактов, поймать спеца почти нереально. Лет пять-шесть назад взяли мы одного такого мастера: у него оказалось с десяток паспортов, все на разные фамилии. ДНК мужика получили, но на этом дело застопорилось. Потому что с чем сравнить-то? Человек же не привлекался никогда. Пока следователь в разные стороны в поисках улик и доказательств торкался, адвокат добился оформления для клиента подписки о невыезде. Потом адвокат забрал мужика, и все — тот как в воздухе растворился.

— Ну и ну, — поежилась я.

— В таких делах есть негласное правило, — продолжал Алексей, — новая личность не должна контактировать с родней прежней. Коли жена мужа с зоны вытащила и он теперь по паспорту не N, а K, то супруга отныне вдова N, и с K ей чай пить нельзя. Но, как известно, правила часто нарушаются. Например, K уматывает жить за границу, а туда, вот же совпадение, безутешная вдовушка N отправляется, и пропали их следы на песке океана. Кто там с кем в далекой стране живет, в России неизвестно. Разные вариации случаются. Настя вот засомневалась в отношении Осипова. Что ее насторожило? Имя. Он Николай и второй муж Анны тоже.

Я постучала ложкой по столу.

— Стоп! Это ведь одно из самых распространенных имен в России.

Алексей не стал возражать.

— Согласен. Вот только новой личности, если ее не звали в прежней жизни Попандипопуло или еще позаковыристей, обычно оставляют родное имя. Сечешь почему?

Я кивнула.

— Можно машинально и привычно представиться, скажем, Сашей, хотя в новом паспорте стоит «Максим».

— И еще несколько интересных фактов, — кивнув, продолжал Кудрин. — Нового мужа тоже зовут, как прежнего. Бывает, имя нередкое. Он живет в одной квартире с матерью своего предшественника? Не преступно. Хотя, согласись, необычно. Женщины поменяли квартиру и службу? Опять все законно и объяснимо: небось и коллеги, и соседи знали об аресте главы семьи, его жене и матери не хотелось постоянно быть героинями сплетен. Но когда все вместе складывается — имя, сожительство под одной крышей с бывшей свекровью супруги, переезд... Очень похоже, что Осипов жив. Он получил другие документы, изменил внешность: побрил голову, отрастил усы-бородку, нацепил очки. Ерундовые детали, однако эффективные. Поступил так, как ему велел Чистильщик. Но спустя время, когда он остался без мудрого руководства того, кто из Николая Осипова сделал Николая Юркина, бывший охранник и зэк, возродившийся в другом образе, нарушил первое правило безопасности: встретился с Аней и женился на собственной «вдове». И выходит, не с бывшей свекровью супруги наш Юркин проживает, а с родной матерью. Если принимаем эту версию, то многое встает на свои места.

— Антонина Варламовна или Аня могли найти Чистильщика, — согласилась я.

— Откуда у них такие знакомые? — усмехнулся Алексей. — Они тихие мыши, вовсе не криминальные личности. И, похоже, денег больших не имеют.

— Всякое возможно, — возразила я. — Вдруг тот, кто ловко штампует новые паспорта, родственник семьи Осиповых? Старый друг? В конце концов, бывший ученик Антонины Варламовны, которому она когда-то помогла?

Кудрин посмотрел на свой телефон.

— Не верю я в альтруизм преступников. У охранника точно был босс.

— Ну да, Нулин, — кивнула я, — ты уже о нем говорил.

— Нет, тот подельник, — продолжал Кудрин. — Я веду речь о человеке — возможно, это был адвокат, — который Игорю и Николаю клиентов посылал, тех, кто хотел получить незаконное свидание с сидельцем и все прочее. Даже почти уверен, что это был адвокат. Обязательно надо его найти. А вот к Чистильщику почти невозможно подобраться. Наши рассуждения о том, что Осипов стал Юркиным, просто бла-бла. Они бездоказательны.

— Если сможем точно установить, что муж Анны не умер, тогда узнаем, кто ему велел напугать в СИЗО Веру Чернову, — сказала я. — Зададим «покойнику» прямой вопрос...

— И получим краткий ответ: «Ничего не знаю, все Нулин замутил», — перебил меня Алексей. — Это может быть правдой, а может ложью. Нет, нам надо отыскать того, кто поставлял Осипову клиентов. Вот он точно знает имя заказчика Черновой. И чем больше я думаю над этим вариантом, тем яснее понимаю: нужный нам человек — именно адвокат. Надо срочно заняться его поисками!

— Отличная идея. Прекрасная, как идея полета на Венеру. Но как ее осуществить? — усмехнулась я.

Следователь взялся за трубку.

— Вдова Игоря, ее зовут Ириной, замуж после кончины супруга не вышла. Живет там же, работает на прежнем месте. Если с Нулиной осторожно поговорить, авось кое-что выведать удастся. Когда в семье хорошие отношения, супруга много чего о делишках своего благоверного знает. Но мне на контакт с ней идти нельзя. Ирина долго пороги отделения обивала, просила дело об убийстве Игоря открыть, а ей отвечали: «Нет криминала, обычное ДТП». У женщины нервы не выдержали, она скандал устроила, ее вон вытурили. Больше Ирина Максимовна в милицию не ходила, наверняка до сих пор зла на всех ментов. Конечно, я могу представиться кем угодно. Но вдруг в процессе разговора она догадается, кто перед ней? Тогда Ирина точно откажется от беседы, я ничего у нее толком не выясню. А вот ты, Степа, категорически на сотрудницу каких-либо органов не похожа. Вообще никак.

— Не могу же я просто взять и к ней приехать, — возразила я, — должен быть повод. К бывшей сокамернице Веры Черновой я безо всякой причины прикатила, но та ведь алкоголичка, вопросов не задавала, ее только деньги на бутылку волновали и пиво бесплатное.

— О, Настена молодец, прислала справку на вдову, — пробурчал Алексей, глядя в телефон. — Вот! Есть у нас хорошая зацепка — Ирина Нулина, мастер ногтевого дизайна, постоянно в Инстаграме свою рекламу выставляет, пишет: «Недорого, качественно, красиво». Похоже, она остро нуждается в клиентах.

Я усмехнулась:

— Предлагаешь к ней на прием записаться?

Кудрин не оценил шутку, ответил серьезно:

— Да. Она тебе ногти отполирует, ты восхитишься ее работой и представишься по полной программе. Крися говорила, что у вас в магазине можно руки в порядок привести.

— Есть зона, где покупателям маникюр делают, — уточнила я. — Тех, кто чек на покупку покажет, обслуживают бесплатно. Остальных за небольшие деньги. Удобно. Но лучше ходить к своему мастеру.

— Наверное, к вам многие мечтают на службу попасть? — предположил Алексей.

— В основном те, кто недавно ногтевым дизайном занимается и не обзавелся еще постоянной клиентурой, — объяснила я. — Текучка среди мастеров большая, они у нас сотрудники на договоре. Маникюршами занимается Юля Ефремова, я ее начальница. Ладно, велю поставить лишний стул и посадить Ирину, если та захочет у нас поработать.

— Сейчас дам ее телефон, — оживился Алексей.

Глава 31

На следующий день в районе полудня Ирина Нулина приехала ко мне домой и быстро сделала вполне приличное покрытие ногтей гелем.

— Очень красивый френч, — одобрила я. — Люблю, когда белая полоска небольшая, но многие мастерицы ее на полногтя рисуют.

— Лучше, когда тоненько, аккуратненько, — улыбнулась Ирина.

— И как вы не боитесь к незнакомому человеку на квартиру приходить? — вздохнула я. — Вдруг вас встретит не девушка, а здоровенный амбал?

Ирина Максимовна приподняла бровь.

— И зачем я ему? Как сексуальный объект я давно не представляю интереса, золотом не обвешана, денег в кошельке почти нет, мой телефон дешевле некуда. Что у меня взять можно?

— Или выполните свою работу, а вам не заплатят, — продолжила я «страшилки».

— Случилось один раз, — согласилась Ирина, — но от этого и в салоне никто не застрахован. Я раньше работала в «Сенто»...

— Где? — поразилась я.

— В «Сенто», — повторила мастер.

— Дорогое заведение, — кивнула я, — туда только богатые люди ходят.

Нулина начала складывать инструменты.

— Обеспеченность не есть синоним порядочности. У меня там была постоянная клиентка, жена одного депутата. Вежливая, хорошо воспитанная, с мастером уважительная. Правда, она никогда чаевых не оставляла, но меня это не удивляло, там многие посетители мастеров не благодарили. Да и понятно почему — в «Сенто» очень большой счет всегда выставляли. А нам копейки отсчитывали. Но я нашла способ заработать. Внимательно присматривалась к клиентке, и если она доверие внушала, предлагала: «Хотите, могу к вам на дом ходить? В два раза меньше платить за работу будете». Все соглашались. И к той даме я тоже стала ездить. Квартира у нее огромная, пентхаус, обстановка соответственная, прислуги — армия... Там буквально пахло материальным достатком. Я ни о чем плохом не подумала, когда дама сказала: «Ирочка, мне удобнее вам ежемесячно платить, а не каждый раз». Вопросов не возникло, некоторые дамы со мной так и рассчитывались, то есть сразу за несколько визитов. И вот прошло три месяца, а денег от нее нет и нет. И я спросила про оплату. Клиентка ахнула: «Как? Вам горничная не отдала? Я разберусь. В следующий визит конверт получите». Но больше мне с ней встретиться не пришлось — охрана меня к ней в дом не пустила, а мой номер телефона дама явно поместила в черный список.

— Увы, бывает подобное, — вздохнула я, — слышала от своих сотрудников разные версии похожих неприятностей. Я ведь в фирме «Бак» работаю.

— Ух ты! — восхитилась Ирина. — Вы там кто? Продавец? Не слышали насчет вакансий по маникюру? На первом этаже торгового дома зона ногтевого дизайна работает. Не спросите насчет места? Если поможете мне туда устроиться, я вам за эту услугу в следующий раз бесплатно ноготки сделаю.

Я улыбнулась.

— Когда хотите приступить к работе? Прямо сегодня? Можно с шестнадцати часов. Или завтра?

Ирина округлила глаза, а я взяла телефон.

— Юля, это Степанида. К тебе придет Ирина Нулина, устрой ее за первой стойкой, она мой человек. Сейчас ей твой контакт передам. Спасибо.

Вдова охранника молча смотрела, как я пишу на своей визитке цифры. Потом, не произнеся ни слова, взяла карточку и пробормотала:

— Ну и ну! Я и не мечтала познакомиться с членом Совета директоров фирмы «Бак». Извините, что приняла вас за продавщицу.

— Ваши слова, наоборот, звучат как комплимент, — весело ответила я. — Все наши продавщицы красавицы, фирма берет для работы с покупателями только очень симпатичных внешне людей. Отдел персонала проверит вашу анкету. Но поскольку вас рекомендовала я, тщательно в биографии копаться не станут. Как специалист по ногтевому дизайну вы нам вполне подходите, а вот как о человеке о вас хочется кое-что узнать. Хотите кофе? Предлагаю поболтать за чашечкой капучино.

Я пошла к кофемашине, продолжая говорить на ходу:

— Не из праздного любопытства спрашиваю. У кого-то из ваших родственников или у вас самой были проблемы с законом? Наш хозяин Роман Глебович Звягин весьма строг на сей счет, тех, кто побывал за решеткой, в «Бак» не берут.

Нулина опустила голову и ответила не сразу. Наконец как бы выдавила из себя:

— Наоборот.

Я поставила перед ней чашку с горкой белой пены.

— Что наоборот? Не понимаю.

— Мой муж работал в следственном изоляторе. Игорь пришел туда сразу после демобилизации, начал с низшей должности и пошел вверх по служебной лестнице. Все говорили, что Нулин непременно главным начальником станет. Честный, прямой, не врун. Был милосерден к контингенту, не то что некоторые. Моего супруга все любили. Но... он погиб.

— Простите, — тихо сказала я.

— Ничего, вы же не знали. Сейчас-то я уже не рыдаю, когда Игоря вспоминаю, — вздохнула моя собеседница. — Жаль, мы ребеночка не родили. Муж все говорил: «Ируся, давай пока для себя поживем, квартиру побольше справим». И что вышло? Жилье есть, да я в нем одна. Так что не надо деток на потом откладывать, это «потом» может не наступить... Мы с Игорьком первые годы после свадьбы жили в комнатушке в коммуналке, муж все о собственной норке мечтал. А где ее взять? В советское время хороших сотрудников поощряли: многие тогда трешками бесплатно обзавелись. Но мы в другие времена семью строить начали.

— И тем не менее, насколько я поняла, вам удалось осуществить свою мечту? — осторожно спросила я.

— Игорь каждую копейку откладывал, да еще по выходным дням подрабатывал, — пояснила Ирина.

— В охране? — предположила я.

— Нет, — улыбнулась Нулина, — он золотые руки имел, прекрасно реставрировал все деревянное, сам кухонные шкафчики сделал. В выходные Игорек ездил по людям и ремонтировал мебель. Хорошо за это платили. А потом повезло — его пригласил Вениамин Елисеевич, владелец крупного стройбизнеса. Игоряша в его загородном доме столы, шкафы починил, прямо как новенькие стали. Вениамин ему предложил квартиру по цене застройщика, разрешил платить в кредит. Долг Игорек погасил незадолго до служебных неприятностей. Колобок только вот, мерзавец...

Ирина быстро захлопнула рот.

— Колобок? — повторила я. — Который от бабушки ушел, от дедушки ушел?

— Случайно с языка сорвалось, — смутилась Нулина. — Глупое прозвище, его Николай Осипов, коллега Игоряши, за знатное пузо получил. Мне он с первого взгляда не понравился, а мой муж, человек добрый и сострадательный, Кольку под свое крыло взял, подружился с гадом, опекал его. И как Колобок его отблагодарил? Начал разные незаконные услуги контингенту и родственникам подследственных оказывать. Понятно, что за большие деньги. Игорь узнал, чем приятель занимается, и несколько дней сам не свой ходил, потом рапорт написал.

— Наверное, вашему супругу не просто было такое решение принять, — предположила я.

— Да! — воскликнула Ирина. — Он постоянно мрачный ходил, я спрашивала, что случилось, Игорек отмахивался: «На службе неприятности, в дом их вносить не желаю». А потом скандал с Колобком произошел, и Осипова посадили. Так он пытался напарника, то есть моего мужа, грязью замазать, соврал, что тот с ним заодно. Для нас очень плохое время наступило — Игоря вызвали к руководству, внутреннее разбирательство началось. Колобок, подлец, со всех сторон Игоря оболгал! Муж наконец нарушил свое правило — о рабочих неурядицах дома молчать — и все мне выложил. Сейчас вам все расскажу, если согласитесь выслушать. А то у меня давно наболело, но поделиться не с кем.

Конечно, я кивнула с заинтересованным видом, и Нулина приступила к повествованию...

Оказывается, Осипов заявил следователю: «Вы понятия не имеете, что в СИЗО орудует целая группа. Могу сообщить всю информацию, но пусть мне за помощь следствию будет условный срок». А далее Колобок набрехал, что его напарник, в смысле Игорь Нулин, квартиру купил на деньги, которые ему платил мужчина, посылавший к нему родственников арестантов. За что Нулин, нарушая закон, ночью впускал в СИЗО матерей и жен подследственных, давал заключенным телефон для звонков на волю, передачи проносил лишние, водку, наркоту. В общем, Колобок как по нотам пел.

Но следователь не дурак оказался. Он поклеп выслушал и сказал Осипову: «Ваше личное дело взысканиями переполнено. На ваш злой нрав не только родственники и адвокаты многих подследственных жалуются, но и коллеги. Буквально все работники изолятора говорят о вас так: «Николай Осипов грубиян, матерщинник, в столовой вечно без очереди лезет, если ему замечание сделаешь, далеко и надолго посылает». А на Нулина у меня исключительно положительные отзывы. Николай, вы не так давно приобрели новую иномарку, и при обыске в вашем доме изъяли несколько пар дорогих часов, новые мужские вещи, в том числе очень дорогой кожаный плащ, а в шкафу обнаружили крупную сумму в валюте. Несколько раз коллеги замечали вас выходящим из элитного супермаркета. Откуда средства? Врать не стоит. Кое-кто из родственников тех, кто в СИЗО нары греет, признались в даче вам взяток».

Осипов заорал: «Имей я нормальную зарплату, на которую семью прокормить можно, не стал бы связываться с подонками. Сколько государство хорошему человеку за тяжелый труд платит? Гроши! Обыск они у меня делали... Лучше Нулина тряхните — он главный!» Но к напарнику Николая вопросов не возникло, его даже через некоторое время повысили, а Колобок умер в заключении...

— Господь все видит! — воскликнула в этом месте рассказа Ирина. — Мне его ни на секунду жалко не стало, гаденыш море крови у супруга выпил. А его жена! Представляете, она ко мне после суда над Осиповым приехала и заныла: «Скажите Игорю, что он мне денег должен. Коля с оказией сообщил: за последнюю работу Нулин ему ничего не дал. Нам с мамой жить не на что». Мы на пороге беседовали, я ей вежливо сказала:

— Ничего о делах супруга не знаю.

Так она на меня с кулаками бросилась.

— Твой... Николашу ненавидел! Подарил ему в насмешку голое платье звезды! Коля его надел, так в раздевалке все со смеху попадали, стали его дразнить: Колобок в голом платье звезды!

— Голое платье звезды? — повторила я. — Простите, не понимаю.

Нулина посмотрела на пустую чашку.

— Мой Игорек любил весело пошутить. Он Николаю подарил футболку, на ней принт: голый мужской торс, на котором написано: я звезда. Николаю футболка понравилась, он ее натянул, на работу пошел. И правда весело, издали кажется, что идет голый мужик, на груди татушка: я звезда. Он в раздевалку зашел, а парни заржали:

— Колян! Ты в голом платье! Елы-палы, ты звезда!

Ну и начали мужика дразнить потом. Как увидят, сразу смеются:

— Эй, Колобок! Когда снова в голом платье звезды покажешься?

Но разве это обидно? Просто весело. Так эта дура, жена Колобка, хотела мне глаза выцарапать.

Я дверь захлопнула, так мерзавка на ней снаружи краской из баллончика нецензурно написала: «Здесь живет...» Отчистить не удалось, пришлось дверь менять, деньги большие платить. И на том не закончилось! Спустя примерно неделю меня уже мать Колобка на улице у подъезда подстерегла, за руку схватила. Мы с ней были знакомы, Николай нас с мужем к себе на дни рождения звал, и мы тоже Осиповых к себе иногда приглашали — все же мужчины работали вместе. Так вот, вцепилась Антонина Варламовна мне в плечо, да с такой силой, что синяк остался, и давай гундеть: «Ирина, побойся Бога, отдай Николашины деньги. Анечке ЭКО сделали, ей нервничать нельзя, вдруг опять выкидыш будет...»

Нулина перевела дух и попросила:

— Не сочтите за наглость, но у вас кофе очень вкусный. Не нальете еще чашечку?

Глава 32

— Колобок? — переспросил Алексей. — Не слышу! Повтори!

Я тоже повысила голос.

— Да, Колобок. Так Ирина Нулина называла Осипова. Я в тоннеле ехала, поэтому мои слова до тебя не долетали.

— Сейчас звук прекрасный, — заверил Кудрин.

— Тогда слушай, — велела я, притормаживая у светофора.

...Теща и жена Осипова по очереди приезжали к Ирине и просили ее поговорить с Нулиным: хотели получить деньги, которые он, по их словам, не заплатил Николаю. Ирина обеих теток недвусмысленно отправила лесом, те больше не появлялись, а мужу она про их визиты не сообщила, не хотела его тревожить. В аварию Игорь попал уже после смерти Осипова, разбился на шоссе. Накануне у Нулина был выходной, утром он, как обычно, в шесть утра поехал на службу. Ирина его проводила, вручила бутерброды и термос, а сама еще пару часиков поспала, потом по хозяйству покрутилась — ее смена в салоне в двенадцать начиналась. Ира в рабочее время никогда супруга не беспокоила, понимала, что тот очень занят, и он жене не звонил. В тот роковой понедельник с Ириной связались из больницы, сообщили:

— Игорь Нулин у нас, состояние его очень тяжелое, если хотите застать его живым, поторопитесь.

Ирина бросилась в медцентр. Ее пустили в реанимацию, врач сказал:

— Посидите с мужем, но он вас не видит и не слышит.

Когда доктор удалился, присутствовавшая при разговоре немолодая медсестра посоветовала:

— Вы его за руку возьмите и безостановочно говорите о том, как сильно любите, просите его от вас не уходить.

Нулина заплакала, сказала сквозь слезы:

— А по словам реаниматолога, Игорь без сознания.

Медсестра погладила ее по плечу.

— Я не первый год в этом отделении работаю, насмотрелась всякого. Иной пациент вроде совсем уж умер, а жена с детьми рыдают, упрашивают не покидать их — глядишь, мужик в себя приходит. Я вон там за стеклом сяду, а ты начинай молить.

Ирина последовала совету медсестры, и в какой-то момент Игорь открыл глаза.

— Милый! — закричала жена. — Ты очнулся!

— Чучело Колобка, — четко произнес супруг. — На меня напало чучело Колобка. Голое платье звезды.

И вдруг прибор, стоящий в изголовье кровати, противно запищал. Прибежала медсестра, примчались другие люди в халатах, Ирину вытолкали в коридор, где она и застыла. Потом дверь палаты распахнулась, высыпала гурьба медиков. Кто-то из них громко спросил:

— Время смерти записали?

— Нет! — закричала Ирина. — Игорек не умер! Он со мной разговаривал! Я хорошо слышала, что на него напало чучело Колобка.

Врачи переглянулись и ушли. Пожилая медсестра обняла остолбеневшую Нулину.

— Так бывает, многие перед смертью в себя приходят...

Умолкнув, я проехала вперед, угодила в плотную пробку и продолжила рассказ.

...Вскоре после похорон к Ирине приехала Анна Осипова и снова завела речь о выплате долга. Нулина ей сначала спокойно ответила:

— Я уже один раз объясняла, что ни о каких деньгах не знаю. Игорь умер. Не беспокойте меня больше. А если еще раз дверь в квартиру изгадите, я в органы обращусь.

Аня повела себя агрессивно.

— Ты такая же, как Игорь! Воровка!

Ирина разозлилась.

— Да я копейки чужой не возьму! Если кого и можно назвать нечестным человеком, так это твоего Николая — суд доказал, что Осипов взяточник. А еще он клеветник — решил Игоря испачкать. Да не получилось!

Анна открыла рот, явно собираясь сказать нечто «хорошее», но Ирина схватила табуретку, которая стояла в прихожей, и кинула ее в непрошеную гостью. Однако в цель не попала, табуретка врезалась в стену. Аня взвизгнула и унеслась...

Я замолчала.

— Конец истории? — деловито осведомился Алексей.

— Больше ни Осипова-младшая, ни ее свекровь к Ирине не заглядывали, — уточнила я. — И вот еще странность. Через неделю-другую после гибели Игоря у вдовы сложилось впечатление, что в ее квартире побывал посторонний. Ирина очень аккуратна, все вещи на определенных местах держит. А однажды, придя домой, она поняла, что пакеты в морозильнике не в том порядке лежат. Нулина не любит по магазинам шастать, поэтому покупает продукты сразу на месяц. Берет, например, курочку, рубит пополам, складывает в пакеты, потом достает частями и варит суп или жарит. Мясо у нее в верхнем ящике лежит, остальное в нижнем. А тут вдруг все вперемешку оказалось — птица, рыба, овощи, фрукты. И еще в ванной крем для лица с дозатором мыла местами поменялись. Это для Ирины просто невозможно.

— Я вот понятия не имею, куда всякую ерунду ставлю, — хмыкнул Алексей.

— Большинство людей такие же, — улыбнулась я. — Но Ирина принадлежит к редкому племени патологических аккуратисток, поэтому она и заметила изменения. Нулина побежала в отделение, сказала там: «Ко мне в дом кто-то залез, в холодильнике продукты не по порядку уложены». Как полагаешь, что ей ответили?

— Вежливо объяснили, что полкурицы никому не интересны, а стаканчик с йогуртом не объект грабежа. Ценности пропали? Нет? До свиданья, гражданочка, не мешайте работать, — произнес Алексей. — Так вслух отреагировали. А про себя подумали: «В столице полно на всю голову больных баб. Порядок у нее, видите ли, в морозилке! Смешнее ничего не слышали!» Но меня эта история заинтересовала. Домохозяйки используют несколько, как им кажется, очень хитрых местечек для заначки в квартире, где и прячут свои ценности. Банковским учреждениям наши люди не очень доверяют, ведь те частенько разоряются. Ну и где у народа нычки расположены? В упаковках с крупой, в бачке унитаза, в шкафу с бельем. Апофигей игры в прятки — морозильник. Как будто грабители ничего об этих хитростях не знают. Может, квартиру Нулиной и впрямь кто-то в ее отсутствие навестил?

— Но зачем кому-то бедная вдова понадобилась? — возразила я. — Разве что какой наркоман нос в квартиру засунул. Думал хоть чем-нибудь поживиться, да ничего не обнаружил и ушел.

— Героинщики не так действуют, — загудел Алексей. — Эти могут на улице пристать, в магазине кошелек спереть, в метро что-нибудь из сумки стырить. По чужим квартирам они не шарят, обычно у своих воруют. И что бы там ни говорили, дверной замок вскрыть не так легко, как кажется. Нужна отмычка и, главное, чтобы руки не тряслись. Но даже если предположить, что какой-то наркозависимый экземпляр смог войти в жилище Ирины, он никогда бы оттуда с пустыми руками не ушел.

— Я уже сказала, брать у нее нечего, — вздохнула я. — Нулина — малообеспеченная женщина. Работы у нее мало, мне это стало понятно, когда Ира мигом согласилась по моему вызову приехать. Если мастер пользуется популярностью, клиенток у него масса, все время расписано, новенькой подождать придется.

— Судишь со своей колокольни, — опять не согласился Алексей. — Электрочайник у Нулиной есть?

— Наверное, — растерялась я. — Сейчас они у всех на кухне стоят, давно не являются дефицитной диковинкой.

— Наркоша бы его непременно сцапал. И шапку-перчатки из прихожей, одеколон из ванной, вазу, статуэтку, столовые приборы прихватил бы, — перечислил Кудрин, — а потом все за копейки отдал. На одну дозу хватило бы, а больше ему и не надо. И он обязательно наследил бы, натоптал, вверх дном квартиру перевернул. А у Ирины, по твоим словам, везде как был порядок, так и остался. Думаю, человек, который в ее вещах рылся, не профи по обыскам, вот и не вернул кое-что на место.

Глава 33

— Степа, — зашептала Кристина, когда я вошла в кабинет, — весь «Бак» на ушах стоит.

Меня укусила тревога.

— У нас что-то случилось?

— Ничего не видишь? — удивилась Светкина. — На свой стол глянь.

— Тут торт, — теперь удивилась я. — Откуда? Коробка громадная.

Кристина развела руками.

— Курьер притащил. Вошел на первый этаж и заорал: «Где Козу Степанову найти? Ей подарок».

— Так меня еще никто не называл, — развеселилась я. — Надо же, не Степа Козлова, а Коза Степанова...

— Его сюда отправили, — сказала Кристина. — Можно крышку снять?

В дверь постучали.

— Войдите! — хором отозвались мы с Крисей.

В кабинет вошла Корякина. Я испытала желание залезть под стол — вдруг Лида явилась продолжать скандал, начатый утром? Заведующая отделом персонала открыла рот...

— Хочешь тортика? — быстро спросила я, открывая упаковку.

— Ух ты! — закричала Кристина. — Розовая красотень! Сверху кольцо из шоколада, а в нем брюлик...

— Ненастоящий, — уточнила я, — мармеладный.

— Нет, это желе, — заспорила помощница. — Ну, круто! И табличка с надписью. Вау! Прочитать?

— Давай, — разрешила я.

— Она интимного содержания, — понизила голос Кристина. — Может, при посторонних не стоит?

— Степочка, — неожиданно медовым, приторно сладким голосом заговорила Корякина, — разве мы с тобой чужие? Лучшие подруги давно. Я тебя люблю всей фиброй моей души.

— Всеми фибрами, — поправила Кристина.

Лидия уставилась на мою помощницу.

— Нельзя любить фиброй, — хихикнула Светкина. — Фибра — это материал, типа бумаги с пропиткой. Из него раньше чемоданы делали, у моей бабульки такой на антресолях валялся. Жутко страшный. Вы, наверное, хотели сказать «всеми фибрами моей души». Фибры — «ы» на конце, а не «а», это струны...

— Поумничай мне тут еще! — рассвирепела Лида. — Нос не дорос старших учить! Я в «Баке» с момента, когда всей фирмы два убогих павильона на рынках было, а ты и недели пока у нас не работаешь.

— А при чем здесь знание русского языка? — отбила подачу Кристина.

Я быстро наступила ей на ногу.

— Вау! Больно! — заныла помощница.

— Читай табличку, — слишком нежно попросила я.

— Она очень личная, — возразила Кристина.

— Приказано, выполняй! — велела Лидия. — Живо! Ну, пока я тебя не уволила...

— За что? — испугалась Кристина.

— За то, что чересчур образованная, — отрезала Корякина.

— «Дорогая, ночь в твоих объятиях была прекрасна. Хочу, чтобы ты всегда была моей», — озвучила текст Кристина. — Р-р-р-р.

— А рычать-то зачем? — рявкнула Лидия.

— Тут так написано, буква «р» стоит, я ее четко прочитала, — начала оправдываться Кристи. — Это от Романа Глебовича.

— Конечно, нет, — сказала я, прекрасно зная, что никаких интимных отношений у нас с Романом не было, — это просто чья-то идиотская шутка.

Корякина молча обозревала кондитерское безумие, зато у моей помощницы язык заработал, как вентилятор в жару.

— Конечно, да. Торт на заказ, вес килограммов пять. Дороговато для розыгрыша.

За дверью кабинета послышались топот, шум. Я распахнула створку и — попятилась. В мою комнату ведет очень длинный коридор. Никаких помещений в нем, кроме моего офиса, нет. А теперь вдоль стен выстроились наши продавщицы и менеджеры, чуть ли не все сотрудники первого этажа.

— Сейчас появится... Ой-ой, прямо в обморок упаду... — шептали они, напряженно глядя отнюдь не на меня, а в противоположный конец коридора.

— Что происходит? — сердито спросила я. — Вы с ума сошли? В зале покупатели одни остались?

— Степочка, не злись, — залебезила Ника Воробьева, которая маячила прямо у входа в мой кабинет, — такое раз в жизни случается. Он идет! Сам! Сюда! Боже!

Воробьева прижала руки к груди и затряслась, как мокрая мышь, попавшая в морозильник.

— Кто сюда направляется? — растерялась я.

— Роман Глебович, конечно! — закричала слышавшая наш разговор Кристина, подходя к порогу. Тут же она бросилась назад в кабинет, а через секунду снова очутилась перед всеми, держа в руках торт. — Вот что Звягин Степе прислал! Ну, чего притихли? Весь день судачили, говорили, что Степанида... Не стану повторять, как вы Козлову обзывали. И что?!

В коридоре установилась полнейшая тишина. Кристина опять метнулась в офис и со скоростью резвой блохи прискакала назад, на сей раз в ее ладони была зажата табличка. Светкина высоко подняла ее и возвестила:

— На торте сверху стояло! Роман Глебович просит у Козловой руку и сердце. Она согласилась!

Я изо всей силы ущипнула секретаршу за спину. Крися взвизгнула, но не замолкла.

— Притихли, жабенки? Степашка теперь станет женой босса. И всем, кто про нее сегодня пакости говорил, не поздоровится. Я вас слушала и записывала: все ваши гадости есть в моем айфончике. Отдам его Козловой! Вот так!

Кристина ткнула пальцем в Леру Ромову, которая заведует отделом румян.

— Вот вы, например, шипели: «Козлова проститутка, она со всеми переспала, на таких не женятся». Ну я-то сейчас вежливо говорю, а вы Степу не падшей женщиной назвали, по рабоче-крестьянски высказались.

— Степашка, она врет! — испуганно затараторила Лера. — Ты же знаешь, как я к тебе отношусь! Просто обожаю...

— Беру за хвост и провожаю, — перебила ее Кристина и включила свой телефон.

По коридору понесся голос Ромовой:

«Ой, да ладно! Роман на б... никогда не женится. У него таких, как Степка, миллион. Че, хозяин не в курсе, что Степка со всеми перетрахалась? Зачем ему б...? Попользовался и под зад ее башмаком из кожи питона».

«Степка страшная, как Годзилла, — перебил ее дискант. — Рожа жуткая, руки к заднице пришиты. Мне Верка из бухгалтерии сказала, что Козловой каждую неделю премию выписывают. Она точно за деньги все делает. И Стефано тоже. Лично видела, как Стефано Козлову за задницу хватал...»

У меня парализовало голосовые связки.

— Степашечка, я не говорила этого! — завопила Катя Сыркина, старшая продавщица отдела аксессуаров. — Ложь! Монтаж!

— Да, да, да! — опомнилась Ромова. — Кристиночка, дай мне свой телефон на секундочку...

— А вот фига тебе! — радостно объявила Светкина. — Но даже если сопрете мобильник, записи на нем уничтожите, то зря стараться будете. Потому что все аудиофайлы уже давно в почте. И у меня, и у Степы, и у Звягина. Кирдык вам, бабье злобное! Роман за любимую Степочку всем глотки порвет. Тортик кушать будете? Сейчас чаек заварю.

— Идет! — завопил кто-то. — О-о-о! Это он!

В конце коридора показалась стройная фигура с букетом. Мужчина остановился, потом приятным баритоном спросил:

— Не подскажете, где кабинет Козловой?

— Вот она! — ответил хор голосов.

Я прищурилась. Минуточку... Ну конечно! Сейчас ко мне приближается вовсе не Роман, а актер Андрей Маркин, временный постоялец Несси.

— Хрюша, — замахал цветами любимец женщин. — ты же мне вчера перед сном обещала ВИП-подарок.

— Не помню, — ответила я.

— Как же? — засмеялся Маркин. — Вышла в пижаме из нашей ванной и крикнула: «Завтра принесу домой ВИП-подарок, ты его после ужина получишь». А у меня окно случайно образовалось, я как раз мимо ехал. Вот, заскочил на тебя посмотреть.

Я заставила себя улыбнуться.

— Привет, Андрюша, рада встрече.

Маркин распростер объятия, схватил меня, прижал к себе, смачно поцеловал в обе щеки и с чувством произнес:

— А уж как я рад, заинька моя любимая! Хоть на минутку, а вместе. Все заняты мы, постоянно в работе, а жизнь-то проходит...

В коридоре снова возникла звенящая тишина. Я попятилась в кабинет. Что происходит? Сначала Звягин присылает мне торт. С чего Роману в голову пришла сия глупость? Ладно, поступок владельца фирмы «Бак» хоть как-то можно объяснить: мы дружим много лет. Вероятно, это просто глупая шутка с его стороны. Но Маркин? Он выпил за завтраком компот из ядовитых мух? Я вышла из НАШЕЙ ванной в пижаме? Обещала Маркину после ужина ВИП-подарок? Да я Андрея почти не знаю!

— Можно селфи? — пропищал чей-то голос.

— Ради коллег любимой Хрюши я готов на все, — кивнул Маркин.

— Прикольно. Вы Степаниду Хрюшей зовете? — захихикала Лида.

— Я вас обожаю! — крикнул кто-то.

— Девочки, я люблю вас всех! — воскликнул в ответ Андрей. — Ну, начинаем селфоваться. Так... Подходите по одной, берите меня под руки, смотрите в камеру. Спинки прямо, прогиб в пояснице, живот и попу втянули...

— У меня не получится, — грустно вздохнула Корякина, — как ни старайся, пузо никуда не денется.

— О, вам не надо переживать, вы прекрасны, — на ходу выдал Лиде комплимент Маркин, — встаньте вполоборота, правую ножку вперед, левую назад, голову подняли, но не задрали. Улыбаемся, но рот не разеваем, иначе на снимке яма получится. Понятно?

— Да! — заорало местное население.

— Отдайте телефоны Хрюше, — скомандовал актер, — она живо нащелкает. Подходим слева, уходим вправо. Раз, два...

Я принялась жонглировать чужими трубками, Андрей старательно улыбался, женщины принимали разные позы, взвизгивали и отбегали в сторону.

— Все, мои рыбоньки, — объявил в конце концов Маркин, — конец кайфу.

И тут с воплем:

— Вы лучше Романа! Теперь я вас обожать в сериале буду, и правильно, что продюсер Звягина убил! — на шею Андрею бросилась Корякина.

Присутствующие завизжали и тоже ринулись к актеру.

— Они же его затопчут! Что делать? — испугалась Кристина. И вдруг закричала с такой силой, что под потолком закачалась люстра: — Степа приглашает всех отпраздновать ее помолвку с Романом Глебовичем. Вернитесь на свои рабочие места. Торт сейчас отнесут в нашу столовую. Всем по куску хватит, приходите по очереди, не бросайте торговый зал. Если сейчас же не начнете работать с покупателями, лишитесь премии.

Толпа быстро поредела. Когда нас в коридоре осталось трое, Кристина взглянула на меня.

— Прости, торт придется тащить в столовку.

— С радостью избавлюсь от него, — ответила я.

Светкина поволокла коробку к лифту, а мы с Андреем вошли в кабинет, и я наконец получила возможность осведомиться:

— Что происходит?

Маркин сел на вращающийся стул.

— Несси очень милая. Она категорически отказывается брать с меня плату за постой, кормит завтраком, ужином. Я оказался прямо как у родной бабушки за пазухой. Кстати, Хрюша, она очень тебя любит... Ох, прости! Знаю, что ты Степашка, но почему-то у меня при взгляде на тебя именно «Хрюша» с языка срывается. А ведь я обладаю прекрасной памятью, роли легко заучиваю. Очень прошу, только не подумай, что я над тобой, Хрюша, издеваюсь... Ну вот опять!

Андрей демонстративно зажал рот ладонью.

— Можешь именовать меня хоть верблюдом Пафнутием Зефировичем, только объясни наконец: зачем ты этот спектакль устроил? — потребовала я.

— Несси испереживалась, что у тебя проблемы с продавцами, — неожиданно сказал Андрей. — Они плохо работают, имеют не соответствующий требованиям внешний вид, говорят глупости, и вообще ни в грош не ставят Хрюшу... прости, Каркушу... то есть...

— Не старайся, — отмахнулась я, — Хрюша, Каркуша, тетя Лина, дядя Володя — мне без разницы. Проблемы с девушками, которые стоят за прилавком, вечны. Но они не мои, а Сони Гусевой, она у нас главная над продавцами. Да, я начальница, поэтому легко сделаю замечание красавице, которая нарисовала себе соболиные брови толщиной с ногу, намалевала свекольный румянец или наклеила ресницы-спички. И еще за многое отчитать могу, но все сделаю на ходу или позову Соню, велю ей с подчиненной разобраться.

— Ты вчера сказала Агнессе Эдуардовне про сложную ситуацию на работе, — напомнил Маркин.

Я пожала плечами.

— Совершенно этого не помню. Вполне вероятно, что обронила такую фразу. Приближается осенне-зимний сезон, нам предстоит провести несколько крупных показов, скоро день рождения фирмы «Бак», начало учебного года, намечена выставка... Конечно, работы уйма.

— Несси очень расстроилась и попросила меня заехать в магазин.

— Зачем? — все еще не понимала я.

— Ты видишь перед собой звезду, — чуть обиженно напомнил Маркин, — появление актера, исполняющего главную роль в самом рейтинговом сериале на телевидении должно было резко повысить статус Козловой. Да еще я старательно дал всем понять, что у нас с тобой очень близкие отношения. Теперь твои коллеги тебя обожать будут, потому что селебрити Хрюше цветы дарит.

Я молча смотрела на Маркина. Ну и ну! Несси решила, что у меня все плохо, а Андрей, у которого самомнение высотой с Эверест, вознамерился угодить Захарьиной. Актер искренне уверен, что близость к нему делает девушку богиней в глазах окружающих. Они оба собирались мне помочь. А что получилось? Степанида Козлова теперь станет главным объектом пересудов надолго, если не навсегда.

— Эй, ты недовольна? — огорчился Андрей. — Я слегка недоиграл? Надо усилить?

Я опомнилась.

— Спасибо! Просто я не ожидала ничего такого, от восторга онемела. Прямо не знаю, как тебя благодарить.

— Ерунда, — заулыбался Маркин. — Ну, мне пора. Проводи меня до выхода — надо логично завершить сцену под названием «приезд любовника на работу к Хрюше».

— Конечно, — хмыкнула я. А про себя решила: в конце концов, все равно уже отныне девушка Козлова в глазах служащих фирмы «Бак» сродни Мессалине, можно теперь не беспокоиться о том, что люди подумают. Вот оно, преимущество плохой репутации — ее невозможно испортить.

Мило болтая, мы с Маркиным дошли до центральных дверей. Хорошо, что взгляды не могут испепелять, как спички, иначе на мне бы давным-давно сгорела одежда.

— Надо правильно проститься, — пробормотал Маркин, — с одного дубля. Второй делать глупо. Хрюша, ты готова?

— К чему? — не сообразила я.

— Все сделаю сам, иди за партнером, не спеши, — велел Андрей, потом схватил меня в объятия, страстно поцеловал и убежал.

Я потрясла головой, приходя в себя. Хотела двинуться к лифту, но тут створки распахнулись, и в магазин вошел сильно похорошевший из-за смены прически, почти неузнаваемый Гаврюша. В правой руке врач держал коробку с тортом, в левой пакет. Он увидел меня и несказанно обрадовался.

— Степашка! Так и знал, что ты тут. Давай чайку в офисе глотнем?

— Девочки, у нее третий мужик! — взвизгнул на весь первый этаж чей-то веселый голос. — Вау просто! Просто вау! У Фокиной из бухгалтерии ни одного парня нет, от нее даже кот убежал, а у Хрюши трое!

Я схватила психиатра за рукав, вытолкнула его из торгового центра и приказала:

— Сейчас не могу общаться, прости. Вечером поболтаем.

— Что-то случилось? — напрягся Гаврюша. — Ты какая-то странная.

— У меня все прекрасно, — заверила я.

— Вот, держи, принес тебе обещанную книгу, — сказал врач и протянул пакет.

— Что это? — не поняла я, заглядывая внутрь. — Какой-то том.

— «Десять подлых адвокатов», — пояснил доктор. — Говорил тебе о ней, там...

— Извини, — перебила я, — у меня нет времени на чтение. Пока!

Помахав рукой, я вернулась в «Бак». И тут на телефон прилетело сообщение от психиатра: «Рябова Раиса Павловна. Позвони ей. Расскажет много интересного про Веру Михайловну. Контакты дал Драпкин». Я отправила в ответ Гаврюше улыбающийся смайлик и поспешила к Роману.

Глава 34

— Торт? — удивился Звягин. — Ничего не понимаю. Я ничего не заказывал.

Я растерялась.

— На нем стояла табличка, и я подумала... А, не важно, что мне в голову взбрело. Значит...

Я прикусила язык. Ой, нет, нельзя говорить, что я решила, будто Звягин сделал мне предложение руки и сердца. Глупая ситуация превратилась в идиотскую.

Роман улыбнулся.

— Там стояла моя подпись?

— Нет, — смутилась я. — Но текст... типа, что я у тебя ночевала... и еще буква «Р» вместо автографа. Кристина открыла коробку и решила почему-то, что торт прислал ты. А я... Да ладно, забудь!

— Красивый торт? — неожиданно заинтересовался Роман.

— Ужасный! — с чувством воскликнула я. — Китч кондитерского искусства. Мрак. Надеюсь, его уже слопали без остатка. И кому могло прийти в голову сделать...

Я опять успела прикусить язык.

— Сделать что? — полюбопытствовал Звягин.

— Подобный ужас, — вывернулась я. — Кстати, курьер оказался под стать угощению — вошел на первый этаж и заорал: «Где тут Коза Степанова?» Не очень красиво получилось. Это же надо, Коза Степанова... Кем надо быть, чтобы так мое имя исковеркать? Ни один даже сумасшедший родитель не наречет девочку Козой. Правда, я знала девушку с фамилией Ко́за, с ударением на букву «о»[1].

— В «Баке» есть сотрудница с похожими именем и фамилией, — остановил меня Звягин.

Я осеклась.

— Ты шутишь?

— Нет, — улыбнулся Роман. — Я запомнил девушку из-за ее имени, весьма необычного. Она не Коза, а Козланет Степанова.

— Родом из Болгарии? — предположила я. — Там много имен, которых в России нет, например, Цветана.

— Русская, — покачал головой Звягин. — Отец ее очень креативным человеком оказался и сам придумал

---

[1] Степа вспоминает ситуацию, которая описана в книге Дарьи Донцовой «Бизнес-план трех богатырей».

имя для ребенка, слегка изменив фразу «когда зла нет».
Он постоянно по Индии и другим странам Азии, Востока мотается, наслушался там всякого и верит, что это имя от его дочери негатив отгоняет.

— Так, значит, торт предназначался для той Степановой! — ахнула я. — А все решили, что мне, что доставщик перепутал мое имя с фамилией, вместо «Степа Козлова» произнес «Коза Степанова». Но почему никто про эту Козланет не сказал?

— Она второй день на службе, — пояснил Роман, — и с продавщицами, которые информацию по фирме разносят, никак не сталкивается. Степанова — оформитель витрин.

— Очень неудобно получилось, — расстроилась я. — Пойду, найду декоратора, надо перед ней извиниться. Тортик особенный, ей непременно надо о нем знать. Побегу в столовую, авось хоть табличку не слопали, отдам ее Степановой. Очень неприятная ситуация... Вроде я в этой путанице ни при чем, но чувствую себя со всех сторон виноватой. Ну как я могла подумать, что...

В дверь деликатно постучали.

— Войдите! — крикнул Роман.

Появился Юра, второй помощник Звягина, с подносом в руке.

— Принес чаек, а Степаниде какао, — сказал Юра.

— Я не просил чай, — удивился босс.

— Какао? — изумилась я. — Обычно у тебя лишь гадкий кофе.

— Я подумал, вдруг вы захотите вкусного, — забубнил Юрий.

Роман прищурился, а я выскочила из кабинета, подождала, пока Юра выйдет в приемную, и напала на него:

— Ты никогда не стучишь в кабинет шефа, бесцеремонно вваливаешься без предупреждения. Почему сейчас изменил своей привычке?

— Ну... мало ли, — заблеял помощник, — типа...

— И какао мне притащил! — еще сильнее разозлилась я.

— Просто хотел проявить заботу, — заявил парень.

— Немедленно скажи, где находится оформитель Степанова, — потребовала я.

Юрий начал стучать по клавиатуре.

— У нее выходной. Появится завтра.

Я ринулась к двери, но на пороге остановилась.

— Даю совет: не собирай сплетни.

— Вы о чем? — изобразил недоумение молодой человек.

— Не стоит верить всему, что слышишь, можешь попасть в глупейшее положение, — отрезала я. — Надеюсь, у тебя хватит ума не распространять ложную информацию далее.

— Вы о чем? — повторил Юра.

Упорство, с которым помощник Романа прикидывался, будто он не знает последнюю сплетню, что Звягин сделал предложение Козловой, разозлило меня донельзя. Я вытянула руку и начала загибать пальцы.

— Стучал в дверь, чего ранее никогда не делал; приволок какао, хотя всегда притаскиваешь малосъедобный кофе...

— Капучино не едят, а пьют, — пробормотал Юрий.

Но меня трудно сбить с толку, я продолжала:

— Да еще говоришь сейчас «вы», обращаясь ко мне, хотя мы с тобой давно на «ты». И думаешь, после столь резкого изменения привычек я поверю, что ты не слышал разговоры о том, как Роман Звягин сделал мне предложение руки и сердца?

— Ух ты! — подпрыгнул Юрий. — Офигеваю! Значит, это правда? Мне позвонила мама и сообщила: «Сыночек, Степа идет к Роману, не вздумай впереться в кабинет шефа без стука, если Козлова там находится. Получишь по лбу. Приготовь ему чай, а ей какао, сейчас банку пришлю. Забудь про свои помои под названием «эспрессо», которые всем суешь».

— Откуда твоя мама может знать, куда я направилась? — вырвался у меня возглас изумления.

Юра хихикнул.

— Она же главный управляющий.

У меня отвисла челюсть.

— Маргарита Львовна Наумова твоя мать?

— Ага, — радостно подтвердил парень, — об этом все знают.

Ну да, все... Кроме меня.

— Но ты же Кудрявцев, — протянула я.

— Ага.

— А у Маргариты Львовны другая фамилия, — недоумевала я.

Юра засмеялся.

— Мамуля фамилию не меняла, а мне папину дала.

— Понятно, — пробормотала я. Развернулась и взялась за ручку двери.

Ну и денек сегодня. Массу нового выяснила и про себя, и про других.

— Степанида! — раздалось за спиной.

Я обернулась.

— Что?

— Поздравляю вас, — с чувством произнес Юра. — Вы с Романом Глебовичем прекрасная пара. Босс вас обожает. Пару дней назад я принес ему кофе, а шеф со Стефано разговаривал. Речь шла о вас, и Звягин сказал: «Степа дров наломала, руки чешутся ей наподдать».

— И почему ты трактуешь сию фразу как любовную? — оторопела я.

— Бьет — значит, любит, — философски заметил помощник Романа. — Очень за вас рад. Готов нести к алтарю шлейф невестиного платья.

— Юра, свадьба — это миф, — остановила я его, — просто сплетня.

— Уж не дурак, понимаю, что вы не хотите посторонним рассказывать, — ухмыльнулся Кудрявцев.

Я скрипнула зубами. Скорей бы этот дурацкий день закончился...

— Дай мне мобильный номер Козланет Степановой.

— Пришлю через секунду на Ватсапп, — пообещал Юра.

Я вышла из приемной, закрыла плотно дверь и навалилась на нее спиной. Ну и что теперь делать?

В кармане зазвонила трубка. Я достала ее и тихо сказала:

— Алло.

— Занята? — спросил Кудрин. — Можешь пораньше с работы удрать?

— Мечтаю оказаться сейчас за пару тысяч километров от фирмы «Бак», — призналась я, — желательно в абсолютно пустынном месте, чтобы людей на тысячу километров вокруг не было.

— И я частенько испытываю такое желание, — признался Алексей. — Можешь подъехать к Насте?

— Куда? — уточнила я.

— Сейчас адрес сброшу, — обрадовался Кудрин.

Я собралась запихнуть трубку в карман, но она заголосила прямо в руке. Номера, высветившегося на экране, в моей телефонной книжке не было, голос женщины тоже оказался незнакомым.

— Алло! Степанида?

— Слушаю, — ответила я.

— Меня просили вам позвонить.

— А вы кто? — поинтересовалась я.

— Козланет Степанова, — объяснила незнакомка. — Юрий, секретарь господина Звягина, велел соединиться с главным визажистом.

Я издала стон. Ведь я попросила у Кудрявцева номер декоратора! А он как поступил?

— Что-то не так с витриной первого этажа? — явно нервничала декоратор.

Я не видела нового оформления, но быстро возразила:

— Нет, нет, прекрасная работа.

— Слава богу, — выдохнула собеседница. — Меня сто раз предупредили: Козлова очень требовательна, ей ничего не нравится сразу, сто раз переделать заставит.

Я медленно пошла по коридору. Сегодня уже выяснила о себе массу интересного: я развратная особа, старая, страшная, злая, глупая... А теперь еще злобина, которая приказывает безостановочно переделывать работу, чтобы результат получился таким, как ей надо. И плевать Козловой на нервную систему сотрудников.

— Зачем тогда меня искали? — чуть испуганно спросила женщина.

— Хотела извиниться, — вздохнула я.

— За что?

— За торт. Его, наверное, уже весь съели.

— Не поняла, — прошептала Степанова.

Я живописала ей историю появления громадного бисквита с кремом.

— Боже! — ахнула Козланет. — Катастрофа! Бегите скорей, попросите людей не трогать торт.

— Закажу вам новый, точь-в-точь такой, как съеденный, — пообещала я.

— Нет, нет, летите в столовую, а потом позвоните мне, — потребовала Козланет. — Торопитесь изо всех сил! Потом объясню, в чем дело. Поверьте, эта фигня очень серьезная!

— Сегодня весь мой день серьезная фигня, — пробормотала я, направляясь в столовую. — Перезвоню позже.

Глава 35

— Они все слопали. Дочиста. Ни крошки не осталось, — доложила я декоратору минут через десять.

— Ой-ой! — воскликнула Степанова.

— Простите меня, пожалуйста, — заныла я. — Видите ли, доставщик спросил, где сидит Коза Степанова. Вас пока никто в фирме не знает, а я Степанида Козлова, и народ на первом этаже решил, что курьер перепутал имя. Завтра куплю самый лучший торт и...

— Можете описать, как он выглядел? — перебила меня собеседница. — Имею в виду бисквит.

— Есть фото, — пробормотала я.

— Пришлите прямо сейчас!

— Уже отправила.

— О боже! Ну и ну! Кольцо!

— Не знаю, как выпросить у вас прощение, — застонала я. — Жених решил оригинально предложение сделать, а не получилось. Единственное, что меня извиняет, — коробку с угощением открыла моя помощница, она же его народу съесть предложила. Мне бы следовало Кристину остановить, но я решила, что торт заказал...

На этих словах я умолкла, подумав, что новой сотруднице не стоит рассказывать про Звягина.

— Степанида, вы умеете держать язык за зубами? — неожиданно спросила Козланет.

— Обычно да. Стараюсь изо всех сил, — ответила я.

— Мой любимый человек Родион когда-то взял в жены Светлану, — вздохнула Степанова. — Но их брак распался. Не по моей вине, я не ворую в чужом саду малину. Родя уже четыре года в разводе состоял, когда у нас отношения начались. А Светлана до сих пор одна. И она за бывшим мужем следит. До меня Родион жил с двумя женщинами, Светка их всех буквально затравила, и они от Романова ушли.

— Вашего избранника зовут Родион Романов? — протянула я.

— Он Родион Родионович Романов, — уточнила Козланет. — И всегда вместо подписи три буквы «Р» ставит. Но слушайте дальше. Светлана на редкость вредная, но я не нервная, Родю люблю, поэтому на ее звонки по телефону не реагирую и на гадости, которые бывшая постоянно делает, не ведусь. На беду, у дамочки очень богатые родители, денег у нее море, вот она и придумывает новые и новые феньки. До «Бака» я работала в фирме «Юнтус». Очень хорошее было место, но мне пришлось уйти из-за того, что Светлана от моего имени гадость управляющей сделала. Я объяснила ситуацию, все выяснилось, однако осадочек остался. И вот сейчас, едва я устроилась в «Бак», прибыл торт для меня. Уверена, это очередная пакость экс-жены Родиона. Только что беседовала с ним и выяснила: конечно, он никаких кондитерских изделий не посылал. Небось внутри там кошачье дерьмо было.

— Нет, — успокоила я Козланет, — бисквит слопали и похвалили.

— Да? — удивилась Степанова. — Ох, не к добру это. Но есть и хорошая новость.

— Какая? — напряглась я.

— Если что и случится, народ не подумает, что виновата я, — хихикнула собеседница, — меня пока никто не знает.

Мы распрощались. Я спустилась на первый этаж, села в машину и выехала с парковки. Вскоре остановилась возле большого старого серого дома, подошла к нужному подъезду и начала звонить в домофон.

— Степа? — спросил слегка искаженный техникой голос Насти.

— Да, — ответила я.

— Первый этаж, сразу налево, — проинструктировала Барбосина, — жду на пороге.

— Это твой офис? — спросила я, оказавшись в просторной комнате с несколькими столами, на которых стояли компьютеры.

— Агентство «Ю», — гордо ответила Настя и вытащила из кармана платья конфету. — Хочешь?

— Спасибо, нет, — отказалась я. — Думала, что еду к тебе домой.

— Апартаменты пятикомнатные, — зачастила Анастасия, — их мой дедушка-академик в первобытные времена получил. В одном помещении у меня спальня, я там живу, а второе отдала под бизнес. Остальные закрыла — убирать лень.

— Чем занимается твоя контора? — полюбопытствовала я.

Барбосина опустилась в старое кресло, которое жалобно застонало под ее корпулентной фигурой.

— Всем. Могу найти бывшего мужа, который алименты платить не желает, от детей скрывается. Влегкую проверю домработницу, шофера. Или сбежавшего из дома подростка отыщу.

— Ты это одна проделываешь? — восхитилась я.

— Не, — сказала Настя, — с Алешкой. Мы с ним в одном классе учились, рядом за партой сидели. Кудрин у меня всегда математику и физику списывал. Мы давно друзья. Подчеркиваю: только друзья, ничего больше. Я для Лехи слишком толстая, ему такие, как ты, нравятся. Внешне. Но Кудрин не любит девок с мозгом. Кристина для него идеальный вариант: похожа на шпроту, в голове особых извилин нет. У тех, кто в фэшн-бизнес рвется, обычно между ушами сквозняк.

— Надеюсь, ты про меня в Гугле полную справку получила? — вкрадчиво спросила я.

— Конечно, — кивнула Барбосина. — Ты... Ой!

— Ага, — кивнула я, — являюсь ярким представителем племени презираемых тобой за глупость людей из фэшн-бизнеса.

— Степа, не сердись, — забубнила Настя, — я не имела мысли тебя обидеть.

— На свете мало людей, способных нанести мне оскорбление, — парировала я. — А насчет Кристины ты заблуждаешься, она совсем не дурочка. Просто любит говорить правду в лицо. Где Алексей?

— Уже тут, — произнес за моей спиной Кудрин.

— Принес? — спросила Настя.

Следователь кивнул.

— На кухне. С мясом, яблоками и вишней.

— Сейчас поедим, — обрадовалась хозяйка. — Кому чай-кофе?

— Спасибо, нет, — быстро ответила я, у меня от всех событий сегодняшнего дня пропал аппетит.

— Кофе, — попросил Кудрин.

Я посмотрела вслед ушедшей хозяйке и тихо укорила Алексея:

— Нельзя ей пироги таскать. Настя больше центнера весит, а ростом ниже меня.

— Барбося попросила, — начал оправдываться Алексей.

Я оглядела комнату.

— Похоже, она вообще на улицу не выходит и питается самым нездоровым образом. Повсюду пустые коробки из-под пиццы, гамбургеров, картошки-фри.

— Настена не любит город, — пожал плечами Кудрин, — ей дома комфортно, на улице она нервничает.

— Твой эспрессо, — объявила хозяйка, возвращаясь. — Пирожки вкусные! С мясом просто восторг, сейчас с яблоками попробую.

— Давай займемся делом, — велел Алексей.

— Пирог работе не помеха, — пропела Барбосина. — Итак, внимание на Мишу.

— На кого? — не поняла я.

Настя показала на крайний слева компьютер.

— Знакомься, Михаил. Около него Паша, дальше Катя.

— Они у тебя все с именами? — засмеялась я.

— Конечно, — серьезно ответила Настя. — Слышала о программе распознавания лиц?

— Нет, — призналась я.

— Сейчас объясню! — ажитировалась Настя.

— Лучше я, — остановил ее Алексей, — без технических подробностей. Берем два фото и сравниваем их. Даже если человек сделал пластику, комп скажет: одна и та же личность на снимках или разные.

— Можно взять детский кадр и взрослый, — затараторила Анастасия, — или...

— Стоп! — скомандовал Кудрин. — Далеко не улетаем, не надо.

— Как хочешь, — надулась Анастасия, взяв мышку. — Ну, глядите, господа. Покойный Осипов слева, справа Николай Юрьевич Юркин, нынешний муж вдовы сотрудника СИЗО. Прежде чем показать результат, кое-что расскажу. В беседе со Степой Ирина Нулина обронила фразу, что Анна Осипова делала ЭКО.

— Ей это Антонина Варламовна сообщила, когда требовала долг отдать, — уточнила я. — Еще боялась, что у невестки опять случится выкидыш.

— А я залезла в медкарту Ани. Осипова сначала наблюдалась в районной поликлинике по месту жительства, так вот она в целом здорова, спокойно может забеременеть и выносить ребенка. Проблема в муже, ситуация непростая. Вам объяснить медицинскую сторону вопроса? Я в нее въехала.

— Не надо, — попросил Алексей, — просто суть коротенечко.

Анастасия схватила очередной пирожок.

— Если в двух словах, то естественным путем от ее мужика не забеременеть. У того в детстве случилась травма, которая на способность к сексу не влияет, а на возможность зачатия очень даже. Поэтому у Осипова нужно было взять сперму, а потом ввести ее его жене. Повторяю: проблема у Николая редкая, произошла из-за глупости, совершенной в подростковом возрасте. Осипов согласился на ЭКО, процедуру провели, но плод не прижился. Вторую попытку супруги сделали незадолго до ареста Николая. Однако у жены снова произошел выкидыш. Осипов отправился на зону, там умер, вдова опять вышла замуж, и... пара отправилась в клинику. Но не в ту, куда Анна ходила с первым супругом. Интересный моментик: решение обратиться в медцентр, который занимается ЭКО, молодожены приняли через неделю после регистрации отношений. Обычно-то проходит год, два, прежде чем людям становится понятно: у них проблема с зачатием. А здесь прямо мигом побежали на искусственное оплодотворение. Дальше еще увлекательнее — у Юркина оказалась точь-в-точь такая же травма, какая была у Осипова. Представляете невезение Анечки? Из миллионов мужиков ей опять попался экземпляр с редкой подростковой травмой. Ну и на десерт вам сравнение лиц...

Настя ткнула пальцем в какую-то кнопку на клавиатуре. Оба снимка замигали, стали зелеными, появилась надпись «Совпадение 99,8%».

— Юркин — это Осипов, или Осипов — это Юркин, — сделала вывод Барбосина. — Как ни скажи, результат одинаковый. И все вопросы полностью исчезают. Почему женщины поменяли жилье... по какой причине Аня живет со свекровью... объяснима и толерантность Антонины Варламовны ко второму супругу невестки... Кстати, знаете, как Николая звали в СИЗО коллеги? Осипов невысок ростом, ноги у него короткие, руки тоже, шеи практически нет, издали кажется, что голова на плечах лежит. Зато живот знатный — большой, круглый. Есть идеи по поводу прозвища? Колобок! А что Ирина Нулина Степе про смерть Игоря рассказывала?

— Что муж буквально перед тем, как умереть, сказал: «Чучело Колобка. На меня напало чучело Колобка. Голое платье звезды», — вспомнила я. — Нулин видел на дороге бывшего коллегу! Стояла зима, Николай не мог быть в футболке, но Игорь очень хотел объяснить жене, кто его убил, и поэтому сказал: голое платье звезды, напомнил про майку. Ой!

Я на секунду притихла, потом повернулась к Кудрину.

— Я уже рассказывала, что, когда Осипова отправили в колонию, к Ирине по очереди приходили и его мать, и жена, говорили, что Нулин не отдал Николаю его долю за какое-то общее дело. Просили ее поговорить с мужем. Ирина обеих теток выгнала, супругу ничего не рассказала, решила его не нервировать. Настя, когда умер Осипов?

— Двадцатого июля, — спустя короткое время ответила Барбосина.

— Теперь назови дату аварии, которая унесла жизнь Игоря Нулина, — потребовал Алексей, который понял ход моих мыслей.

— Тот же год, девятнадцатое декабря, — доложила хозяйка.

— Думала, меньше времени прошло, — расстроилась я.

— Но Осипов же небось не сразу в столице очутился. И мог специально ждать зимы, — предположил Кудрин. — Тогда на дорогах скользко становится, легче аварию подстроить.

— Нет, — возразила Барбося. — То есть да. В отношении ДТП все правильно. В гололед автомобили постоянно бьются, и никого авария не шокирует. Но Николай выбрал девятнадцатое число двенадцатого месяца не из-за плохой дороги, а совсем по иной причине. Внимание: ему именно в этот день судья приговор зачитала.

— Юркин на самом деле Осипов! — заорала я. — Настя, ты гений!

— Совершенно согласна, дорогая, — с набитым ртом произнесла хозяйка, — мой ум поражает глубиной, широтой и объемом.

Я схватила Алексея за плечо.

— Осипов точно знает, кто заплатил деньги, чтобы Лена и Катя довели Веру до психушки. Пусть он назовет тебе имя. Если мы докажем, что Вера Михайловна Чернова говорит правду, что она никого не убивала, ей вернут родительские права, и тогда Лера сможет встретиться с мамой.

Глава 36

В семь утра мне позвонила Кристина.

— Степа, ты как себя чувствуешь?

Я зевнула.

— Ни свет ни заря почти все люди себя одинаково чувствуют. Спать хочу, но надо вставать. А что?

— Вчера вечером незадолго до закрытия в «Баке» началась эпидемия желудочного гриппа, — объявила Светкина. — Народ в туалеты кинулся, очереди к кабинкам стояли. Я не заразилась. А ты как? Понос, температура есть?

— Нормально вроде, — ответила я.

— Ты тортик-то ела? Мне не удалось, — грустно призналась помощница. — Все как накинулись, как начали бисквит кромсать... Я тоже подсуетилась и ухватила кусок. Поставила тарелку на подоконник, на секунду отвернулась, и... нету, ее кто-то утащил. Я назад к столу, а торт уже тю-тю. Не повезло.

— А что у всех, кроме поноса? — забеспокоилась я.

— Температура, но невысокая, — уточнила Светкина. — У меня спрашивают, как ты, а мне ничего не известно. Вот и позвонила спросить.

— Со мной все нормально, — заверила я помощницу, — приеду в десять.

Весь день до закрытия магазина у меня не было возможности не то что сесть и попить чаю, а даже глотнуть воды. Бо́льшая часть продавцов не смогла подняться с постели, а как назло именно сегодня наплыв покупателей оказался рекордным. За прилавки встали все, кто мог. Неумелые торговцы путались в ассортименте, не знали, где что лежит, и я металась по залу, направо-налево объясняя, в каком ящике помада цвета «вино-малина», где находится туалет для посетителей, сколько стоит новый аромат «Бак», куда поместить столик для визажиста, который будет делать бесплатный макияж победителям конкурса на лучшее стихотворение про нашу фирму, а заодно раздавала купоны людям, которые приобрели товара больше чем на две тысячи рублей, и делала почти одновременно еще кучу всего.

Звонить Кудрину, отвечать на вызовы Гаврюши не было ни времени, ни сил. Домой я приехала еле живая от усталости и рухнула в кровать, забыв поесть и умыться. Следующий день оказался не лучше предыдущего, а четверг вообще получился кошмарным, потому что был назначен кастинг моделей для нашего показа. До своей спальни я добралась за полночь, заползла под одеяло и, успев только подумать: «Хуже уже не будет» — провалилась в небытие. Но как же я ошибалась!

Явившись на службу в пятницу, я обнаружила толпу женщин, которая заполонила все этажи, и вспомнила, что сегодня у нас «удачный день». Объясняю. Раз в три месяца «Бак» ополовинивает цены, раздает несметное количество подарков покупателям, угощает их бесплатным кофе с пирожными и держит двери открытыми всю ночь. И надо же было очередной распродаже случиться в тот момент, когда большая часть продавцов не могла встать за прилавки... Эту пятницу, плавно перешедшую в субботу, я буду вспоминать как страшный сон.

В шесть утра мне удалось наконец-то отбежать в туалет. Там у рукомойника стояла Козланет, которая еле слышно спросила:

— Жива?

— Не знаю, — пробормотала я. — Надеюсь, скоро девочки от гриппа избавятся. Странная какая-то болячка, температура один день держалась, не очень высокая и не у всех. Зато народ прилип к унитазам и далеко от них отойти боится. Врачи сказали: кишечный грипп.

Степанова прижала палец к губам, быстро открыла все кабинки, убедилась, что они пусты, и зашептала:

— Нет никакого гриппа. Это бывшая жена моего любимого влила в торт лошадиную... нет, слоновью... опять нет, рассчитанную на стадо бизонов дозу слабительного.

— С ума сойти! — подпрыгнула я. — Знаешь, когда я услышала, сколько народу не вышло на работу, у меня мелькнула мысль: дело неладно. И я обратила внимание — люди, оставшиеся здоровыми, по разным причинам не пробовали торт. Но потом решила: я ведь не со всеми говорила, просто случайно оказалось, что те, с кем поболтала, не ели тортик. Ты уверена насчет лекарства?

Козланет кивнула.

— Сумасшедшая баба сама позвонила и спросила: «Ну что, выгоняют тебя за то, что всех тортиком со слабительным угостила?» И бросила трубку. Помоги мне, пожалуйста!

— Как? — не поняла я.

— Она же не успокоится, — заплакала Степанова, — гадина следующий звонок Роману Глебовичу сделает. Она так всегда поступает, меня из-за нее уже из нескольких мест вытурили. Расскажи Звягину правду, попроси его меня не выгонять. Ты за босса замуж выходишь, он тебя послушает. А если я сама к нему приду, точно вон отправит. Прямо сразу. Конечно, ведь из-за меня сейчас в фирме коллапс.

Я начала утешать Козланет:

— Твоей вины тут нет. Но бывшую супругу Родиона надо призвать к порядку. Поговорю со Звягиным.

— Только больше никому про слабительное не сообщай, — взмолилась декоратор. — А то народ мне эту свою «болезнь» не простит.

— Не волнуйся, Степанида Козлова — сейф с секретами, — успокоила я собеседницу.

В понедельник выздоровевшие продавцы явились на работу и стали громко ругать тех, кто временно занимал их места за прилавками. Неопытные торговцы, торопясь обслужить покупателей, перепутали весь товар, перемешали содержимое ящиков, даже разбили несколько флаконов с духами. Во вторник все наконец устаканилось, в среду я взяла выходной и проспала весь день, отключив телефоны. В четверг наконец-то пришла в себя, вспомнила про Валерию, Веру Михайловну Чернову и набрала номер Кудрина.

— Обзвонился тебе, — сказал Алексей. — Куда ты подевалась?

— Сумасшедшая неделя была, — объяснила я, — потом расскажу, что случилось. Возможно, твоя помощь понадобится, чтобы одну мадам приструнить.

— Хочешь послушать, как я с Осиповым, который Юркиным прикинулся, разговаривать буду? — перебил следователь.

— Да, — тут же ответила я.

— Приезжай, — распорядился Кудрин, — адрес в Ватсапп скину. От проходной позвони, встречу.

Я побежала в ванную.

Глава 37

За три часа пребывания в маленькой душной темной комнате, одна стена которой оказалась стеклянной, я устала больше, чем за последнюю неделю в «Баке». Воздух в каморке, казалось, стал густым, кроме того, пахло по́том, дешевым мужским одеколоном и чем-то тухлым. Вместо стула предлагалась железная табуретка, на которую не положили подушку. Но отсутствие кислорода, дурной запах и неудобное сиденье можно было пережить. Самым неприятным оказалось слушать речи Осипова.

Николаю показали результаты анализов ДНК, и он был вынужден признаться:

— Да. Я не Юркин.

— Как вы в него превратились? — осведомился Алексей.

Осипов пару секунд молчал и начал торговаться — выяснял, что хорошего получит за подробный рассказ о тех, кто помог ему оказаться на свободе. Сначала я слушала беседу с удивлением, потом меня стало тошнить: диалог напоминал вульгарный базарный торг. В конце концов обе стороны пришли к соглашению. Николай начал каяться.

Зарплата у охранника Осипова была маленькая, а хлопот много, да еще они с женой очень хотели ребенка, но Аня не могла забеременеть естественным путем. Тот, кто лечился от бесплодия, знает, какие суммы приходится относить в кассу клиники, где делают ЭКО: на одних анализах разоришься. А еще, если неприятная процедура не увенчается успехом, что бывает часто, ее приходится повторять раз, другой, третий... В конечном итоге младенец получается ну очень дорогим, в прямом смысле этого слова. Денег парня, который стережет сидельцев следственного изолятора, никак на лечение и содержание семьи не хватало.

Антонина Варламовна полюбила невестку как дочь, была ей не свекровью, а прямо родной мамой. Она мечтала о внуке, поэтому без сожаления рассталась со своими накоплениями. Однако и они живо растаяли, перекочевав в бухгалтерию того же медицинского центра. Осиповы влезли в долги. Николай занервничал, стал думать, где подработать. Попытался в выходные дни мотаться по городу нелегальным таксистом, но его драндулет постоянно ломался. Куда ни глянь, везде дрянь. На нервной почве у Осипова начались проблемы с кожей. Николай принялся чесаться, перестал спать по ночам, похудел, побледнел...

Один раз, когда старенькие «Жигули» в очередной раз забастовали, Осипов шел к метро, и его окликнул некто Валерий Федорович Рябов. Николай отлично знал его, был в курсе, что тот очень дорогой адвокат, опытный специалист. Законник частенько бывал в СИЗО — приходил к своим клиентам. И вот сейчас Рябов высунулся из окна дорогущей иномарки и крикнул:

— Осипов!

Николай остановился.

— Ты куда? — спросил адвокат.

— Домой, — мрачно ответил Коля.

— А где живешь? — неожиданно спросил Рябов.

— В Медведково, — вздохнул Осипов.

— А я как раз на Полярную улицу собрался, — сказал Валерий Федорович. — Залезай, вместе ехать веселей.

Охранник заколебался, Рябов улыбнулся.

— Да знаю я, что вам запрещено с адвокатами дружить. Никому не скажу, что подвозил тебя. Но если хочешь с двумя пересадками в метро катить, а потом на автобусе, да еще пешком переть, флаг тебе в руки.

Николай в тот день смертельно устал. Он живо представил себе, как ввинтится в переполненный вагон подземки, как потом, предварительно постояв в очереди, втиснется в набитую до отказа маршрутку, поежился от холодного ноябрьского ветра... и, нарушив должностную инструкцию, устроился на сиденье шикарного «Мерседеса».

Потом, уже на зоне, вспоминая ту поездку, Осипов с запозданием сообразил: встреча-то не случайной была, адвокат ждал именно его. Откуда бы Валерию Федоровичу знать, что Коле от метро еще катить на городском транспорте и топать несколько кварталов на своих двоих? Значит, Рябов зачем-то разузнал подробности жизни простого охранника. Эх, следовало тогда послать мужика куда подальше да доложить начальству о его предложении прокатиться. И не оказался бы тогда Осипов в бараке. Но время назад не повернуть.

Юрист сделал Николаю предложение, от которого тот не смог отказаться. Дело казалось пустяковым: надо было отвести одного подследственного в душ и там дать ему мобильный, который вручил адвокат. За эту плевую услугу Валерий Федорович заплатил охраннику триста долларов. Вот так и началось их сотрудничество.

Рябов постепенно запутывал Колю в свою сеть, а через год Осипов стал буквально рабом адвоката, выполнял массу его поручений. Некоторые — например, отвести кого-то лишний раз в душ, дать кусок хорошего мыла, шампунь, нормальное полотенце — были элементарными. Другие были более сложными, но Николай справлялся и получал хорошую мзду. Осипов забыл о проблемах с кожей, раздал долги, купил новую иномарку. Супруги опять задумались о малыше. Знала ли семья о его приработке? Конечно. Правда, он попытался скрыть свои занятия от мамы и Ани, но женщины насели на него, и Николай вскоре раскололся.

Огромным изумлением для Коли было узнать, что у Рябова в СИЗО есть и другие помощники, в частности Нулин. С Игорем Осипова связывала дружба, а теперь еще у них появились и общие деловые интересы.

Как-то раз Валерий Федорович сказал Николаю:

— Слушай внимательно. У меня есть одна знакомая. Ее сын, Владимир Чернов, женат на убийце. Вера отправила на тот свет нескольких женщин.

— Не повезло парню, — присвистнул Осипов.

— Надо ему помочь, — продолжал адвокат. — Найди в общих камерах двух баб, за пустяки взятых, и переведи их в подвал. Туда же поместят Веру Чернову. Вот таблетки, бутылка с кровью, плащ с капюшоном. Женщины должны напоить Веру чаем с пилюлями, довести ее до нервного срыва. Одной надо прикинуться привидением...

После того как Рябов в подробностях живописал, какой нужно устроить спектакль, Николай покачал головой:

— Я могу сделать все, кроме перевода бабенок в ВИП. И мне в том коридоре дежурить не положено.

— Это не твоя забота, — объяснил законник. — Главное, выполни свою часть работы — найди нужных баб, проинструктируй их, научи, как себя вести. Твоя задача: Веру должны забрать в лазарет в невменяемом виде. Насчет подвала не волнуйся, Игорь устроит тебе там рабочую смену.

Коля выполнил поручение с блеском. Подследственную Чернову отправили из СИЗО в спецбольницу, на том история и завершилась.

Через некоторое время Осипов и Нулин по поручению Рябова устроили в камере одного авторитета празднование его дня рождения. Юбилей прошел на высоте. Ночью в тщательно охраняемое помещение, где был накрыт шикарный стол, привели жену мужика, тот пригласил к дастархану кое-кого из сидельцев. Гуляли всю ночь.

Вскоре Осипова задержали, в момент встречи в кафе с бабой другого уголовника. Та как раз передавала Николаю мобильный и конверт с деньгами за услугу. Охранника отдали под суд и отправили на зону. С первой же оказией он передал Игорю письмо, в котором сообщил: у начальства есть информатор, кто-то в СИЗО стукач, приятелю надо соблюдать осторожность. Еще Коля напомнил, что за именины того вора в законе он не успел получить гонорар, его надо отдать Ане или Антонине Варламовне. У матери и жены сейчас трудное время: супруга наконец-то беременна долгожданным наследником.

Нулин не ответил. Зато через некоторое время на зону прикатил Рябов и завел сладкие речи:

— Коля, не нервничай, я тебя вытащу.

— Как? — резко спросил заключенный. — Мне уйму лет сидеть до УДО. И какого хрена я с вами связался? Ну жил бы дальше без денег, так ведь на свободе.

— Я тебя не подводил, — отрезал Валерий Федорович, — это мерзавец Нулин тебя сдал.

— Врете! — выпалил узник. — Мы с Игорем кореша.

— Кореша как лапша, в кипятке часок подержи и в кашу разварятся, — хмыкнул адвокат. — Ты-то отлично работал, а Игорь в последнее время косячил, клиентов подводил. У меня большие связи, появилась возможность поставить своего человека на должность замначальника СИЗО. Сначала-то я думал Нулина на высокий стул посадить, но когда он лажать принялся, я решил тебя наверх подбросить. Игорь знал о моих планах и теребил постоянно: «Когда я уже в кабинете окажусь?» Пришлось ему объяснить: никогда, туда усядется Осипов. А вскоре после этого разговора тебя на взятке взяли.

— Не верю, — пробормотал Николай, — мы не один год дружили.

— Мозг-то включи! — разозлился Рябов. — Кто знал, что жена моего клиента тебе сотовый и лавэ в кафе передаст, а? Ты, я, сама баба и Нулин. Я не стукач, мне свой человек в СИЗО необходим. Тетка тоже молчать должна: ей мужу помочь охота. Ты сам на себя не стал бы доносить. Кто остается? Игорь. Кем он стал после твоего ареста? Замначальника СИЗО. Между прочим, Нулин твои деньги за пьянку у авторитета ни Анне, ни Антонине Варламовне не отдал. Они к нему домой ходили, просили, с женой Игоря говорили, но те дулю им показали. Между прочим, Анна твоя из-за нервов ребенка потеряла. Держи письмо от супруги, там все написано.

Осипов прочел послание и так стукнул кулаком по столу, что разбил руку в кровь.

— Выйду, убью гада!

— Забудь о нем, — велел Валерий Федорович. — Колобок, пообещай, что не тронешь Нулина, и я тебя скоро отсюда вытащу.

— Как? — чуть не заплакал Николай Владимирович.

— Веру Чернову помнишь? — спросил адвокат.

Коля кивнул.

— Убийца двух человек, мы ее до психушки довели по вашей просьбе.

Рябов понизил голос:

— Он Чистильщик. Причем лучший в России.

— Кто он? — не понял Осипов.

— Владимир, муж Веры, — пояснил юрист. — Я с ним давно работаю. Документы делает — никто не подкопается. И вообще создает полностью новую личность, которую даже ЦРУ-ФСБ ни в чем не заподозрят. Гений своего дела! Берет немереные деньги, но клиенты и больше готовы заплатить. Он тобой займется.

— Откуда у меня бабло? — мрачно спросил Николай.

— Спокойно! — велел Рябов. — Оплата не твоя печаль, не дергайся. А теперь слушай. Из этой колонии зэка Осипова переведут на край географии. Ты там скоро заболеешь, умрешь, на местном кладбище в общей могиле исчезнешь. В Москву вернется другой человек. С усами и бородой. Еще очки наденешь — никто и не узнает. Познакомлю тебя с тетушкой-симпатягой. Она мужика на руках носить будет, готовит хорошо, тихая, скромная. Живет одна в трешке, дача, машина, бизнес свой есть. Чем не жена? Зарегистрируйтесь и живите.

— А как же Аня? — напрягся Осипов.

Валерий Федорович развел руками.

— На любой войне непременно есть проигравший. С Анной встречаться нельзя. Никогда. Новая личность — новая жизнь. Чистильщик никогда не возьмется ничего делать, если узнает, что подопечный в другую биографию с прежней бабой собрался.

— Я Аню люблю, — мрачно заметил Осипов.

— Ну тогда и чалься на зоне до морковкина заговенья со своими чувствами, идиот! — вскипел Рябов. — Человеку сахар забесплатно предлагают, а он от свободы из-за бабы отказывается... Думаешь, жена твоя кучу лет преданно ждать тебя станет? Да тут же развод оформит, за кого-нибудь замуж скоренько выйдет и троих родит, пока тебя, дурака, из зоны выпустят. Ты хоть понял, что за предложение получил? Вот олух царя небесного! Ну, даю пять минут на размышление...

Свобода или барак... Старая баба или новая жизнь... Николай, ты глупее оленя из тайги! Второй раз такое не предлагают. Если Анну выберешь, я сюда более не прикачу. Все, время пошло.

— Согласен, — быстро сказал Осипов.

— Вот и молодец, — одобрил Валерий Федорович. — А то я уж испугался, что ты весь мозг простудил.

— Почему мне забесплатно помочь решили? — поинтересовался Коля.

Рябов подмигнул заключенному.

— Давно мне свой человек в одном месте нужен, но я все не мог подходящего отыскать. Теперь нашел. Тебе, Коля, следователь обещал срок скостить, если подельников выдашь? Так?

— Ага, — кивнул Осипов.

— Ты никого не сдал, — улыбнулся юрист, — ни меня, ни Нулина. По полной сел. Так вот считай, что проверку на вшивость прошел. А по делам и награда. Какая работа предстоит, пока рассказывать не стану. Приедешь в Москву и узнаешь. Не переживай, не первый раз Владимир для меня человека с зоны вытаскивает. У него обломов не бывает.

И действительно, все проехало как по маслу. Осипов стал Юркиным, поселился в Омске на квартире, куда его отправил адвокат. Он отрастил усы-бороду, затем приехал в Москву и позвонил Рябову...

Глава 38

Ответил незнакомый мужской голос:

— Кто его спрашивает?

— Николай Юркин, — представился Осипов. — Я насчет работы. Валерий Федорович знает. Позовите его, пожалуйста, он меня ждет.

— Господин Рябов сегодня утром умер, — раздалось в ответ.

— Что? — ахнул Осипов. — Как? Я с ним два дня назад по скайпу говорил. Адвокат мне работу дать собрался, сказал: «О'кей, готово теплое место, жду в столице».

— Я Леонид, его помощник, — представился незнакомец. — Причина его смерти неизвестна: или инфаркт, или тромб оторвался, вскрытия пока не делали. Вас я знаю. Валерий Федорович велел вам ключи от квартиры передать. Приезжайте в офис. Адрес запишите...

В полной растерянности Николай прикатил в контору. Получил от Леонида ключи, деньги, узнал, где находится квартира для него, и пробормотал:

— Рябов работу обещал.

— Насчет службы он мне ничего не говорил, — вздохнул помощник, — сообщил лишь про жилье.

— Может, Чернов знает? — ляпнул Николай.

— Владимир Николаевич? — уточнил Леонид.

— Да, — кивнул беглый зэк.

— Оставьте номер своего телефона, посмотрю, чем смогу помочь, — сухо сказал секретарь. — А сейчас простите, должен помочь Раисе Павловне, вдове Рябова.

Осипов-Юркин ушел, не зная, что с ним теперь будет. Хорошо хоть у него было жилье и пачка купюр. На следующий день ему позвонил мужчина:

— Добрый день. Леонид сказал, вы привезли для меня посылку из Новокузнецка.

Николай сразу все понял.

— Да.

— Здорово! — изобразил радость Чернов. — Приезжайте завтра в кафе «Тюльпан» на улице Борисенкова.

Но утром от Владимира пришла эсэмэска. «Встречаемся на Казанском вокзале через полчаса. Стойте у мужского туалета».

Дальнейшие события напоминали шпионскую киноленту. У сортира к Осипову подошел аккуратный школьник, отвел его на стоянку такси. Николай сел в указанную машину, и та, попетляв по улицам, остановилась у метро, где «мертвец» перебрался в «Жигули»-развалюху. Автомобиль неожиданно резво полетел по шоссе и очутился на Курском вокзале...

Через три часа «прогулок» по столице, когда ошарашенный Осипов стоял у набитой народом сетевой харчевни, к нему подошел мужчина и безо всяких предисловий сказал:

— Зачем меня искали?

— Что случилось с Валерием Федоровичем? — спросил Николай.

— Умер.

— От чего?

— Аневризма. Сосуд в мозгу лопнул. Еще вопросы есть?

— Валерий Федорович хотел дать мне работу... — начал Коля.

— Я разве Рябов? — перебил его собеседник.

— Нет, — вздохнул Осипов-Юркин.

— Я обещал вам что-то? — продолжал мужик.

Николаю пришлось повторить:

— Нет. Но...

— Тогда зачем меня беспокоите?

— Работа нужна. Помогите! — взмолился беглый зэк.

— Ждите, вам позвонят, — буркнул Чернов и исчез в толпе.

Через несколько дней Коле звякнула тетка.

— Юркин? Николай? Приезжай на хлебозавод, берем тебя водителем.

Это была совсем не та работа, на которую рассчитывал Осипов. Но выбирать не приходилось. Спустя несколько месяцев Коле стало тоскливо: в неуютной квартире не хотелось жить, есть быстрорастворимые супы, лапшу из пакета и гамбургеры обрыдло. Мечталось об уюте, борще, тихих вечерах у телевизора в обнимку с Аней. Вот когда Коля понял, что до знакомства с Рябовым был совершенно счастлив, но не ценил это, а мечтал иметь много денег, трехкомнатное жилье, иномарку, возможность отдыхать на море... Лишь сейчас с большим опозданием до Николая дошло: человек счастлив не тогда, когда получает все, что желает, а когда доволен тем, что имеет. У жадности-то предела нет. Вот купил он себе «Форд» вместо дряхлого «жигуленка» и мигом захотелось «Мерседес»...

Осипов, сидевший за столом напротив Алексея, замолчал. Кудрин спокойно спросил:

— Вы встретились с Аней?

Арестованный кивнул.

— Да. Жена и мама чуть не умерли от счастья, когда узнали, что я жив и на свободе. Они поменяли квартиру, уехали в другой район, нашли новую работу. Мы с Нюшей снова поженились...

Осипов-Юркин замолчал.

— И опять захотели детей, — договорил за него Алексей.

Николай не произнес ни слова.

— А еще на вашей совести смерть Нулина, — добавил Кудрин.

Его собеседник не испугался.

— Нет.

— Да, — отрубил следователь. — Вы стали жить с Аней и не смогли справиться с желанием отомстить тому, кто отправил вас за Можай.

В лице Осипова ничего не дрогнуло.

— Я честный человек, который был втянут Рябовым в преступную деятельность. Испытываю истинное раскаяние, поэтому сейчас сдал вам Чистильщика. Без меня полиции его не взять. Никогда. В свое время я признал и факт взяток, теперь не отрицаю побег с зоны. Но к смерти Нулина я отношения не имею.

— Полагаю, вам неизвестно, что Игорь Нулин перед самой смертью пришел в себя и назвал имя того, кто его убил на шоссе, — спокойно заметил Алексей.

— Правда? — усомнился Николай. — С кем он поделился?

— С Ириной Максимовной, своей женой, — уточнил Алексей, — которая находилась в палате реанимации рядом с супругом.

— И что он сказал? — не утихал Осипов.

— Чучело Колобка, — ответил Кудрин. — Умирающий сказал: «На меня напало чучело Колобка. Голое платье звезды».

Арестованный похлопал себя по большому животу.

— Не спорю, мое погоняло Колобок. Но даже адвокат, который мне от государства положен, вам живо объяснит: умирающий не мыслит ясно, находится в спутанном сознании. А слова «Голое платье звезды» мне ваще непонятны. Бред!

— Неужели не помните о том, как друг вам подарил прикольную футболку? — осведомился Алексей.

— Майку? — прищурился Колобок. — Не-а. В палате еще кто-то кроме Ирины и Игоря находился? Слышал, какую пургу мужик нес?

— Нет, — после небольшой паузы ответил Алексей.

— Тогда слова бабы ничего не стоят. Она могла придумать про Колобка. И про голое платье звезды! Ваще дурь!

Кудрин выровнял бумаги, лежавшие на столе.

— И зачем Нулиной это делать?

— У нее спросите, — отбил подачу Николай. — Бабы врут, как дышат. Она говорила про чучело Колобка? А меня просто Колобком дразнили, без чучела. Это раз. Два: повторяю, сознание у Игоря плыло. Три: больше никто его слов не слышал. Ирка может утверждать, что муж очнулся, а я заявляю: она брехло. Ее слово против моего. Кто прав? Есть прямые улики против меня?

Кудрин вынул из стопки бумаг один лист.

— Экспертиза установила, что машину Нулина сбросила с эстакады предположительно «Газель». А вы как раз такую водили, хлеб в магазины доставляли. При пострадавшем нашли документы, кошелек, телефон, а ключей не было. Бригада, которая работала на месте происшествия, о связке не подумала. Куда она делась?

— А я откуда знаю? — усмехнулся «оживший мертвец». — Ваши парни частенько нечисты на руку, легко могут у покойника что-нибудь стянуть. Или не слышали об этом никогда?

— К Ирине в ее отсутствие непрошеный гость заходил, — продолжал Кудрин, — искал что-то. Что?

— Спросите того, кто там шарил, — пожал плечами «покойник». — У вас улики есть? Или одни домыслы?

Алексей молчал.

— Значит, нет, — кивнул Николай. — Меня Игорь не волновал, я его давно простил. Докажите обратное.

— Почему Владимир Чернов решил свести жену с ума? — переменил тему Кудрин.

Осипов-Юркин взял в руки картонный стаканчик с водой.

— Рябов говорил: у Черновых маленький ребенок, его мать оказалась убийцей, отец и бабушка опасаются за девочку. Сейчас она пока ничего не соображает, но скоро в школу пойдет. Придется в анкете на вопрос о родителях указывать: мать — убийца, мотает срок на зоне. Это некошерно. А если в психушке сидит, то больная. Неприятно, конечно, но лучше, чем маньячка, которая двух своих клиенток на тот свет отправила. У Владимира был план: как только супругу в психушке запрут, он с ней разведется, жену прав на девочку лишит, найдет себе другую, распишется с ней, та малышку удочерит. И ребенку хорошо — ему правду не сообщат, скажут: мама от болезни умерла, у тебя теперь другая родительница есть, и документы чистые, и к Владимиру вопросов нет. Поэтому Рябов и велел Веру запугать. Но потом он одну фразу обронил, и я понял: не все Валерий Федорович мне рассказал, кое-что утаил.

— Что вас насторожило? — оживился Алексей.

Николай опять сделал глоток из стоящего перед ним стаканчика.

— Когда я сказал ему: «Все о'кей, Чернова в лазарете полностью невменяемая. Баба реально крышей круто поехала», он воскликнул: «Вот и хорошо! Жаль, мне солонка Лазетти не досталась. Да, может, и не врала она, не было ее у Веры, папаша все следователю сдал». Я удивился: «Какая солонка?» Он осекся: «Не обращай внимания. Вчера был на аукционе и бился там за предмет из сервиза, который наследники Лазетти продают. Очаровался солонкой — настоящее произведение искусства. Но меня один банкир обскакал: такую цену заломил, что я отошел. До сих пор переживаю».

Николай усмехнулся.

— Рябов от всякого старья фанател. Картины, фигурки, посуда... Дома у него я никогда не бывал, но думаю, там музей. Он мог часами о какой-нибудь чайной ложке рассказывать. Один раз взялся девчонку от срока спасать. Не его тема вообще: она в магазине кофту сперла. Рябов за такое не брался, ну разве только если б ему богатые родители миллионы за дуру-мажорку предложили. Но у той нечистой на руку идиотки только бабка-пенсионерка была. Я очень удивился, когда Рябов велел этой козявке жратвы хорошей купить да в душ ее с французским шампунем, как королевишну, каждый день водить. Спросил: «Девчонка вам кто? Дочь незаконнорожденная? Про любовницу не думаю, знаю, что вы от своей Раисы Павловны налево не ходите». Он меня по плечу похлопал:

«Эх ты, дурень. А зачем жениться и потом по чужим бабам бегать? Это как в ресторане с чьей-то тарелки остатки подъедать. Кто-то жрал, а потом ты смёл обслюнявленное. Завел жену? Живи с ней. Не нашел такую, с которой хочется всегда рядом находиться? Не тащи в загс кого попало. Ради того, чтобы обед и рубашку чистую получить, ярмо супружества на шею не вешай, лучше домработницу найми. И в моральном, и в финансовом плане помощница по хозяйству дешевле обойдется. Та девчонка мне никто. Но у ее бабки есть статуэтка, за которой я давно гоняюсь. Восемнадцатый век! Если дурочку от каземата отобью, фигурка моя будет». Вот чудак-человек! Зачем старье хапать? Он мог все новое купить.

Николай замолчал. Потом вдруг спросил:

— Вас, похоже, Владимир Чернов с мамашей интересуют? Точно хотите узнать, почему он жену в дурку отправил?

— А у вас есть ответ на этот вопрос? — спросил Алексей.

— Могу назвать того, кто про все дела Валерия Федоровича в курсе, — усмехнулся Николай. — Раиса Павловна. Любимая жена. Она адвокату правой рукой, глазами, ушами и всем остальным служила. Секретарь, помощница. Актриса, каких поискать. А уж выдумщица! На ходу истории фантазировала. У меня и телефон ее есть, и адрес.

— Сомневаюсь, что эта Раиса пойдет с нами на откровенность, — вздохнул Алексей.

Николай почесал макушку.

— Про наш уговор помните?

— В СИЗО камера на двоих с подследственным по экономическому преступлению, зона подальше от Москвы, режим обычный, — перечислил Алексей.

— Не обманете? — насупился Николай.

— Не должен, — ответил Кудрин.

— Если пустите ко мне Аню и дадите нам пару часов вместе побыть, объясню, как Раису к себе расположить. И что ей сказать надо, чтоб она вам помогла, — заявил Осипов-Юркин.

— Ладно, — кивнул Кудрин. — Сидеть тут будете. Но без глупостей! Наблюдение не отключат.

— Ничего, мы не стеснительные, — засмеялся Николай.

Глава 39

— Помнишь, что говорить надо? — спросил Кудрин, когда мы на следующий день подъехали к небольшому старинному дому в Денежном переулке.

— Затвердила роль наизусть, — ответила я.

— Надеюсь, — пробормотал Алексей. — Если спугнешь ее — пиши пропало. Залезет улитка в раковину и створки захлопнет.

— Улитки в домик втягиваются, — пояснила я, — а вот моллюски, те запираются.

— Ой, да какая разница, — отмахнулся Кудрин. — Помнишь, что Барбося про Раису выяснила?

— Компромата на нее нет, — отрапортовала я. — Вышла замуж за Валерия Федоровича, который был ее в два раза старше, прожила с ним тридцать лет. Нигде не работала. Детей нет. По документам домашняя хозяйка. Если верить Николаю и Гаврюше, они оба про Раису говорили, супруга была юристу верной помощницей. Сейчас получает копеечную пенсию, но живет без долгов и коммуналку платит вовремя. А еще ездит несколько раз в год за границу. Постоянные места отдыха: Карловы Вары, Париж, Милан. Все законно: вдова продает антиквариат, который не таясь собирал Рябов. Женщина любит красивую одежду, хорошую косметику, регулярно посещает парикмахерский салон, фитнес-зал, то есть следит за собой, явно хочет выглядеть моложе своих лет. И ей это удается, если верить фотографии, которую показывала Настя, — Раиса Павловна категорически не выглядит пенсионеркой, более сорока пяти ей никак не дашь. Дама имеет скидочную карточку от «Бака», делает у нас разные покупки. К ВИП-клиентам не относится. И это пора исправить.

— У тебя потрясающая память, — восхитился Алексей.

Я взяла свою сумку и огромный фирменный пакет фирмы «Бак», который стоял на заднем сиденье.

— Еще я умна и очень хороша собой.

— Похоже, у тебя нет недостатков, — улыбнулся Кудрин.

Я вышла из машины.

— Ты прав. Я идеальна.

— А вот я частенько себя идиотом чувствую, — вдруг серьезно сказал Алексей.

Я помахала следователю рукой.

— Сколько проболтаю с Раисой, понятия не имею. Как только освобожусь, звякну.

— Главное, сразу на нее не дави, — посоветовал Алексей, — действуй аккуратно. Бабы непредсказуемы, могут все криво понять, заистерить.

Я пошла к подъезду. Нашел кого учить! Я — мастер переговоров. Ведь только мне удалось весной заключить контракт с одной парижской фирмой, и та установила нам на первом этаже торговое оборудование с пятнадцатипроцентной скидкой на свои услуги. Да что там говорить, женщина, которая сумела выбить из французов такое уменьшение счета, просто гений. Обычно-то потомки Д'Артаньяна со слезами скидывают от общей суммы пару евро, а потом несколько лет вспоминают о своей неслыханной щедрости при каждом удобном и неудобном случае. Что же касаемо недостатков, то у меня их вагон и маленький трамвайчик. Например, я не люблю, не умею и не хочу готовить никакую еду, а также никогда не сюсюкаю при виде младенцев. Нет, я никогда не обижу малыша, но умиляться при виде карапуза не стану. А еще я терпеть не могу лентяев, дураков, сплетников, врунов. Хотя сама могу посудачить на чужой счет и солгать. Но надо ли всегда говорить людям правду, только правду, одну правду и прямо в лицо?

Сегодня утром я сказала Нине, одной из кассирш фирмы «Бак»:

— Прекрасно выглядишь, розовая помада идеально тебе подходит. И ты здорово похудела.

— Правда? — обрадовалась стокилограммовая Ниночка. — Ты мне прямо настроение подняла. А то Варька из бижутерии на меня напала: «Не ешь булочку, нельзя тебе, выглядишь, как беременный тюлень». Я прямо заплакала. А после твоих слов на душе незабудки расцвели.

Ну и кому плохо оттого, что я Нине наврала? И кому хорошо оттого, что Варвара правду ей сказала? Что лучше для женщины: рыдать или с цветами в душе жить? Кассирша на моей памяти всегда центнер весила: одна плюшка погоды не сделает.

Я нажала на звонок. Дверь в квартиру распахнулась, на пороге появилась стройная женщина в джинсах и футболке. Лица хозяйки апартаментов я не могла разглядеть, потому что она не зажгла в холле свет, а в спину ей били лучи солнца, которые проникали через окно в коридоре. Я улыбнулась.

— Добрый день. Скажите вашей маме Раисе Павловне, что приехала Степанида Козлова, директор фирмы «Бак» по департаменту макияжа. Госпожа Рябова предупреждена о моем визите.

Дама весело рассмеялась.

— Раиса перед вами.

Я постаралась изобразить искреннее смущение.

— Извините. Подумала, что дверь мне открыла юная девушка. Видела ваше фото в журнале, знала, что вы прекрасно выглядите, но чтобы настолько... Еще раз простите.

— Это потому, что в прихожей люстра не горит, — кокетливо заметила хозяйка и щелкнула выключателем. — Теперь весь мой возраст на лице.

— Хотела бы я в сорок лет выглядеть так, как вы, — произнесла я.

Раиса Павловна засмеялась.

— Ай, комплиментщица! Понимаю, что льстите, но все равно очень приятно. Проходите в гостиную и рассказывайте, почему ваша уважаемая мною фирма вдруг обратила внимание на скромную пенсионерку.

Глава 40

— Правильно ли я поняла? — удивилась Рябова, пододвигая поближе ко мне вазочку с печеньем. — Фирма «Бак» действительно решила сделать меня своей моделью?

— Нет, послом красоты, — уточнила я. — Вы являетесь отличным примером для женщин, которым за сорок. Прекрасная фигура, осанка, лицо в идеальном состоянии, роскошные волосы. Мы давно искали даму, глядя на которую наши покупательницы задумаются: стоит ли каждый день лопать пельмени, сосиски, салаты с майонезом? И хочется, чтобы они поняли: после сорока жизнь не заканчивается, оставаться красивой можно и в пятьдесят, и в семьдесят...

Я пела, словно соловей июньской ночью, Раиса Павловна молча слушала. Наконец фонтан, бивший из меня, иссяк.

— Участие в фотосессиях и показах пару раз в году, и еще у меня будут брать интервью, — повторила Рябова предложенное мною. — Это работа. А в качестве оплаты я буду получать нужную мне продукцию «Бак» бесплатно. Плюс презенты и стрижки-окраски-укладки у лучших стилистов.

— Именно так, — кивнула я и показала на сумку, которая стояла на полу. — Независимо от вашего решения, стать нашим послом красоты или нет, с огромной радостью хочу вручить вам самый большой ВИП-подарок.

— Но почему выбрали меня? — удивилась вдова Валерия Федоровича. — Я не актриса, не певица или телеведущая. Самая обычная женщина, никому не известная.

— Знаменитости давно намозолили всем глаза, — поморщилась я. — Какой журнал ни открой или телеканал ни включи, они там, причем одни и те же. А мы хотим всем объяснить: самая обычная дама, без мужа-олигарха, со средним кошельком, может прекрасно выглядеть. Да, певице Вольпиной шестьдесят лет, а она выглядит как девочка. Но наши покупательницы смотрят на нее и вздыхают: «Куда мне до певуньи... У нее же и деньги, и возможности». А при взгляде на вас таких мыслей ни у кого не возникнет, наоборот, тетушки воскликнут: «Да она, как я! Прямо сегодня запишусь в спортзал. Вовсе это не так уж и дорого, в Москве можно фитнес по своему карману найти. А старый плед дома на пол постелить, чтобы мышцы качать, живот убрать, и вовсе даром обойдется». Какое у вас красивое ожерелье! Не современное производство. Камни редкой чистоты, оправа изумительно тонкой работы. Очень оригинальное сочетание бриллиантов с уральскими самоцветами. Ох, простите! Не удержалась от комментария, но меня восхитило ваше украшение.

Раиса Павловна потрогала ожерелье.

— Это подарок любимого мужа. Вещь историческая. Когда великий князь Сергей Романов погиб от взрыва бомбы, которую в него, московского генерал-губернатора, бросил террорист, его вдова Елизавета Федоровна решила посвятить себя Богу. У великой княгини были уникальные драгоценности, она их продала, купила земельный участок на Большой Ордынке и построила там на свои средства Марфо-Мариинскую обитель милосердия. Монастырь существует и сегодня, там удивительной красоты сад. Украшения же Елизаветы Федоровны разошлись по разным людям. Вот это колье спустя много лет преподнес мне супруг.

— Жаль, что в пару к ожерелью нет серег, — вздохнула я. — Почему-то мне кажется, это был комплект. Подвески сюда прямо просятся. В прежние времена украшения для декольте всегда сопровождали серьги.

Хозяйка погладила колье и слегка сдвинула его в сторону — я заметила у нее на коже красные пятна. Хотела было сказать, что даже самое красивое и дорогое ювелирное изделие может вызвать аллергию, что золото, серебро, камни могут послужить раздражителем, но прикусила язык. А Раиса Павловна подлила мне чаю и спокойно продолжила разговор:

— Возможно, комплект не полный, его разбили прежние владельцы. А может, ансамбля никогда не было. Во всяком случае, у меня только колье. — Рябова помолчала секунду и вдруг спросила, глядя прямо мне в глаза: — Степанида, вы же не считаете меня дурочкой?

— Конечно, нет! — воскликнула я.

— Тогда рассказывайте честно, зачем я вам понадобилась, — улыбнулась Рябова. — Все, что я услышала из ваших уст, весьма привлекательно, и я могу с удовольствием принять это более чем заманчивое предложение. Но тихий голос шепчет мне сейчас в уши: «Рая, милая Степанида протягивает тебе красивую шкатулку, в которой лежат замечательные подарки: звание посла красоты, бесплатная косметика, обслуживание у лучших стилистов, участие в конкурсах, показах... Кажется, что праздник настал. Но, дорогая, в каждой шкатулке есть второе дно». Степанида, что вы там спрятали? Зачем я вам на самом деле нужна?

Мне понадобилось две секунды, чтобы сообразить: лгать нельзя, ничего придумывать не стоит. У госпожи Рябовой оказалась интуиция зулуса, который за сутки до нападения врага знает, что неприятель готовится ринуться в атаку. Если я начну изворачиваться, она просто-напросто выгонит меня.

Я набрала полную грудь воздуха.

— Вы правы, у меня к вам два дела. Первое я уже озвучила — предлагаю вам стать послом красоты фирмы «Бак». И второе. Ваш муж когда-то имел деловые контакты с Владимиром Николаевичем Черновым, который вместе с супругой Верой Михайловной владел агентством недвижимости. Потом Веру арестовали за убийство двух клиенток, но она избежала отправки на зону, потому что сошла с ума, ее поместили в специальную психиатрическую лечебницу. А в семье подрастала девочка Валерия. Когда мать угодила в СИЗО, Лере едва исполнилось семь лет. От малышки скрыли правду, солгали про болезнь матери, а потом сообщили о смерти Веры. Более того, в стене одного из московских колумбариев есть ниша, где прикреплена дощечка с именем-фамилией Черновой. Но на днях Лера увидела в нашем торговом центре Веру Михайловну, узнала ее...

Я говорила и говорила. Раиса Павловна слушала не перебивая.

— Мне удалось кое-что узнать о Черновой, — подошла я к концу повествования. — И сейчас я знаю: ее намеренно довели до эмоционального срыва. Причем, скорей всего, автор этой задумки не кто иной, как ее супруг. А еще у меня возникли большие сомнения в том, что Вера Михайловна вообще убийца. Я сильно удивилась, когда услышала о существовании могилы без покойницы — такое ведь очень непросто устроить при жизни человека. Но затем узнала от одного знакомого, что Владимир Чернов — Чистильщик. Так называют...

— ...специалиста, который «чистит» чужую биографию, создает новую личность, — перебила Раиса Павловна. — Степанида, я была не только верной женой Валерия Федоровича, его няней, домработницей, другом, но и секретарем, помощницей во всех делах. Пойдемте, кое-что покажу.

Мы встали и по бесконечному коридору огромной квартиры добрались до просторной комнаты без окна. Посреди нее стоял большой стол с лампой, возле него роскошное кожаное вертящееся кресло, а все стены были заняты шкафами с деревянными створками.

— Мы в архиве, — пояснила Раиса Павловна. — Мой муж был адвокатом и никогда не выбрасывал свои записи. В день смерти утром он мне сказал: «Еще немного, и хранилище полностью заполнится. Надо подумать, как его расширить». Но...

Рябова опустила голову и некоторое время стояла молча. Потом показала на самый крайний слева шкаф.

— Там материалы по Черновой. Все адвокаты аккуратны и методичны. Но Валерий Федорович даже на их фоне выделялся, как он говорил, «занудством». Муж тщательно записывал всю информацию не только на бумаге, но и на магнитофон. А клиенты понятия не имели, что их беседы с защитником фиксируются. Почему он так поступал?

Вдова подошла к шкафу и распахнула его. Я увидела, что за красивыми деревянными панелями скрываются вторые дверцы — металлические.

— Перед вами сейфы, сделанные по особому заказу, — пояснила хозяйка. — Открыть их может только человек, знающий пароль. Если же кто-то попытается взломать замок, присоединит к нему устройство для определения шифра или любым другим способом попробует добраться до того, что хранится внутри, содержимое шкафа вмиг превратится в пепел. И уж совершенно точно муж никогда не собирался шантажировать своих клиентов. Почему тогда он делал подробнейшие записи и хранил их?

...Сейчас поясню. После свадьбы мы поехали отдыхать на море. Медовый месяц проводили в Коктебеле. За день до отлета домой Валера, тогда еще мужчина в самом расцвете сил, решил продемонстрировать перед молодой женой свою удаль. Мы с ним шли по берегу и увидели, как парни лет восемнадцати-двадцати ныряют с не очень высокой скалы в море. Валерий немного комплексовал из-за нашей с ним разницы в возрасте, поэтому лишний раз старался подчеркнуть: он мужчина, что называется, ого-го еще какой. В начале семейной жизни это желание у него было особенно острым. Хотя и через много лет брака не утихло, должна сказать.

Так вот, тогда я и ахнуть не успела, как супруг забрался на гору, намного выше той, с которой сигали вниз студенты, и прыгнул головой вниз. Увы, ни он, ни я не знали, что в том месте неглубоко, поэтому Валерий ударился макушкой о дно. Вытащили его те юноши. Чудом муж не сломал шейные позвонки, но, тем не менее, впал в кому. К счастью, пролежав без памяти три дня, он очнулся и постепенно полностью восстановился. Но! Бессознательное состояние сыграло с Валерием неприятную шутку. Началось с того, что он перестал помнить имена. Фамилии, даты, обстоятельства дел — все держал в памяти, а имена забывал. Я некоторое время не понимала, в чем дело. Только удивилась, что муж стал обращаться ко мне без имени, говорил просто «мышка». Что ж, подумалось мне, очень даже милое любовное прозвище. Но потом я сообразила: Валера забывает, как меня зовут.

Представляете, сколько разных имен упоминается даже в одном судебном процессе? Так вот, Рябов стал составлять шпаргалку — список, так сказать, действующих лиц. Ему приходилось непросто, ведь встречаются очень распространенные фамилии. Например, Кузнецов. Один может являться истцом, другой ответчиком... Муж всегда держал перед глазами этот перечень имен. Но потом начались еще и провалы в памяти. Вечером Валера напишет речь, а утром перечитывает ее и теряется. Упоминается, скажем, эпизод с туфлями. Что это такое? Забыл! Вот поэтому он записывал все разговоры с людьми из-за шуток своей памяти. Что же касается Чернова...

Раиса Павловна открыла сейф и стала доставать с разных полок очень толстые, туго набитые папки.

— Ненавижу Ангелину Сергеевну! — вдруг воскликнула Рябова. — И Владимира тоже!

— За что? — удивилась я.

Рябова захлопнула дверцы и двинулась в коридор, продолжая говорить, но не отвечая впрямую на мой вопрос.

— Вы правы в одном и ошибаетесь в другом. Да, Чистильщик — член семьи Черновых. Вот только документы, легенды и новую личность создает не Владимир. Да, да, не удивляйтесь. Чистильщиком является... его мать. Сын Ангелины Сергеевны бесполезное, даже жалкое существо. Дело в том, что он игрок. Только увлекается не покером, не бриджем, не рулеткой, а тараканьими бегами.

Мы вернулись в гостиную, Раиса Павловна убрала со стола чашки и положила на скатерть папки.

— С другой стороны, чем еще может увлекаться насекомое? Только себе подобными. Вам когда-нибудь встречалась блоха, которую на равных приняли бы в свою компанию львы? Да если у царя зверей в шкуре паразит заведется, он его выгрызет.

— М-да, вам явно сильно не нравится Владимир, — пробормотала я.

— Из-за него я потеряла мужа, — как-то слишком спокойно пояснила моя собеседница. — В общем, слушайте, так и быть, расскажу, что произошло.

Глава 41

Николай Петрович Чернов, отец Владимира, и Валерий Федорович Рябов, муж Раисы, когда-то учились на одном курсе. Юноши дружили и после получения диплома. Потом Чернов женился и стал отдаляться от Валеры — авторитарная Ангелина не хотела ни с кем делить мужа — и в конце концов оказался у супруги под пятой. По ее указке адвокат занимался исключительно теми делами, ведение коих сопровождалось получением толстых конвертов, и быстро преуспел. Умная Ангелина никогда явно не отказывала однокашнику Николая от дома, но всякий раз, когда Рябов звонил, трубку почему-то брала именно она, и оказывалось, что ее мужа нет дома.

Как уже говорилось, дела у Чернова резво шли в гору, а вот у Валерия, наоборот, стремительно ехали вниз. Рябов сидел в простой юридической консультации и оказался там самым юным. А еще он ведь был первым адвокатом в своей семье. И, заметим в скобках, вообще первым человеком с высшим образованием (отец Валеры, профессиональный алкоголик, в свободное от запоев время трудился на сахарном заводе грузчиком, а мать мыла подъезды). Все остальные сотрудники, люди значительно старше недавнего выпускника вуза, происходили из династий юристов, значит, обладали нужными связями. Ну мог ли начинающий адвокат рассчитывать получить от Моисея Израилевича Шнеерзона, заведующего консультацией, интересное дело, за которое светит хороший гонорар?

Моисей Израилевич не имел ничего против Рябова, он не был сионистом. Законник просто не верил, что Валера может справиться со сложной работой, поэтому и позволял парню заниматься только всякими пустяками. Одновременно с Рябовым в консультацию распределили некоего Мишу Краснова. У того тоже не было опыта юридической практики, к тому же, в отличие от Валерия, обладателя красного диплома, Михаил получал на институтских экзаменах одни тройки. И тем не менее именно ему сразу стали доставаться выгодные клиенты. Почему? Ответ простой: отец и дед парня были друзьями Моисея Израилевича, а сам Мишенька в детстве сидел на коленках у дяди Моисея. Всем же ясно: если юный адвокат совершит ошибку, папа и дед моментально ее исправят. А кто поможет Валерию?

Через несколько лет Рябов, который почти голодал и мечтал хотя бы просто вдоволь вкусно поесть, накануне дня рождения Николая Чернова позвонил другу. И, как ни странно, застал-таки его дома.

— Коля, хочу завтра забежать, поздравить тебя, — сказал он.

— Ну... э... — затянул приятель, — вообще я не справляю... никого не жду... Лина плохо себя чувствует...

Но Валера решил проявить настойчивость вкупе с несвойственной ему наглостью и на следующий день прикатил по известному ему адресу, позвонил в дверь. Ему открыла домработница. На вешалке висело множество пальто, из комнат доносился гомон. Рябов прошел в гостиную и понял: вчера он правильно решил, что Николай просто не хотел звать его на вечеринку, ведь сейчас здесь собрались богатые, нужные, влиятельные люди. По правде сказать, среди хорошо одетых мужчин и дам Валера в своем потрепанном пиджачке и лоснящихся брюках выглядел жалко.

При виде Рябова Ангелина изменилась в лице, но только на секунду, потом расплылась в улыбке:

— Николаша! Посмотри, кто пришел!

— Валерка! — обрадовался, выныривая из скопища гостей, Чернов. — Молодец, что заглянул, сто лет не виделись. Эй, кто-нибудь, налейте моему другу!

Постоянно голодный Рябов решил не обижаться на бывшего однокашника, который сделал вид, будто не помнит, как накануне говорил о том, что не собирается отмечать дату, а воспользовался возможностью хоть поесть от пуза. В момент, когда адвокат-неудачник лакомился осетриной, к нему подошел Моисей Израилевич и с удивлением спросил:

— Мальчик, а вы как сюда попали?

— Мы с Валеркой в одной группе учились, — пояснил появившийся ниоткуда Коля, — и до сих пор друзья с ним неразлейвода.

Шнеерзон слегка поднял одну бровь и удалился.

— Надеюсь, тебе мои слова помогут, — тихо скороговоркой произнес Чернов и убежал.

Перед уходом домой Валера зашел в туалет и услышал, как в ванной, которая граничила с санузлом, именинник беседует с женой.

— Зачем ты Моисею сказал, что оборванец Рябов твой приятель? — налетела на мужа Ангелина.

— Валерка мне в институте помогал, — начал оправдываться Коля, — он отличник был.

— Сильно ему пятерки помогли, — засмеялась Лина, — на штанах вон чуть не дырки. Не забывай, по друзьям о нас судят. Не желаю более Рябова в своем доме видеть, нам приятельство с нищими в минус.

— Да пошла ты! — рявкнул вдруг Николай. — Отстань, надоела!

— Слушай меня, идиот! — не отстала Ангелина.

— Ну все, назло тебе позвоню Моисею и попрошу его Валерке помочь, — отрезал супруг.

— Ну-ну, — рассмеялась жена. — Тебе хочется дерьмо башенкой сложить и конфеткой украсить? Валяй! Но чтоб потом со слезами ко мне не прибегал и не спрашивал, почему дела хуже пошли. Нищета и неудача заразны, подцепишь их от своего дружка и сам заболеешь.

Через неделю Моисей вызвал Валеру в свой кабинет.

— Слушай меня внимательно, мальчик! В полдень придет Борис Янов, займись им. Даю тебе шанс, не упусти его. И не подведи друга, который за тебя просил.

Валерий понял, что Николай действительно за него ходатайствовал, и стал благодарить Шнеерзона. Тот поморщился:

— Мальчик, хватит! Лучше потрать время на покупку приличного костюма, приобрети достойную пиджачную пару. Внешний вид адвоката должен буквально кричать о его успешности. А у тебя сразу два отрицательных качества: молодость и бедность. Еще советую отпустить бороду.

— Второй совет я выполню быстро, а вот с первым проблема — денег-то у меня совсем нет, — признался Рябов.

Моисей закатил глаза и снял трубку телефона.

— Яша! К тебе приедет юный оборванец. Подбери ему на свой вкус нужную для юриста из моей консультации одежду.

Потом заведующий протянул Валере клочок бумаги.

— Вот адрес Якова Соломоновича. Получишь у него костюм. Бесплатно.

— Но... — начал Валера.

Моисей сделал быстрый жест рукой.

— Иди, мальчик, забирай вещь, не мешай!

Прошло время. Валера стал успешным адвокатом, обзавелся массой клиентов, связей, не утонул в перестройку.

А вот у Николая дела пошли значительно хуже. Да еще ему много неприятностей причинял сын Володя. Парень постоянно влипал в истории, тратил много денег, а когда отец в воспитательных целях перестал пополнять кошелек отпрыска, стал брать в долг. Один раз Вова приехал с протянутой рукой к Рябову. Валерий Федорович поставил ему условие: он даст парню требуемую сумму, но хочет знать, зачем она тому понадобилась. Сын бывшего однокашника понес чушь про то, что хочет открыть бизнес... Рябов пообещал подумать о ссуде, а позже позвонил Ангелине. Колю, у которого начались нелады со здоровьем, нервировать не хотел. Валерий предупредил мать, что сын задумал что-то нехорошее, и сказал: «Если ты разрешишь, я дам ему денег и никому о долге не сообщу». Этот поступок примирил Лину с давним приятелем мужа, она поняла, что Рябов — настоящий друг.

После смерти Николая Валерий Федорович не раз выручал Володю из разных неприятностей, связанных в основном с его привычкой брать в долг немалые суммы и не отдавать их. Раиса Павловна злилась, видя, что супруг постоянно подставляет плечо парню и часто утешает вдову, говоря ей: «Подождите, сын за ум возьмется», но молчала. Когда Владимир женился на Вере, Ангелина Сергеевна перестала названивать Рябову. А летом пригласила старого друга покойного мужа и его супругу на свой день рождения.

Раиса, сев к столу, не удержалась от ехидства, прощебетала:

— У Володечки прекрасная вторая половина, он просто расцвел. И, похоже, вы ремонт на даче сделали.

— Да, Верочка — чудесная девочка, — начала расхваливать невестку Ангелина, — настоящая бизнесвумен. Они с моим сыном открыли риелторскую контору, дела идут очень хорошо.

Вскоре Черновы обзавелись новой машиной, опять наняли домработницу...

— Кажется, Ангелине Сергеевне в самом деле повезло с невесткой, — удивилась один раз за ужином Раиса. — Вера оказалась человеком с деловой хваткой, Володя больше у тебя денег не клянчит, его мать по вечерам в телефон не рыдает. Неужели парень исправился? Перестал увлекаться дурацкими тараканьими бегами и занимается торговлей недвижимостью?

— Не верится мне в это, — протянул Валерий. — Денег он и правда не просит, но... Знаешь, мне просто не по себе от этого, кажется, что чем-то Вова и Вера нехорошим занимаются. Надо же, их агентство недавно возникло, а уже такая прибыль льется. Странно это. Обычно в первые два-три года бизнес еле-еле в ноль выходит. Поэтому их успешность настораживает. Как бы беды не вышло.

— Ты слишком мнительный, — засмеялась Раиса Павловна.

— Возможно, — неконфликтно согласился муж. — Однако мой нос чует неприятный запах.

А через некоторое время однажды среди ночи в дом к адвокату прикатила Ангелина и разрыдалась прямо в прихожей. Встревоженный Рябов отвел вдову друга в свой кабинет. Никто из клиентов Валерия Федоровича не знал, что за картинами, которые украшали стены, были специально сделанные слуховые устройства, а в соседней комнате всегда сидела Раиса, верная помощница мужа, которая записывала все беседы на магнитофон, потом печатала их и подшивала бумаги в папки. Так создавался архив. Находиться в кабинете супруга адвоката не могла, в ее присутствии клиент ведь не станет откровенничать. И записывающее устройство там не поставишь — вдруг посетитель его заметит? Неприятностей тогда не оберешься. Адвокат как священник, ему надо говорить исключительно правду, но мало кто хочет, чтобы его откровения оказались записанными.

— Валера, помоги! — всхлипнула вдова друга. — Беда стряслась!

— Володя опять влез в долги? — предположил Рябов.

— И это тоже.

— А что еще? — напрягся юрист.

— В двух словах не объяснить.

— Я никуда не тороплюсь, начинай, — велел адвокат.

— Вера под следствием, — выдавила из себя Ангелина.

— Вот те пирог с курагой! — воскликнул Валерий. — Почему раньше не пришла? Что случилось? Кто у невестки адвокат?

— От государства он, — тихо произнесла Чернова.

— С ума сошла? — взвился Рябов. — Почему я до сих пор не в курсе?

Ангелина Сергеевна расплакалась.

— Володя начудил. Понимаешь, я до недавнего времени ничего не знала. Такой тугой клубок сплелся! Тараканьи бега... Сокровища Антонины Петровны и Михаила Ильича Мамаевых... Я против невестки ничего не имею. Вера — мать Леры, а внучку я обожаю. Но для нас будет лучше, если ее в психушку запрут. Вот тогда волна не поднимется, все быстро уляжется. Ты все можешь, у меня тоже связей полно, но я их в этой ситуации задействовать не могу. Не желаю, чтобы хоть кто-то знал: Вера не убийца.

— Ничего не понимаю! — воскликнул Валера. — Объясняй спокойно и по порядку. Без торопливости. Вдохни-выдохни — и вперед.

— Хорошо, — согласилась Ангелина. — Но до того, как тебе все выложить, спрошу. Вот ты завзятый коллекционер, да еще адвокат. Знаешь про дело Мамаева? Это давняя история. Он занимался жильем и имуществом покойных граждан, которые не имели наследников. Михаил Ильич с подельниками выносили из квартир что подороже и продавали.

— Нет, об этом деле я ничего не помню, — признался Рябов. — Да и невозможно обо всех, кто в руки закона попал, знать.

— Ну ладно, слушай... — вздохнула Ангелина.

Глава 42

Один раз к Николаю Чернову обратился некто Андрей Филимонов. Потенциальный клиент рассказал, что целый год являлся мужем Веры Михайловны Мамаевой, вложил в квартиру супруги деньги — сделал ремонт, купил новую мебель, и только собрался спокойно жить, как жена его выгнала. Истеричка придралась к тому, что Андрей пошутил во дворе с симпатичной соседкой, обозвала его потаскуном, вышвырнула его шмотки из окна и велела убираться вон.

— Я остался без копейки и на улице, — жаловался Филимонов, — хочу вернуть потраченные средства. И вообще, на какое имущество я имею право?

— При зарегистрированном браке... — начал Николай.

— Мы без росписи жили, — остановил адвоката Андрей.

— Тогда сложно что-либо сделать, — покачал головой Чернов. — Гражданский брак не является официально зарегистрированной формой отношений, поэтому его участники не пользуются правами, аналогичными правам законных супругов. Распоряжение совместно нажитым имуществом при расставании мужчины и женщины будет зависеть в первую очередь от способностей сожителей мирно договариваться друг с другом. Много вы вместе за год приобрели? Квартиру, машину, дачу совместно покупали?

— Я ремонт сделал, — повторил Андрей.

— Чеки сохранились? Есть документы, подтверждающие, сколько вы заплатили рабочим? — продолжил юрист.

— Ничего этого нет, — сник Филимонов. — Я нанимал гастарбайтеров, материалы на рынке брал.

Николай развел руками.

— Тогда попытайтесь с Верой общий язык найти. Иного пути нет. Давите на совесть, авось она проснется. Но судя по моему опыту, с обиженными женщинами это редко происходит.

— Поговорите с ней вы, припугните, — попросил Филимонов. — За плату, конечно. А я дам компромат на бабу. Мне известно, что у нее спрятаны миллионы. Причем не в рублях.

— Звучит фантастично, — усмехнулся адвокат.

— Нет, нет, это правда, — возразил Андрей. — Понимаете, тут такая история... До Веры я жил с Татьяной, которая Мамаеву ненавидела. Ее отец, Леонид Воронин, был когда-то начальником отделения милиции и вместе с папашей Веры, какой-то шишкой в муниципалитете, вещи из квартир одиноких покойников продавал. Один раз они обшарили апартаменты какого-то умершего генерала, тот из Германии после войны коллекцию притащил: картины, скульптуры и прочую хрень. Много чего взяли. На громадную сумму. Мамаева в воровстве заподозрили, но он Воронина со всеми потрохами сдал, представил все так, будто виноваты Леонид и другие люди, которые в деле участвовали, а сам он белый и пушистый, его, мол, Воронин шантажом работать заставил. Всех посадили, а Мамаев с женой на свободе остались. Потом они на пенсию ушли и на даче поселились, дочка при них росла. Татьяну же Воронину в детдом отправили: ей там ой как несладко пришлось. Собственно, это она меня к Верке отправила, велела с той спать.

Адвокат удивился.

— Странная идея. И вы согласились?

— Так ведь Мамаева знает, где ее отец награбленное спрятал, и мы с Танюхой хотели адресок нычки узнать, — пояснил Филимонов. — Вот и стал я с Веркой жить, ремонт ей сделал, а она, гадина, после окончания работ выперла меня. Поговорите с ней, припугните, скажите: «Знаю, что ты награбленное отцом заныкала. Верни Филимонову деньги, на ремонт им потраченные, и поделись с ним тем, что твой папаша спер».

Конечно же, Чернов вежливо выставил Андрея вон. А вечером рассказал супруге о визите и прокомментировал ситуацию:

— Разных подлецов навидался, но Филимонов просто главнокомандующий среди мерзавцев. Пойти на поводу у девушки, которая уверена, что ее знакомая хранит награбленное отцом, и лечь с той в кровать, чтобы выведать место, где спрятаны ценности? У меня нет слов!

Ангелина тоже поразилась. Муж с женой долго обсуждали странную историю. Разговор происходил во время ужина, за столом сидел и их сын.

Вскоре после той беседы Чернов-старший скончался. А спустя примерно полгода после похорон Владимир женился. Его избранницу звали Верой...

— Мне и в голову не могло прийти, что моя невестка та самая Вера Мамаева, о которой мужу рассказывал несостоявшийся клиент Филимонов, — причитала Ангелина Сергеевна, сидя напротив Рябова. — Я невероятно обрадовалась, когда ей в голову пришла мысль о создании конторы по покупке-продаже жилья. Понимаешь, Николай умер, но клиенты-то ко мне обращались и...

Женщина ойкнула и замолчала. Но Валерий услышал фразу, которая вылетела из ее рта.

— Ты о чем?

— Да так, ерунда, — попыталась уйти от ответа Лина.

Но Рябов рассердился:

— Если не расскажешь всю правду, помогать не стану. Не желаю оказаться в идиотском положении. Во что ты меня втягиваешь? У Коли работы почти не было. А после его смерти о каких клиентах может идти речь?

— Но жили-то мы нормально, — напомнила Ангелина Сергеевна. — Я домашняя хозяйка, Володя ничего не получает, зато тратит много. Откуда у нас деньги, как ты думаешь?

Валерий Федорович пожал плечами.

— Никогда не интересуюсь содержимым чужих карманов. И у людей есть накопления.

Ангелина улыбнулась.

— На самом деле Коля пахал не покладая рук, но никто об этом не знал.

— Чем он занимался? — удивился Валерий.

Его собеседница опять увильнула от прямого ответа:

— Всяким-разным, в основном документами.

— Все, до свидания! — отрезал Рябов.

— Не хочешь мне помочь? — испугалась Ангелина.

— Хочу. Но ты не желаешь быть откровенной, — возразил друг. — А раз так...

И Черновой пришлось рассказать все.

Правда повергла Рябова в оторопь. Оказалось, Николай был Чистильщиком, жена ему помогала. А после смерти мужа вдова занялась нелегальным бизнесом в одиночку. Но ей требовалось какое-то прикрытие. При жизни Николая вопросов, откуда у Черновых деньги, не возникало — глава семьи адвокат, понятно, что он хорошо зарабатывает. То, что Коля почти не вел никаких дел, знало малое количество людей, остальные не сомневались в немалых доходах юриста. А вот после его смерти окружающие могли удивиться тому, что образ жизни семьи фактически не изменился.

Может, Ангелина Сергеевна и перестраховывалась, но она почти перестала тратить деньги, складывала заработанное в носок и постоянно твердила Володе с Верой:

— Николай умер, мы теперь нищие.

Конечно же, вдова несказанно обрадовалась, когда невестка сообщила, что продала свою квартиру, решив открыть риелторскую контору. Дела у Веры шли ни шатко ни валко, но ведь никто, кроме налоговой инспекции, финансовое положение бизнеса не проверяет. А Чернова-старшая громко рассказывала про успехи невестки и сына. Но вдруг супруга Володи оказалась под следствием. Свекровь чуть инфаркт не заработала, услышав об аресте невестки. Владимир же демонстрировал полное спокойствие.

— Все наладится, — повторял он.

Мать налетела на сына:

— Вова, ты не понимаешь серьезности происходящего? Две клиентки Веры, молодые женщины, отравлены одной маркой красного сухого вина. На столах у них остались чашки со следами пальцев и губ твоей жены. В квартире первой жертвы найден брелок от ее сумки. В другом случае твою жену в доме лифтерша видела. Маленькая деталь: Вера не употребляет красное сухое — у нее на него аллергия, сама она в гостях у клиенток пила чай. Ну что еще надо, чтобы ее осудить? Скажешь, нужно еще знать мотив. То есть надо ответить на вопрос, почему Вера женщин на тот свет отправила. Да, моя невестка на вопросы следователя не отвечает, только твердит: «Я не делала ничего плохого». Но у той и другой жертвы пропали крупные суммы денег, которые они хотели истратить на покупку жилья. Сынок, надо что-то делать! Мы должны постараться вывести Веру из-под удара. Иначе у нас с тобой будет много неприятностей. Поеду к Валерию, упрошу его самого взяться за защиту. Здесь требуется адвокат экстра-класса.

— Обойдется, — отмахнулся сынок. — Делом занимается следователь, с которым можно договориться. Цена вопроса триста тысяч евро. Меня уже с ним познакомили, мужик мне свидание с Верой устроил, я ей все объяснил: хочешь, чтобы дело замяли? С тебя триста тысяч евриков.

— Вова, откуда у девочки такая сумма? — растерялась Ангелина Сергеевна. — Продать ей нечего, разве что вашу фирму. Но быстро такие дела...

— Ошибаешься! — зло произнес Чернов-младший. — Эта дура сидит на богатстве, но до сих пор не собиралась им с мужем делиться. Ничего, теперь ей придется раскошелиться.

— Ты о чем? — не сообразила мать.

Владимир ухмыльнулся:

— Помнишь, незадолго до смерти папа рассказывал нам за ужином о парне, который с гражданской жены деньги за ремонт хотел получить?

— Нет, не помню этого разговора, — удивилась вдова. — Твой отец со мной постоянно чем-то делился, у нас же традиция была — вместе трапезничать и его слушать. У меня в мозгу только самые смешные казусы задерживались. Ну, например, как одна соседка вторую из-за кошки...

— А вот я, в отличие от тебя, — перебил Володя, — всерьез к словам того посетителя отнесся. Нашел у отца в кабинете его контакт, встретился с ним и с Татьяной, дочкой Леонида Геннадьевича Воронина...

И Владимир рассказал матери о том, что узнал. Как родители Веры, Антонина и Михаил Мамаевы, сколотили группу единомышленников для продажи ценностей из квартир одиноких покойников.

— Все правда, мама, — вещал сынок, — Верка знает, где ее папаша казну спрятал, но молчит. Сколько раз я у нее денег просил, а она мне дулю.

— Володя, думаю, у нее ничего нет, — вздохнула Ангелина Сергеевна, — ты ошибся в расчетах.

— А вот и нет! — заорал сынок. — Когда тебе на лекарства средства понадобились, где она их взяла, а? Из нычки что-то вынула и толкнула! Сидит, гадина, на золоте и не хочет делиться...

Вдова Рябова, прервав рассказ, закашлялась. Встала, взяла бутылку с водой, которая стояла на подоконнике. Я молча смотрела, как хозяйка делает большие глотки, и вдруг вспомнила свою беседу с Верой. К щекам прилила кровь.

— Ой, что такое с вами? — заметив это, занервничала Раиса Павловна. — Вы прямо в лице переменились.

— Жарко очень, — быстро сказала я. — Можно и мне воды?

Хозяйка открыла холодильник.

Я постаралась улыбнуться. А про себя подумала: пока не надо сообщать Рябовой, что Ангелина Сергеевна обдурила ее мужа. Чернова знала про ценности раньше. Свекровь и Владимир придумали смертельную болезнь Ангелины и попытались выудить у Веры миллионы на лечение матери Владимира. Но жена Володи продала дачу. А потом, когда алчный супруг стал рыдать: «Мама погибает, нужен второй курс уколов, давай продадим бизнес» — отказалась выполнить его просьбу. Но и не поехала туда, где закопан клад. У Веры на самом деле не было ничего ценного.

Я глубоко вздохнула. У моей бабули есть присказка. Если кто-то при Белке говорит: «Меня так ужасно обманул близкий человек», Изабелла Константиновна произносит в ответ: «Не надо кормить овсом деревянную лошадь». А Вера довольно долго занималась этим неблагодарным делом. Она продала квартиру, чтобы открыть фирму, и спасла Володю от расправы ростовщиков. Потом продала дачу и оплатила курс лечения свекрови. Больше ей было нечего продавать, а бизнес она хотела сохранить, чтобы растить дочь. Вера любила мужа. Тот же не испытывал к ней никакого светлого чувства, повел ее в загс лишь потому, что мечтал добраться до ценностей. Владимир не верил, что у Веры от родителей ничего не осталось, в его сознании укоренилась мысль: его жена очень богата.

Раиса Павловна вернулась к столу, поставила передо мной стакан с водой, села и продолжила:

— Ангелина рассказала Валере, что сильно болела, но неожиданно выздоровела — наверное, помог курс уколов, который оплатила невестка. А сын заподозрил, что жена ему соврала насчет суммы, вырученной от продажи дачи. Ну разве простенький домик так дорого стоит? Вряд ли. Думая, что у супруги есть золотой Эверест, Владимир решил: ради свекрови Вера крошку отщипнула, больше ей жалко, а вот ради спасения себя, любимой, карманы наизнанку вывернет.

И Чернов начал действовать...

Глава 43

Ленивый Владимир, желая откусить от кулебяки с валютой, оказался весьма активен. Для начала он позвонил своему лучшему другу и бывшему однокурснику Григорию Беркутову, который после окончания института подался в следователи, и попросил его найти в архиве дело начальника отделения милиции Леонида Воронина. Приятель, естественно, поинтересовался, зачем оно потребовалось. Слово за слово... В общем, далее мужчины начали действовать сообща.

Гриша поддержал друга студенческих лет:

— Ты прав, у бабы точно где-то зарыта большая банка с добром. И она им ни с кем делиться не собирается. Если учесть, во сколько валютных миллионов оценивалась коллекция, которую генерал в Германии спер, то у твоей женушки просто озера денег. Почему я так думаю? Не поленился почитать давнюю-предавнюю жалобу, отправленную в СССР в пятидесятых годах адвокатом Розенберга. Там указан весь состав коллекции и сообщено, что человек Леденева ее со склада целиком забрал. А теперь смотрим допросы Михаила Мамаева. Да, сделок с преступниками мы официально не заключаем, но если тихонько, то можно, и отец Веры договорился со следствием. Условия сделки были такие: он отдает, что имеет, и называет имена подельников, а за это ему и его жене была обещана свобода. Мужик все выполнил, отдал сокровища генерала, сдал приятелей. Но! Список ценностей, вынутых Михаилом Ильичом из нычки, — это примерно одна десятая того, что Леденев когда-то спер. Уверен, хитрый Верин папаша расстался не со всем добром. Значит, весомая его часть до сих пор где-то припрятана. Мамаев сказал следователю: «Это все». А тот его словами удовлетворился, опись коллекции Розенберга в архиве не запрашивал. Почему? Ну... Может, подследственный ему лично что-то недешевое подарил. Нет, жена тебе ничего не отдаст. Но, знаешь, о себе люди истово заботятся, и если Вера вдруг попадет в какую-нибудь неприятность, желательно крупную, она живо тайник вскроет. Останется только проследить за бабой, и все будет наше.

— И что, ждать, пока с ней какая-то байда приключится? — рассердился Чернов. — Я, когда на ней женился, думал, что быстро все выясню, а вон гляди-ка, уж скоро дочке семь лет стукнет. Устал до жути! Может, с ней еще двадцать лет ничего плохого не произойдет, только лет в шестьдесят она заболеет, и деньги на врача понадобятся. Супер! За фигом мне бабло в старости? Оно сейчас нужно!

— Болезнь? М-да, неприятно... — протянул Григорий. — Но есть еще кое-какие пинки от судьбы, когда приходится большие деньги отдавать, чтобы выпутаться из передряги. Например, адвокаты — дорогое удовольствие. Да что я тебе говорю? Сам знаешь, сколько защитник стоит.

— Верка даже правил дорожного движения не нарушает, — мрачно заметил Владимир, — труслива до предела.

Беркутов ухмыльнулся.

— Я в доле. Если половина моя, то объясню, что сделать, чтобы бабенка тебе со слезами на глазах нашептала: «Родной, езжай по адресу, который дам, там спрятано мое состояние. Продай антиквариат, выкупи меня». И я помогу все организовать...

Раиса Павловна оборвала рассказ и посмотрела на меня.

— Понятно?

— Да, — тихо ответила я. — Григорий и Владимир все подстроили. В голове такое не укладывается — отправить супругу в тюрьму, подставив ее под обвинение в двойном убийстве, чтобы та рассказала, где спрятано наследство отца... А если все-таки у Веры ничего нет?

— Не все мужчины любят своих жен, — вздохнула Рябова, — некоторые вступают в брак по расчету. И готовы на любые подлости ради обретения ценностей. Знаете, когда мой муж передавал мне вкратце слова Ангелины Сергеевны о том, что затеял ее сын, у меня вдруг мелькнула мысль: а ведь она ему соврала. Думаю, Чернова отлично все знала. А может, даже сама сплела сеть, в которой и запуталась ее невестка. В процессе беседы с Валерой мать Владимира увлеклась и произнесла следующее: «Клиентки, которых убили, от меня пришли, я обеим жертвам посоветовала в агентство сына обратиться. Знала их, любительницы хорошего вина, а у Веры-то сильная аллергия на красное сухое. Володе как раз требовалось найти женщин, проживающих на территории, подведомственной отделению, где убойным отделом руководит Беркутов. Ну и повезло сыну — те, кого я к нему отправила, обе жили где надо».

— Да уж, — поежилась я, — интересное сообщение.

— И еще эта история с чудесным выздоровлением Черновой-старшей... — сказала Раиса Павловна. — Вроде Ангелина Сергеевна уже одной ногой в могиле стояла и — опля, вылезла из ямы... После первого курса инъекций! В общем, у меня сразу возникло ощущение, что мамаша — тоже участница спектакля. А может, и главный его постановщик. Сначала-то Черновы хотели на жалость надавить, вынудить невестку поехать туда, где ценности хранятся, чтобы свекровь спасти. А когда это не сработало, запихнули беднягу в СИЗО. Но вернусь к рассказу Ангелины Сергеевны. По ее словам, Володя сказал Вере, что нашел двух женщин, которые хотят улучшить жилищные условия, и договорился с ними, что его жена приедет к клиенткам на дом для более подробной беседы. Вера очень обрадовалась, что супруг включился в работу, начала общаться с Каретниковой и Голубевой. Но дело шло трудно. И вот однажды Владимир дал ей бутылку красного сухого вина и посоветовал угостить Каретникову. Ничем ведь не рисковал при этом, знал, что жена из-за своей аллергии не притронется к спиртному, а владелица жилья, наоборот, с радостью за него схватится.

Ничего не подозревающая Вера потом довольно сказала мужу:

— Ты оказался прав. Оксана выпила вино и сразу стала намного сговорчивей.

— Отлично, — кивнул супруг. — Тогда вот тебе еще такая же бутылка, теперь надо Голубеву угостить. Кстати! Каретникова после твоего ухода звонила в офис, сказала: «Согласна на внесение залога за предложенное Верой жилье. Но через неделю. Завтра утром я улетаю, вернусь через семь дней, тогда все и сделаем».

О том, что Оксаны к тому времени уже не будет в живых, Вера, понятно, не знала. И набирать номер клиентки на следующий день не стала, поверила, что та куда-то уехала. Вскоре владелица агентства «ДТМ» поспешила к Голубевой...

Оба убийства произошли на территории, подведомственной отделению, где служил Беркутов. Он же и стал расследовать смерть женщин.

После того как тело первой жертвы увезли в морг, в квартиру пришел эксперт. Но до него в ней побывал следователь. Григорий унес крупную сумму, которая лежала в шкафу, и оставил улики, подтверждающие, что в квартире побывала Вера: чашку со следами ее пальцев и губ, брелок от сумки. Стоит ли объяснять, что все это ему дал Владимир? Эксперт, приехавший через час после следователя, описывал место преступления, уже «подправленное» Беркутовым.

Со второй жертвой поступили так же.

Напарник Чернова оказался знатным манипулятором: он ловко дергал за ниточки и в конце концов так их запутал, что Вера оказалась под замком. Пока не в СИЗО, а в том отделении, где работал Григорий. Все шло как по маслу. Все, кроме самого главного.

Напуганная Вера плакала и твердила:

— Я не виновата.

Сразу после задержания подозреваемой предоставили незаконное свидание. Ее отвели в какой-то чулан, где сидел ее муж. Володя обнял жену.

— Дорогая, я тебя люблю! — завел он сладкие речи. — И никогда не брошу! Есть вариант отмазаться от суда и следствия. За триста тысяч евро ты окажешься на свободе.

— Господи! — впала в истерику бедная Вера. — Где же такую бешеную сумму взять?

Владимир старался изо всех сил — расписывал, как ужасно поступят с убийцей на зоне, говорил, что ее осудят на много-много лет... Вера рыдала.

— Если не достанем нужных средств, у тебя будет бесплатный адвокат, — шептал супруг, — с такой защитой ты сразу утонешь.

— Боже, боже! — заливалась слезами Вера. — Но я же не виновата, клянусь!

Она так и не произнесла столь ожидаемых Черновым слов: «Вот тебе адрес, там ценности. Продай что хочешь, выкупи меня».

— Не раскололась? — спросил Григорий, когда вспотевший приятель вышел из чулана.

— Нет. Вот сука! — выругался Владимир.

— Плохо давил, — укорил Беркутов. — Ладно, завтра я сам попробую.

Но на следующий день в отделение как снег на голову свалилась проверка сверху. Чин, который ее проводил, удивился, почему задержанная по делу об убийстве до сих пор находится в здешней камере, и живо отправил ее в СИЗО.

Чернов запаниковал и бросился к матери, рассказав о том, что натворил...

Адвокат Рябов, который за годы адвокатской практики наслушался разного и уже ничему не удивлялся, испытал шок. Он не ожидал, что Владимир, сын его друга, способен на такое.

— Помоги! — стонала теперь Ангелина. — Ради памяти Коли, умоляю! Вера должна очутиться в психушке.

У Валерия от услышанного заболела голова.

— Почему именно там?

— Валера, очнись! — топнула ногой Ангелина Сергеевна. — Нельзя допустить громкого процесса, который замарает нашу фамилию. Я потеряю клиентов. Чистильщик, так или иначе имевший проблемы с законом, не котируется. Не дай бог у судьи сомнения в виновности невестки появятся. Тогда дело отправят на доследование, могут выйти на моего мальчика... Нет, нет, нет! Психушка — лучший вариант, это нас спасет. И Вере хорошо — как убийцу ее не осудят, и больница не барак. Постарайся! Деньги у меня есть, заплачу, не торгуясь...

Раиса Павловна снова замолчала.

— Ваш муж все провернул, — договорила за нее я. — И Вера оказалась в спецклинике.

Собеседница прищурилась.

— Да. Верно. Я была против, но супруг отрезал: «Рая, это мой долг по отношению к покойному Коле. Выгони он меня вон много лет назад, когда наивный институтский приятель пришел незваным гостем на его день рождения, никогда бы мне не стать тем, кем я стал. Ты же знаешь, в мире, где адвокат Рябов зарабатывает на белый хлеб с икоркой, главное — связи. Моисей Шнеерзон, посели его господь в райских кущах, был неплохим человеком, но он четко делил людей на «своих» и «чужих». Первым оказывал мощную поддержку, вторым гадостей не делал, а просто их не замечал. Через год после моего прихода в юридическую консультацию туда же распределили Павла Кузнецова. Он, как и я, был в мире адвокатов чужаком, первым юристом в семье пролетариев. И что? Паша еще лет десять давал консультации старикам, у коих всего богатства было старый ковер да две гнутые вилки, они приходили спросить, как соседей по коммуналке приструнить или незаботливых внуков наследства лишить. Потом Кузнецов куда-то подевался. Думаю, ушел из профессии, судьба его мне неизвестна. Повторяю: Моисей Павла не гнобил, но так называемые хорошие клиенты, денежные или чиновные, доставались тем, кому заведующий покровительствовал. И со мной так же случиться могло, не представь меня Коля на своей вечеринке Моисею как своего лучшего друга. Только после этого Шнеерзон меня в стан «своих» перевел. Теперь мой черед помочь Черновым. Надо дурака Володю спасать, а то, не ровен час, докопается кто-нибудь до правды. Если захотеть, это не очень трудно сделать.

— Валерий Федорович, верный друг Николая Чернова, чтобы спасти его сына Владимира, который ради получения ценностей отравил двух женщин и подставил супругу, согласился представить невиновную Веру умалишенной? — уточнила я. — Странное, однако, у господина Рябова понятие о справедливости. Он был противоречивым человеком — вытащил с зоны Осипова, помог бывшему охраннику стать другой личностью, а Вера Чернова все оставалась в психбольнице, то есть в заключении. Да, в клинике комфортнее, чем на зоне, но ведь женщина ни в чем не виновата. Валерия выросла без матери. Сейчас Вера Михайловна вышла на свободу, но боится встретиться с дочкой, не хочет, чтобы та узнала, что ее мать считается убийцей и сумасшедшей. И если бы Вере Михайловне не встретился психиатр, который понял, что она невиновна, жить бы Черновой еще долго за крепко запертыми дверями палаты для душевнобольных. Валерий Федорович, чтобы отблагодарить покойного друга, вывел Владимира Чернова, а заодно и его подельника Беркутова, из-под удара. Бывший следователь сейчас прекрасно живет на берегу моря. А милый Володя снова женился, опять развелся и в ус не дует. Приятелям, конечно, надо помогать, но не таким же образом!

— Не стоит сейчас говорить о том, хорошо или плохо поступил мой муж, — медленно, с расстановкой произнесла Раиса Павловна. — Он это сделал, и совершенного не исправить. Нельзя повернуть время вспять, сделать так, чтобы Валера отправил Ангелину вон и под стражей оказался Владимир.

— Верно, — согласилась я.

— Но можно восстановить справедливость, — добавила Рябова. — Ох, у меня что-то очень голова заболела. Надо давление измерить и принять таблетки. Выйду минут на десять, а вы меня здесь подождите.

Я слегка удивилась.

— Ладно.

Вдова медленно пошла к двери, притормозила, обернулась:

— Степанида, у вас какая модель телефона?

— Айфон, — ответила я.

— У меня тоже, — улыбнулась хозяйка. — В нем прекрасный фотоаппарат, снимки получаются четкие.

Я взглянула на папку с записями Валерия Федоровича, которую Раиса Павловна «забыла» на столе. И снова посмотрела на Рябову.

— Сделаю снимки, покажу их сотруднику полиции, а тот устроит шум. И имя вашего покойного супруга окажется... — Я замолчала.

— Испачканным? — спросила Раиса, вдова адвоката. — Ха! Вы не понимаете, что значит замазаться в грязи. Вас мне господь послал. Я уже давно голову ломала, думая, что делать. Покажете фото полиции? Прекрасно! Возбудят дело? Сомневаюсь. Но если получится, то лучше и не придумать. Желтая пресса узнает эту историю? Просто великолепно. Спросите, почему я мечтаю о громком, мощном скандале?

Раиса Павловна подошла к старинному секретеру, откинула крышку, вынула книгу и протянула мне.

— Откройте там, где закладка. Тираж сего пасквиля — более ста тысяч экземпляров... У меня на самом деле очень заболела голова. Приму лекарство и вернусь. Потом сварю вам кофе. Изучите пока текст. Думаю, когда прочтете, вопроса, по какой причине я рассказала ужасную правду, о которой мне вроде бы следовало молчать, у вас уже не возникнет.

Глава 44

Через несколько дней вечером в мой офис неожиданно заглянул Роман.

— Что поделываешь? — спросил он.

Я тяжело вздохнула.

— Работаю.

Звягин сел на стул и уставился на мою помощницу, но та спокойно продолжала смотреть в компьютер.

Владелец фирмы «Бак» многозначительно кашлянул. Светкина как ни в чем не бывало пялилась в монитор.

— Кристина, сходи в отдел персонала, — сказала я, — проверь, получила ли Корякина приказ о том, что тебе сократили испытательный срок. Со следующего понедельника ты станешь полноправным сотрудником фирмы «Бак».

— Лидия утром уже сообщила мне эту новость, — ответила секретарша.

— Тогда выпей чаю, — велела я.

— Мне не хочется, — возразила непонятливая девица.

— Оставь нас вдвоем! — не выдержала я.

Светкина вскочила.

— Так бы сразу и сказали. Зачем кругами ходить? Роман Глебович, я вот что хочу сказать: Степа лучшая! Вы ни на секунду не пожалеете, если женитесь на ней. Сплетники всякие гадости болтают про Козлову... Ну, что она с вами по расчету... Но это неправда! Я точно знаю: Хрюша босса обожает. Вот! Она с вами столько лет вместе. Вот! А никогда не просила отношения узаконить. Вот!

У меня потемнело в глазах, рука сама собой потянулась к бронзовой фигурке свинки, которую вчера, хихикая, подарила мне Надя Строева. Поросятина одета в подвенечное платье, а на голове у нее чудом держится фата. Похоже, Кристина поняла, что я испытываю дикое желание швырнуть в нее подарок заведующей складом, поэтому живо вылетела за дверь.

— Все, выдохни... — рассмеялся Роман. — Теперь тебя электорат Хрюшей кличет? Забавно. Мне нравится.

Я схватила бутылку с водой и сделала два больших глотка прямо из горлышка.

— Актер Андрей Маркин, который, похоже, навсегда поселился у Несси, перепутал героев передачи «Спокойной ночи, малыши!» и назвал меня при большом скоплении продавщиц не Степашкой, а Хрюшей. И вот, полюбуйся, я получила бронзовую свинью от Строевой.

— Свинью-невесту, — отметил Звягин.

Я развела руками.

— Идиотская ситуация. Возникла она потому, что ополоумевшая Лидия разослала всем эсэмэску с текстом «Роман Звягин умер». Ты же помнишь, как я к тебе с компанией ночью ввалилась?

Глава нашей фирмы встал, вынул из кармана бархатную коробочку и протянул мне.

— Это что? — не поняла я.

— Открой, — приказал владелец фирмы «Бак».

Я подняла крышку.

— О! Красивое помолвочное кольцо. Бриллиант замечательный, оправа вроде простая, но понятно, что сделана на заказ. Дорогое украшение. Подожди, сейчас угадаю. Изделие фирмы, где Наташа Эрве работает?

Роман кивнул.

— Мы открываем у себя их бутик? — спросила я. — На третьем этаже? Будет эксклюзивный заказ для особых клиентов? Хочешь, чтобы я занималась ювелиркой? Спасибо за доверие, но Маша Реутова прекрасно справляется с этой работой. Или ты Марию куда-то перевести решил?

— Реутова останется на своем месте, — спокойно ответил шеф. — Ты права, кольцо уникально, существует в одном экземпляре. Степа, оно твое!

Я икнула.

— В смысле? Подарок от тебя на день рождения? Но он у меня еще не скоро. И, уж извини, украшение явно помолвочное, я не могу его носить, оно для невесты.

Звягин оттянул узел галстука.

— Как-то я все не так сделал... Степа, выходи за меня замуж!

Я разинула рот.

— Зачем?

Роман расхохотался.

— Такой вопрос могла задать только ты. Затем, чтобы стать госпожой Звягиной.

Я молча смотрела на бархатную коробочку. Судьба любит пошутить. Было время, когда я мечтала услышать от Романа эти слова. Но сейчас...

Владелец «Бака» поднял руку.

— Прежде чем что-либо сказать, выслушай противоположную сторону. Мне нужна жена. А тебе не хватает мужа. Мы живем в стране, где женщина обязательно должна хоть раз побывать в загсе. Если она до тридцати лет не получила в паспорте штамп, то окружающие начинают шептаться. Она больна? Лесбиянка? Третьесортный товар, на который никто не польстился? Я несколько раз пытался создать семью, и всегда неудачно. Мне нужен друг, такой, как ты. Тебе нужен мужчина, такой, как я. Мы идеальная пара. Брак по расчету. Такие союзы, говорят, самые крепкие. Я решу некоторые твои проблемы, а ты мои. Если все сложится удачно, не исключаю настаивать на появлении детей. Но если ты не захочешь стать матерью, я не стану спорить. Не отвечай сразу «нет». Подумай. Я давно хотел сделать тебе предложение, да все как-то не получалось. Но сегодня даже мой помощник заявился ко мне с вопросом, когда приглашения на свадьбу заказывать.

— То есть ты, как честный человек, пришел ко мне под давлением общественности, — рассмеялась я. — Спасибо за предложение. И за честное объяснение, почему ты зовешь меня под венец.

Роман снова поднял руку.

— Степа! Мне сложно говорить нежные слова. Поверь, я хочу жениться на тебе. Это свидетельство моего самого лучшего отношения к тебе. Из нас получится прекрасная пара.

— Но... — опять начала я.

— Хоть кольцо примерь, — попросил Роман, — потом мне откажешь. Я очень старался, когда его заказывал.

Чтобы сделать Звягину приятное, я надела украшение и залюбовалась им.

— Невероятно красивое. Прямо снимать не хочется.

— Так и не надо, — улыбнулся шеф.

Дверь кабинета распахнулась, внутрь с воплем «Степа! Это безобразие!» влетела Строева и замерла у двери.

— Зайди попозже, — попросила я.

Надя вытаращила глаза, взглянула на мою вытянутую вперед руку, на Романа, на открытую бархатную коробочку на столе... Затем кинулась ко мне, смачно поцеловала, повизгивая, облобызала шефа и с очередным воплем: «Звягин подарил Хрюше кольцо! Они женятся!» — вылетела в коридор.

Роман рассмеялся.

— Визит Строевой мною не подготовлен.

— Да уж, — пробормотала я.

— Похоже, альтернативы у нас нет, — еще сильнее развеселился Звягин. — Хрюша, ну что ты теряешь? Давай попробуем.

Дверь снова открылась, на сей раз в офис внеслась Корякина. Я быстрее юной обезьянки успела бросить на бархатную коробочку какие-то документы, сжать пальцы в кулак и спрятать руку за спину.

— Привет, ну прямо фигня какая-то, — зачастила Лида. — Добрый день, Роман Глебович, хорошо, что вы тут. Кристина Светкина. У меня приказ о зачислении ее в штат. Но... тут... э...

— Не мямли, говори четко, — велел Звягин.

— Взяли девушку в «Бак» из-за ее мамы, — зачастила Корякина, — потому что, мол, Елизавета Федоровна на всю нашу косметику-парфюмерию сертификаты качества выписывает.

— Да, — кивнула я, — ты мне это уже говорила.

Лидия смутилась.

— Вышло недоразумение. Дочь Елизаветы Федоровны зовут Кристина Светина.

— И что? — не поняла я проблему.

— Кристина Светина, — повторила Корякина. — А у нас идет в штат Кристина Светкина. Буква «к» у нее в фамилии. Она не дочка! И что теперь делать?

— Светину не знаю, а Светкина меня устраивает, — сказала я.

— Слышала? — спросил Роман. — Решение Степаниды обсуждению не подлежит. На фиг всех. Берем ту, кого Козлова хочет.

В офис всунулась чья-то голова в очках.

— Эй, вы в курсе, что Звягин женится на Козловой? Он сегодня ей кольцо подарил, пятикаратник, а еще серьги, браслет, «Мерседес», квартиру и шубу из соболя.

— Последняя особенно актуальна в июле, — фыркнула я. — Незнакома с вами, назовитесь, пожалуйста. Я Степанида Козлова, а вы кто?

— Ой, мама! — выпалила башка и пропала.

Роман расхохотался. Я чихнула, выдернула из коробки с носовыми платками салфетку...

— Кольцо! — подпрыгнула Лидия. — О-о-о-о!

Продолжая орать, Корякина выскочила в коридор.

— Эй, поосторожней! — возмутился кто-то за дверью. — Ты меня чуть не раздавила!

— Не ходи к Козловой, — велела Лида.

— Почему? Мне надо, — возразил голос.

— Там Звягин. Он ей подарил кольцо, сейчас шубу соболью на плечи бросает и ключи от «Ламборджини» протягивает, — затараторила заведующая отделом персонала. — Не лезь туда, потом припрешься. Дай Степе спокойно порадоваться.

— Ну все, — простонал сквозь хохот Звягин, — теперь Хрюша просто обязана выйти за меня замуж.

Я взяла со стола зазвонивший телефон и услышала бас Кудрина:

— Хрюша! Ох, прости, случайно вырвалось, Крися тебя так зовет. Степа, у меня есть прекрасное предложение.

— Если хочешь, чтобы я вышла за тебя замуж, то ответ сразу «нет», — отрезала я.

— Я всего лишь собирался рассказать тебе про Чернову, — хихикнул следователь.

— В кафе «Утка без яблок» через полчаса? — предложила я.

Роман молча смотрел, как я запихиваю трубку в сумку.

— Дай мне подумать, — попросила я.

— Конечно, — кивнул Звягин. — Пошли, провожу до выхода.

— Нет, — засмеялась я, — убегу огородами, через дверь, которая для выгрузки товара на склад предназначена.

Глава 45

— Книгу я вернул Раисе Павловне, — сказал Алексей, зачерпывая ложкой суп.

— Интересно, о чем думала Ангелина Сергеевна, когда писала сей опус? — поморщилась я.

Кудрин потянулся к корзинке с хлебом.

— О деньгах. Вдова Николая Петровича панически боится нищеты. Разговаривая со мной, она клялась, что никогда не занималась ремеслом Чистильщика. Ее оболгали. Мол, она обычная вдова, бедная пенсионерка.

— Врет, — отрезала я.

Алексей выдернул из держателя бумажную салфетку.

— И вдруг к ней обратилось издательство «Только правда» — Ангелине Сергеевне предложили выпустить книгу. Самой писать ее не надо: приедет журналист, который задаст вопросы, а потом литературно обработает материал. За болтовню хорошо заплатят. Чернова сказала мне, что когда она смотрела рукопись, та называлась «Юристы, друзья моего мужа». Ничего дурного приехавшему к ней журналисту Чернова не сообщала.

Но в свет произведение вышло с названием: «Десять подлых адвокатов». И в ней на самом деле есть рассказ о друзьях покойного Николая Петровича Чернова. Но текст эпатажный. Я могу сравнить сей опус лишь с книгой жены одного великого физика. Слышал, что многие академики, узнав о написании ею мемуаров, стали атаковать издателя, требуя не выпускать воспоминания, настолько они были скандальными[1]. В книге же Ангелины Сергеевны больше всего досталось Валерию Рябову.

— Я читала главу, посвященную ему, — вздохнула я. — Чернова танком проехалась по другу покойного мужа. Если верить ей, то именно Валерий Федорович был Чистильщиком — брал огромные деньги, создавая новую личность преступнику, давал взятки, нарушал закон, совратил малолетнюю Раису, когда той едва тринадцать лет стукнуло. А еще он воровал антиквариат... Ну и так далее, и тому подобное. Неудивительно, что Раиса Павловна, которой в момент брака с Рябовым было хорошо за двадцать, взбесилась от негодования и, желая отомстить Ангелине, отдала мне записи, которые делала для супруга. Есть такая поговорка: «Живя в стеклянном доме, не стоит бросаться камнями». Ангелина Сергеевна забыла это правило. Не пойму, как она не побоялась вымазать Валерия Федоровича? Ведь тот отлично знал, что Вера Михайловна не убийца, и мог во всеуслышание назвать имя настоящего преступника — ее сына Владимира.

— Чернова била себя в грудь кулаком, убеждая меня, что она этого не говорила, дескать, журналист все придумал, — объяснил Алексей.

---

[1] Имеется в виду Кора Ландау-Дробанцева и ее книга «Академик Ландау. Как мы жили».

— Правда? — засмеялась я. — Ах, он гадкий.

— И десять адвокатов, о которых идет речь, когда писался этот пасквиль, уже умерли, — продолжил Кудрин. — Валерий Федорович в том числе. Чернова прекрасно понимала: покойные не болтливы, поэтому ничего не опасалась. Но она понятия не имела, что Раиса Павловна делала для мужа записи, которые сохранились у нее до сих пор. И что к папкам прилагаются флешки — госпожа Рябова перебросила все звуковые файлы на современные носители. Конечно, Раиса Павловна знает, как сложно и дорого возбуждать дело о клевете, к тому же у ее супруга рыльце в пушку, ведь это он Осипова с зоны выручил. Кстати, вот вопрос, на который ответа нет: почему Рябов потратил столько усилий и свои деньги на вызволение охранника? Ты как полагаешь? Я вот думаю...

— Наверное, — перебила я, — Осипов-Юркин знал про него много разного и мог открыть рот. Дешевле было его покойным сделать, чем самому на нары попасть.

— Наши мнения совпали, — кивнул Кудрин. — Но доказательств нет. Осипов-Юркин ничего дурного сейчас про Рябова не говорит. Понимает: если он заговорит, то это палка о двух концах: ему же хуже будет, а Рябов уже мертв. Раиса Павловна отлично знала, что ей нельзя идти в суд, ведь могут вылезти неприглядные истории из жизни супруга, но она очень хотела отомстить Ангелине. Мечтала об этом, строила разные планы, плакала от бессилия — и вдруг к ней пришла Степанида.

— Что теперь будет с Черновыми? — спросила я.

Алексей начал подбирать корочкой хлеба подливку.

— Ничего.

— Как это? — возмутилась я. — Две недели тебе звоню, а ты мне отвечаешь: «Занят, потом поговорим». А когда наконец встретились, я слышу: «Ничего»?

Кудрин поджал губы.

— После того как ты, приехав от Рябовой, показала мне фото документов из папки по делу Черновой, которую собрал Валерий, и вручила книгу про адвокатов, я поговорил с Ангелиной Сергеевной. Ей в конце беседы стало плохо, пришлось вызвать врача. Чернову увезли в клинику, у нее резко повысилось давление. На следующий день я позвонил по телефону, который мне оставили, и услышал, что пожилая дама в реанимации.

Кудрин замолчал.

— Дальше, — потребовала я.

— Через два дня я поехал в больничку, а Черновой там нет, — вздохнул Алексей. — Оказалось, что в палате интенсивной терапии она и не лежала. Кто мне по телефону отвечал, неизвестно. Женщина назвалась доктором Федоровой, и такая там есть, заведует отделением реанимации, но ничего о госпоже Черновой не слышала. Дома у Черновых никого нет. Валерия перестала посещать школу в тот день, когда бабушку из моего кабинета увезли на «Скорой». Владимир позвонил классной руководительнице, сказал, что у дочери грипп. Свет в их квартире не горит, мобильные отключены. Машина стоит в гараже. Деньги остались на счетах. Кредитками никто не пользуется. Никакие билеты никуда Черновы не покупали. Семья просто исчезла. Без следа.

— Забыл, чем Ангелина на жизнь столько лет зарабатывала? — воскликнула я. — Она тебя лихо обманула.

— Старухе реально плохо стало, — начал оправдываться Алексей. — Я не врач, но было видно, что ей не по себе. Хорошо, «Скорая» быстро приехала. Прямо сразу. Через пять минут.

— Не удивлюсь, если Чернова медиков заранее наняла и проинструктировала, — пробормотала я. — Ты сам набирал телефон «Скорой»?

— Ангелина попросила вызвать помощь из клиники, где у нее полис, дала мне визитку с контактами медцентра. Потом по тому же номеру я спрашивал о здоровье старухи, — начал Кудрин и осекся. — Черт... ты думаешь...

Я кивнула.

— Да. Бабуля не промах. Она тебя, как малыша, провела. А что с Верой Михайловной?

— Телефон выключен, дома никого, — ответил Кудрин. — Тоже куда-то делась.

— Понятно, — пробормотала я. — Жаль, так и не успела сказать Лере о том, что ее мама жива. И что она ни в чем не виновата.

Эпилог

Забегая вперед, расскажу, что случилось через год после всех описанных мною событий.

Мы с Романом отправились по делам в Лондон, целую неделю бегали по разным адресам, а незадолго до вылета в Москву решили в конце концов устроить себе отдых. Пошли бездумно бродить по лавкам и набрели на роскошный антикварный магазин, где в разных залах были представлены старинные вещи.

— Давай купим тебе вон те серьги? — предложил Роман.

Я посмотрела на цену и подпрыгнула.

— Да никогда! Они стоят бешеных денег. За такую сумму можно дом купить. Интересно, почему они кажутся мне знакомыми?

— Вам понравились подвески? — зачастил подбежавший продавец. — Они прелестны. Семнадцатый век. Прекрасное вложение капитала. Человек, который принес нам это украшение, наш постоянный клиент, получивший в наследство от родителей уникальную коллекцию.

— Стоимость у них тоже уникальная, — не выдержала я.

— Каждая вещь имеет свою цену, — улыбнулся консультант. — Обратите внимание на очень редкое сочетание бриллиантов прекрасной воды с уральскими самоцветами.

— Собственность великой княгини Елизаветы Федоровны Романовой! — выпалила я.

— Да, — восхищенно закивал сотрудник магазина. — Очень приятно видеть даму, которая так глубоко разбирается в истории знаковых драгоценностей.

— Вдова убитого террористом московского генерал-губернатора, великого князя Сергея Александровича, продала все свои ценности, чтобы построить Марфо-Мариинскую обитель милосердия, — пробормотала я. — К этим серьгам просто просится колье.

— О! Вы правы, — согласился продавец. — И оно было. Есть фото великой княгини, где она в полном комплекте. Человек, который принес подвески, пояснил: «Родители собирали изделия с историей, покупали их на аукционах, у частных лиц. Серьги они приобрели у правнучки фрейлины великой княгини, которую Русская православная церковь канонизировала». Молодая женщина ничего не знала об ожерелье, у нее были только подвески. Кто-то «разбил» комплект. Я всегда тщательно изучаю наш ассортимент, чтобы рассказать людям историю вещи. Так вот! Один раз у великой княгини появилась новая горничная. Спустя время старшая камеристка заметила, что девушка повязала на шею косынку, и сделала ей замечание. Горничная объяснила, что у нее раздражение на коже, которое лучше прикрыть. Начальница велела снять платок и показать шею. Горничной пришлось подчиниться. «Ты посмела надеть колье хозяйки! — воскликнула камеристка. — Бриллиантовое, с самоцветами!» Девушка заплакала: «Простите, я только померила, не удержалась». «Не смей прикасаться к ювелирным изделиям, — начала отчитывать ее главная камеристка. — Ожерелье, которое ты нагло нацепила, особенное. У того, кто впервые надевает его на себя, возникает золотуха, проходит спустя несколько месяцев ношения». Понимаете, как интересно? Ожерелье не любит смены хозяйки и некоторое время бунтует против новой владелицы, но потом смиряется. Факт, достойный пера Шекспира. Вы впечатлены?

— М-м-м, — пробормотала я.

— Если именно эти подвески вам не подходят, то могу связаться с их владельцем. Недавно один из наших покупателей искал брошь к вечернему платью. Я побеспокоил обладателя серег, которые перед вами, и тот принес...

— Спасибо, — перебила я продавца, — мы зашли просто посмотреть.

За моей спиной зарыдал ребенок, но плач быстро прекратился, вместо него раздался женский голос:

— Ты где? Выйди из паба, зайди в лавку и забери Ваню, он постоянно капризничает. Мне надо посмотреть, как серьги представлены. Надеюсь, не как браслет, который в самом темном углу лежал. Глаз да глаз за этими жуликами нужен, хитрые очень! Знаю этот прикол. Кладут вещь так, что ее никто не видит, а потом говорят: «Она не вызывает интереса, надо цену сбавить». А только согласишься, пакостники своему человеку звонят, и тот покупает подешевле. Когда у нас поезд? Хорошо, успеем еще и поесть.

В Лондоне теперь не редкость слышать русскую речь, но я все равно обернулась. И столкнулась взглядом с... Верой Михайловной Черновой. На секунду мы обе замерли. Я бесцеремонно рассматривала мать Валерии. Та опомнилась первой, развернулась и убежала, толкая перед собой коляску с малышом, который держал в ручонке белую собачку с черной головой.

Я пришла в себя и обратилась к продавцу:

— Женщина, которая только что стояла здесь, русская, ведь это она сдала на продажу серьги, представленные в витрине?

— Простите, не имею права разглашать личность того, кто пользуется нашими услугами, — зачастил продавец.

Я посмотрела на Романа. Муж понял меня сразу и поманил продавца:

— В одном из залов я видел эмалевое ожерелье.

Торговец возвел очи к потолку.

— Ваш вкус безупречен. Желаете изучить его поближе?

Я молча смотрела вслед удаляющейся паре. Значит, Вера в Лондоне? Не ожидала увидеть Чернову в антикварной лавке, где принимают на комиссию, а потом продают бешено дорогой антиквариат. Сейчас Роман выяснит у продавца, кто владелец сережек, но я и так уверена, что это именно Чернова. Похоже, дела у Веры идут прекрасно — она живет в Англии, дорого одета, носит вовсе не дешевые украшения, родила ребенка. Значит, когда я приехала к ней в гости, она уже была беременна. Ну да, не случайно же она посреди разговора бегала в туалет. Значит, дело не в отравлении, как она мне пожаловалась, а в токсикозе.

У меня похолодели пальцы рук, я поежилась, пошла к выходу из зала и налетела на... Гаврюшу.

— Степа? — попятился тот. — Ты тут откуда?

— Из Москвы, — радостно объяснила я. — А ты что в Лондоне делаешь? Куда пропал? Сам не звонишь, мобильный твой бормочет, что такой номер не существует... И Андрюша Маркин тебя найти не может.

— Да вот... э... — начал Гаврюша, и тут у него зазвонил телефон.

Психиатр поднес трубку к уху.

— Да. Извини. Бегу. Понял, конечно. Все, все. Прости. — Потом он обратился ко мне: — Степанида, я здесь с группой, они уже уезжают, я должен спешить...

Продолжая говорить, Гаврюша пятился к выходу. И в конце концов исчез из виду. Я подошла к большому окну, занавешенному немодным нынче тюлем, встала сбоку и чуть отодвинула портьеру...

Никакого автобуса с туристами на узкой улочке не было. На противоположной от магазина стороне улочки стоял роскошный автомобиль. Гаврюша быстро подошел к машине, открыл заднюю дверь. Из салона на асфальт выпала черная сумка, ее содержимое высыпалось на проезжую часть. Но владельцы седана не стали его собирать, шофер резко стартанул с места. Я не могла оторвать глаз от вещей, рассыпанных на мостовой: две детские бутылочки, банка питания для младенца, еще какая-то ерунда и... белая собачка с черной головой. Это ее сжимал в ручонке малыш Веры. Я вытащила телефон, позвонила Андрею Маркину, поговорила с ним менее минуты. И осталась стоять, глядя на пустую теперь улочку.

В моей голове ожили воспоминания. Вот Гаврюша и Маркин сидят на кухне у Несси, мы все только что познакомились. Я засобиралась домой, Гаврюша любезно взялся проводить меня до квартиры, по дороге мы разговорились. Я рассказала ему о том, как Лера встретила в магазине мать. Почему я это сделала? Да потому, что хотела найти психиатра, который занимался Черновой, и как раз узнала, что Гаврюша — врач той же специализации.

— Вы, случайно, не подскажете телефон доктора Драпкина? — наивно попросила я у него.

И вот же удача, Гаврюша оказался другом детства Драпкина! Случаются же такие совпадения! Новый знакомый сам пообещал поговорить с Драпкиным.

На следующий день мы встретились в кафе, приятель Маркина рассказал все, что случилось в СИЗО, и посоветовал поговорить с Верой, которая сменила фамилию Чернова на свою девичью, стала вновь Мамаевой. Понимаете? Меня к Вере направил именно Гаврюша. И он же потом предложил сообщить мне адрес матери Валерии. Но я уже у нее побывала. И про книгу «Десять подлых адвокатов» мне сообщил Гаврюша. Но я очень хотела спать, поэтому быстро попрощалась и ушла к себе, упала на кровать. Об этой книге я начисто забыла, вспомнила лишь в тот момент, когда Раиса Павловна Рябова томик на стол передо мной положила. Гаврюша сообразил, что я не обратила внимания на его рассказ о мемуарах Ангелины Черновой, и заявился ко мне на работу с букетом, притащил том. А после того как я конкретно отказалась его читать, прислал мне сообщение со всеми контактами Раисы Павловны Рябовой. Психиатр управлял мною, как марионеткой!

Кто-то тронул меня за плечо. Со словами «Ну и идиотка!» я обернулась.

— Кто у нас идиотка? — улыбнулся Роман. — Надеюсь, ты не о себе так высказалась? Серьги действительно сдала та женщина с ребенком. Эй, почему у тебя такой вид?

— Нам пора в аэропорт, — выдавила я из себя, — все по дороге объясню.

Рассказ мой занял много времени, но в конце концов я завершила его словами:

— И только когда я поняла, что врач не турист, что он в Лондоне вместе с Верой, лишь тогда я позвонила артисту Андрею Маркину и узнала: Гаврюшина фамилия Драпкин, имя его Кирилл Павлович.

— Он психиатр, который лечил Веру? — уточнил Роман.

— Да, — кивнула я.

— Почему ты раньше не спросила его полное имя? — удивился Звягин.

— Он представился Гаврюшей, так я и обращалась к нему, — ответила я.

— Странно, — пожал плечами Роман.

— Вовсе нет, — заспорила я. — Нередко встретишь девушку, которая при первой встрече говорит, скажем: «Я Лялечка», а потом выясняется, что ее зовут Наташа. И не редкость, когда между врачом и пациенткой вспыхивает любовь. Кирилл Павлович и Вера вступили в близкие отношения, психиатр сумел освободить ее, снять диагноз. Думаю, они решили получить английскую визу, но женщине с такой биографией, как у Черновой-Мамаевой, никогда ее не дали бы. Следовательно, дамочке сделали другие документы. Влюбленный Драпкин очень хотел отомстить Владимиру и его матери за то, что они сделали с Верой. Бывшая жена Чернова тоже лелеяла это чувство. И Раиса Павловна Рябова ненавидела Ангелину Чернову за книгу, в которой ее муж Валерий Федорович был испачкан с головы до ног. Месть — острое кушанье, но как его приготовить? Вера намеревалась под чужим именем уехать в Англию, доктор к ней должен был присоединиться. Вера, наверное, ждала визу, попутно мучаясь вопросом: ну и как же отомстить-то? Поднять шум в газетах? Ну да, Черновым можно таким образом подпортить жизнь, но ведь этот удар рикошетом коснется и Веры — выплывет история про ее отца. Тогда консульство может не открыть ей визу.

— Маловероятно, — остановил меня Роман.

— Но вполне возможно, что они так думали! — воскликнула я. — Вера Михайловна вовсе не хотела, чтобы история о коллекции Леденева выплеснулась в печать. На нее могли откликнуться наследники покойного Розенберга — правнуки небось знают, как у их предка отняли дорогие вещи.

— Однако тебе она сразу рассказала правду о том, чем занимался Михаил Ильич, — напомнил Звягин. — И знаешь, что еще странно? Почему Вера, будучи в курсе занятий отца, открыто носила на шее ожерелье большой цены, которое ей подарил папа?

— Она считала его подделкой, — объяснила я. — А насчет сказанной мне правды... Они назначили меня на роль устроительницы скандала, когда уже имели на руках билеты в Англию. Сценарий был такой: глупая Козлова поднимет шум, а Веры-то в России уже нет, и паспорт у нее на другое имя. Ну просто отлично все складывается... Но для того, чтобы отправить очень активную Степу по нужному адресу, следовало ей объяснить, почему Владимир вдруг решил жену за решетку засадить. Вот только мне непонятно, по какой причине психиатр, услышав, что я ищу Веру, которую случайно увидела в нашем магазине дочь, решил, что у меня получится устроить громкий скандал. Отчего бы Гаврюше не нанять репортера?

— Хрюша, у тебя же на лице написано: эта не отстанет, пока своего не добьется, — засмеялся Роман. — И не шум Вере и Драпкину требовался, а испуг Черновых. Наверное, они хотели, чтобы Ангелина Сергеевна и Владимир жили в страхе. А получилось еще лучше — те сбежали. В газету Драпкин пойти не мог, так как масштабный скандал был не нужен ни ему, ни Вере, они просто хотели перед отъездом громко хлопнуть дверью, дать понять Черновым, маман и сыночку, что их секрет кое-кому известен и может в любое время вылезти на свет божий. Ведь давно известно: ожидание наказания намного хуже самого наказания. Уж психиатр Драпкин это хорошо знает.

— Но когда я приехала к Раисе Павловне, та открыто велела сделать снимки и отнести их в полицию, — перебила я.

— Рябова не Вера и не Гаврюша, — вздохнул Роман, — она-то небось хотела именно шума, мечтала по-настоящему отомстить Ангелине Черновой за замаранное имя мужа.

— Слушай, ведь это глупо, — удивилась я. — Мне предлагалось во всеуслышание сообщить, что Владимир посадил свою жену. Но если начали копать, сразу стало бы ясно, что Рябов в этой истории сыграл не самую красивую роль. Ну достала бы Раиса Чернову-старшую, но ее покойному мужу от этого лучше бы не стало. Наоборот, все подумали бы, что в книге правда — вон какой ловкий адвокат-то был.

— Кто тебе сказал, что месть непременно бывает логичной? — поморщился Звягин. — Женщины редко смотрят далеко вперед, видят лишь сиюминутный результат. Вот что думала Рябова: люди узнают, что Черновы посадили невинную невестку. Все, дальше она не размышляла. И еще одно — история с дорогим ожерельем, которое Вере подарил отец. Возможно, Михаил Ильич преподнес дочери презент, но она не могла его носить. Мамаев, скорее всего, показал Вере колье и сказал: «Оно твое, но им нельзя пользоваться, пусть лежит как капитал на черный день». Вера, разговаривая с тобой, придумала сказку о встрече со Шпицем.

— Зачем? — поразилась я.

— Бывшая жена Владимира прикидывалась, что ничего не знает о том, где папенька спрятал награбленное. И вообще, она, мол, ни при чем. Но ей понадобилось объяснить тебе правду про коллекцию, про то, как Леденев ее у Розенберга упер, — терпеливо продолжал Роман. — И как это сделать, если Верочка не в курсе совсем? Вот для чего она соврала про ювелира Якова Ароновича.

— Шпиц — реальное лицо, — уточнила я, — его показания есть в деле Михаила Ильича Мамаева.

— Охотно верю, что он существует, — кивнул Роман. — А вот ожерелья, которое носила на шее Вера, не было.

— Похоже, Вера Михайловна совсем не любит свою дочь Валерию, — тихо сказала я.

— Не все матери испытывают светлое чувство к своим детям, — заметил Звягин.

— Кстати, об ожерелье, — встрепенулась я. — Теперь я понимаю: за встречу со мной и за свой рассказ Раиса Павловна потребовала у Веры гонорар. И это было украшение, которое вызвало у Рябовой кожную аллергию. Я заметила, что декольте дамы покрывают красные пятна, но ничего, конечно, ей не сказала. В общем, доктор Драпкин умело манипулировал мной, в результате его действий Черновы куда-то сбежали, а психиатр с Верой улетели в Лондон.

— Лучше бы им отправиться туда, где нет русских, — усмехнулся Роман.

— А где теперь наших нет? — вздохнула я. — В африканской глубинке? Так там они больше внимания к себе привлекут. И парочка поселилась не в самом Лондоне, просто приезжает в антикварный магазин. Когда Вера говорила по телефону, я услышала фразу про поезд, на который надо успеть. Драпкин такой хитрый! Вера же ему стопроцентно рассказала, что со мной беседовала. Но Гаврюша тогда в Москве все равно спросил у меня: «Ты общалась с Черновой?» Старательно делал вид, будто не знаком с Верой Михайловной.

— Значит, Вере все-таки достались награбленные папашей сокровища, — отметил Роман. — Почему же она не выдала место заначки, когда Владимир сообщил, что за триста тысяч евро ее от суда и следствия освободят?

Я развела руками.

— Точного ответа на твой вопрос не знаю. Думаю, Чернова, очутившись на нарах, поняла, что муж ее совсем не любит. История с болезнью Ангелины Сергеевны выглядела странно. Полагаю, Вера Михайловна сообразила: супруг — плохой человек, его мать — тоже не лучший экземпляр человеческой породы. Если сказать Владимиру адрес, где взять триста тысяч евро, он весь запас схапает, продаст, а ее не выкупит. Вот Чернова и молчала. Но это лишь мои домыслы, точно я ничего не знаю. Может, на твой взгляд, есть другая причина?

— Да, патологическая жадность, — отрезал Роман. — Такая, что даже в тюрьму пойдешь, но не поделишься тем, что имеешь.

— А Гаврюша смог к ней подобраться, — вздохнула я, — ему она все рассказала.

— Наверное, поняла, что клиника для сумасшедших преступников уж очень гнусное место, — скривился Роман. И улыбнулся. — Ну что ж, Черновы где-то прячутся, Вера и Драпкин тоже заховались на чужбине, а наш самолет только что приземлился в столице нашей Родины. Пора выходить.

Мы встали, Роман начал вытаскивать сумку.

— Ой, мамочки... — воскликнула женщина, занимавшая место через проход. — Элиза, не хочешь мне помочь?

Я взглянула на соседку и улыбнулась. Та прижимала к себе правой рукой собачку, одетую в пижамку и с чепчиком на голове. Обращалась дама именно к ней, одновременно левой рукой пыталась взять дорожный чемоданчик и два туго набитых пакета из дьюти-фри.

— Почему Господь не подарил мне толстый длинный хвост? — пробормотала соседка. — Сейчас бы повесила на него мешки и понесла.

Я рассмеялась.

— Давайте помогу.

— Спасибо, — обрадовалась дама. — Можете подержать Элизу? Она маленькая, добрая, всех любит. Порода называется московский тойтерьер.

Я взяла собачку, та мигом прижалась ко мне.

— Какой ласковый песик! — воскликнула я и пошла к двери.

Тойтерьер сидел у меня на руках вплоть до того момента, когда к нам с Романом подбежал Юрий.

— Машина у выхода, — доложил секретарь. — Ой, кто это?

— Элиза, — ответила я, по-прежнему обнимая псинку, которая уткнулась мне носом в грудь. — Правда, милая?

— Юра, возьми для себя такси, я сам за руль сяду, — распорядился Роман.

Помощник ушел. Мы дождались соседку по самолету, отдали ей собачку, распрощались и поехали домой.

Часа через два, когда я вышла из ванной, муж сказал:

— Тебе на Ватсапп дождем идут сообщения.

— Ну вот, началось... — вздохнула я. — Не успела чемодан распаковать, как уже всем понадобилась. И что от меня хотят?

Я взяла айфон и начала читать послания. «Поздравляем с рождением дочери Элизы! Строева», «Здоровья мамочке и малышке! Корякина», «Ну ты и скрытная. Никто не знал, что Хрюша беременна. Теперь у нас есть Элиза. Ура! Кристина».

— С ума сойти! — закричала я. — Народ решил, что у меня родилась девочка. А, знаю, кто разнес сплетню — Юра. Крохотная собачка была одета в пижамку, на голове чепчик, мордочку она в меня уткнула.

Роман показал на свой телефон.

— Аналогичная история. Только мне пишут представители фирм-партнеров и спрашивают: куда отправлять подарки для новорожденной?

— Ну как можно принять собачку за младенца? — простонала я. — Почему никто не подумал, что у меня не было живота? И вообще у нас свадьба только через месяц!

— Бракосочетания случаются и у людей с детьми. Хочешь, я попрошу хозяйку Элизы, чтобы та разрешила собачке нести шлейф твоего подвенечного платья? — с самым серьезным видом спросил Роман. Потом, все же не выдержав, расхохотался. — Хрюша, не обращай внимания на сплетников. Махни рукой и забудь.

Я села в машину. Махни рукой и забудь? Мужчины и женщины по-разному реагируют на одно и то же событие. Если любимая футбольная команда Звягина проиграет, Роман погружается в глубокий траур, а мне смешно, как можно серьезно переживать из-за такой ерунды. А вот когда я расстраиваюсь из-за дурацкой досужей болтовни, Звягин советует махнуть рукой и забыть.

— Что ты вздыхаешь? — спросил Роман.

Я не ответила.

Мужчины и женщины просто разные биологические виды. Мы совсем не похожи ни телом, ни умом, ни эмоциями. Даже в мелочах не сходимся. Если мужчина хочет выглядеть лучше, он быстренько умоется и — красавец. А что случится с женщиной, если она, решив стать красавицей, ополоснет свое личико водой с мылом? То-то и оно. Даже, если мужчина и женщина делают одно и то же, результат у них получится вовсе не одинаковый.

Литературно-художественное издание

ИРОНИЧЕСКИЙ ДЕТЕКТИВ

Донцова Дарья Аркадьевна

ГОЛОЕ ПЛАТЬЕ ЗВЕЗДЫ

Ответственный редактор *О. Рубис*
Младший редактор *П. Рукавишникова*
Художественный редактор *С. Груздев*
Технический редактор *Г. Этманова*
Компьютерная верстка *В. Андриановой*
Корректор *Л. Китс*

В коллаже на обложке использованы фотографии:
Oleg Gekman, Hekla, koya979, Photobac, Marian Weyo, AmazeinDesign, ESB Professional,
nadezhda76, Ivailo Nikolov, Holmes Su, Vector things / Shutterstock.com
Используется по лицензии от Shutterstock.com

ООО «Издательство «Э»
123308, Москва, ул. Зорге, д. 1. Тел. 8 (495) 411-68-86.
Өндіруші: «Э» АҚБ Баспасы, 123308, Мәскеу, Ресей, Зорге көшесі, 1 үй.
Тел. 8 (495) 411-68-86.
Тауар белгісі: «Э»
Қазақстан Республикасында дистрибьютор және өнім бойынша арыз-талаптарды қабылдаушының
өкілі «РДЦ-Алматы» ЖШС, Алматы қ., Домбровский көш., 3«а», литер Б, офис 1.
Тел.: 8 (727) 251-59-89/90/91/92, факс: 8 (727) 251 58 12 вн. 107.
Өнімнің жарамдылық мерзімі шектелмеген.
Сертификация туралы ақпарат сайтта Өндіруші «Э»

Сведения о подтверждении соответствия издания согласно законодательству РФ
о техническом регулировании можно получить на сайте Издательства «Э»

Өндірген мемлекет: Ресей
Сертификация қарастырылмаған

Подписано в печать 27.06.2017. Формат 80x100¹/₃₂.
Гарнитура «Newton». Печать офсетная. Усл. печ. л. 14,81.
Тираж 14000 экз. Заказ 3026.

Отпечатано в ООО «Тульская типография».
300026, г. Тула, пр. Ленина, 109.

Оптовая торговля книгами Издательства «Э»:
142700, Московская обл., Ленинский р-н, г. Видное,
Белокаменное ш., д. 1, многоканальный тел.: 411-50-74.

**По вопросам приобретения книг Издательства «Э» зарубежными оптовыми
покупателями обращаться в отдел зарубежных продаж**
*International Sales: International wholesale customers should contact
Foreign Sales Department for their orders.*

**По вопросам заказа книг корпоративным клиентам,
в том числе в специальном оформлении**, *обращаться по тел.:*
+7 (495) 411-68-59, доб. 2261.

**Оптовая торговля бумажно-беловыми
и канцелярскими товарами для школы и офиса:**
142702, Московская обл., Ленинский р-н, г. Видное-2,
Белокаменное ш., д. 1, а/я 5. Тел./факс: +7 (495) 745-28-87 (многоканальный).

Полный ассортимент книг издательства для оптовых покупателей:
Москва. Адрес: 142701, Московская область, Ленинский р-н,
г. Видное, Белокаменное шоссе, д. 1. Телефон: +7 (495) 411-50-74.
Нижний Новгород. Филиал в Нижнем Новгороде. Адрес: 603094,
г. Нижний Новгород, улица Карпинского, дом 29, бизнес-парк «Грин Плаза».
Телефон: +7 (831) 216-15-91 (92, 93, 94).
Санкт-Петербург. ООО «СЗКО». Адрес: 192029, г. Санкт-Петербург, пр. Обуховской Обороны,
д. 84, лит. «Е». Телефон: +7 (812) 365-46-03 / 04. **E-mail:** server@szko.ru
Екатеринбург. Филиал в г. Екатеринбурге. Адрес: 620024,
г. Екатеринбург, ул. Новинская, д. 2ш. Телефон: +7 (343) 272-72-01 (02/03/04/05/06/08).
Самара. Филиал в г. Самаре. Адрес: 443052, г. Самара, пр-т Кирова, д. 75/1, лит. «Е».
Телефон: +7 (846) 269-66-70 (71...73). **E-mail:** RDC-samara@mail.ru
Ростов-на-Дону. Филиал в г. Ростове-на-Дону. Адрес: 344023,
г. Ростов-на-Дону, ул. Страны Советов, 44 А. Телефон: +7(863) 303-62-10.
Центр оптово-розничных продаж Cash&Carry в г. Ростове-на-Дону. Адрес: 344023,
г. Ростов-на-Дону, ул. Страны Советов, д.44 В. Телефон: (863) 303-62-10. Режим работы: с 9-00 до 19-00.
Новосибирск. Филиал в г. Новосибирске. Адрес: 630015,
г. Новосибирск, Комбинатский пер., д. 3. Телефон: +7(383) 289-91-42.
Хабаровск. Филиал РДЦ Новосибирск в Хабаровске. Адрес: 680000, г. Хабаровск,
пер.Дзержинского, д.24, литера Б, офис 1. Телефон: +7(4212) 910-120.
Тюмень. Филиал в г. Тюмени. Центр оптово-розничных продаж Cash&Carry в г. Тюмени.
Адрес: 625022, г. Тюмень, ул. Алебашевская, 9А (ТЦ Перестройка+).
Телефон: +7 (3452) 21-53-96/ 97/ 98.
Краснодар. Обособленное подразделение в г. Краснодаре
Центр оптово-розничных продаж Cash&Carry в г. Краснодаре
Адрес: 350018, г. Краснодар, ул. Сормовская, д. 7, лит. «Г». Телефон: (851) 234-43-01(02).
Республика Беларусь. Центр оптово-розничных продаж Cash&Carry в г.Минске. Адрес: 220014,
Республика Беларусь, г. Минск, проспект Жукова, 44, пом. 1-17, ТЦ «Outleto».
Телефон: +375 17 251-40-23; +375 44 581-81-92. Режим работы: с 10-00 до 22-00.
Казахстан. РДЦ Алматы. Адрес: 050039, г. Алматы, ул.Домбровского, 3 «А».
Телефон: +7 (727) 251-58-12, 251-59-90 (91,92,99).
Украина. ООО «Форс Украина». Адрес: 04073, г.Киев, Московский пр-т, д.9.
Телефон: +38 (044) 290-99-44. **E-mail:** sales@forsukraine.com

**Полный ассортимент продукции Издательства «Э»
можно приобрести в магазинах «Новый книжный» и «Читай-город».**
Телефон единой справочной: 8 (800) 444-8-444. Звонок по России бесплатный.

В Санкт-Петербурге: в магазине «Парк Культуры и Чтения БУКВОЕД», Невский пр-т, д.46.
Тел.: +7(812)601-0-601, www.bookvoed.ru

Розничная продажа книг с доставкой по всему миру. Тел.: +7 (495) 745-89-14.

BOOK24.RU
ИНТЕРНЕТ-МАГАЗИН

BOOK24.RU

ISBN 978-5-699-97229-6

9 785699 972296 >

16+